BORSTVOEDING GEVEN

Adrienne de Reede-Dunselman

Borstvoeding geven

een antwoord op heel veel vragen

Voor Frank
en onze kinderen
Jasper, Meike, Stijn en Cathelijn

Achtste, herziene druk, september 2005
Zevende, herziene druk, juni 2003
Zesde druk, mei 2001
Vijfde, herziene druk, mei 2000

Uitgeverij De Kern, De Fontein bv, Postbus 1, 3740 AA Baarn
Omslag: Mariska Cock
Zetwerk: Scriptura, Westbroek

ISBN 90 325 0758 3
NUR 850

Met illustraties van de auteur

Inhoud

Voorwoord 9

1. Waarom borstvoeding geven? 11
Kennis – Weten waarom je borstvoeding kiest – De samenstelling van moedermelk – Bescherming tegen ziekte – Allergie – Groeien – Kaakontwikkeling en tanden – Kosten – Effect op je lichaam – Gemakkelijk – Lichaamscontact – Wederkerigheid – Idylle? – Zelfvertrouwen – Troosten – Je eigen behoeften – Een weloverwogen keuze

2. Hoe borstvoeding eigenlijk werkt 24
De borsten in functie – Melk maken – Melk geven – Melk nemen – Moedermelk – Colostrum – Overgangsmelk – Rijpe moedermelk

3. Rond de bevalling 35
Zwanger zijn – Vóór je gaat voeden – De gezondheidszorg – Lichamelijke aspecten – Lastige tepels – Hygiëne – Lekken – Voedings-bh – Praktische voorbereidingen – Bijzondere situaties – Eerste kennismaking – Rooming-in – Voeden naar behoefte – Bijvoeding – Wegen – Vitamine K – Geelzien – Stuwing – Luier-bh – Welverdiende rust – In gesprek met hulpverleners

4. Een kind aan de borst 62
Aanleggen – Zoeken – Happen – Ademhalen en zuigen – Ondersteunen van de borst – Hoe vaak? – Dag- en nachtritme – Schema – Toeschieten – Hoe lang? – Hoe drinkt je baby? – Loslaten – Houdingen – Op schoot – Onder je arm – Liggend voeden – Veranderingen – Kraamvrouw af – Regeldagen – Lekken – Vader en kind – Draagdoek

5. Vragen, zorgen en twijfels 86
'Hoe weet ik of hij wel genoeg krijgt?'
'Waarom huilt mijn baby zo veel?'

'Maar hoe moet dat gaan met nog een kind?'
'Komt hij wel genoeg aan?'
'Moet hij elke dag een poepluier hebben?'
'Is dat spugen nou normaal?'
'Kun je nog voeden als de baby tandjes krijgt?'
'Mijn baby wil niet happen. Mijn baby laat telkens los.'
'Hij wil ineens niet meer drinken, wat nu?'
'Hoe zit dat nu met menstruatie en anticonceptie?'
'Vrijen als je borstvoeding geeft?'
'Zou het aan de borstvoeding liggen dat ik altijd zo moe ben?'
'Moet je elke dag rusten als je borstvoeding geeft?'
'Ik denk dat ik er te gespannen voor ben.'
'Hoeveel moet ik extra eten om te kunnen voeden?'
'Is roken en drinken slecht voor de borstvoeding?'
'Ik ben bang dat mijn voeding ineens stopt als er iets ernstigs gebeurt.'
'Mijn vriendin had wel genoeg voeding, maar het was te waterig.'
'Ik moet er niet aan denken om in gezelschap half bloot te gaan zitten voeden!'
'Ik heb last van bekkeninstabiliteit. Kan ik niet beter stoppen met voeden?'

6. Moedermelk en milieuverontreiniging 115
Welke stoffen? – Onderzoek en normstelling – Is moedermelk nog gezond? – Je weet maar nooit...? – Praktische punten

7. Problemen met de melkproductie 121
Genoeg melk? – Twijfels – Wat is er aan de hand? – Een probleem om op te lossen – Extra melk – Het 'Supplemental Nursing System' – Al met al... – Relactatie – Zuigen – Bijvoeding – Te veel melk – Toch rustig voeden – Minder vraag – Minder aanbod – De praktijk – Veel drinken, maar weinig aankomen

8. Borstvoeding met pijn en moeite 139
Pijnlijke tepels – Wondjes – Een geïrriteerde huid – Overgevoeligheid – Spruw – Andere tepelproblemen – Tepelhoedjes; tepelbeschermers; speen op de borst: wat moeten we ermee? – Pijnlijke borsten – Verstopt melkkanaal-

tje – Borstontsteking – Terugkerende borstontstekingen – Een abces – Stekende pijn in de borst – Mastopathie – Bloed in de moedermelk

9. Afkolven en de combinatie van borstvoeding en een baan 159
Waarom afkolven? – De omstandigheden – Welke methode? – Met de hand – Handkolven – Batterijkolf – Elektrische kolf – Hoe ga je te werk met een kolf? – Hoe vaak en wanneer kolven? – Hoeveel kolven? – Bewaren van afgekolfde melk – Hygiëne – De baby en de fles – De combinatie van borstvoeding en een baan – De wet – De praktijk – Afspraken – Wat zijn de mogelijkheden? – Ten slotte

10. Allergie en overgevoeligheid 178
Koemelkeiwit-allergie – Wat zijn de verschijnselen? – Diagnose en behandeling – Overgevoeligheid voor melksuiker: lactose-intolerantie

11. Bijzondere omstandigheden 183
Te klein bij de geboorte – Moedermelk en lichaamscontact – Volhouden – Je kleintje aan de borst – Een extra steuntje – Eindelijk thuis – Twee baby's tegelijk – In het ziekenhuis – Eén voor één of samen? – Welke kant, wanneer, voor wie? – Aanvulling met flesvoeding – Aangeboren afwijkingen – Gespleten lipje, kaak of gehemelte: schisis – Aanleggen – Of... moedermelk uit de fles – Open ruggetje – Een hartafwijking – Syndroom van Down – PKU

Anders dan anders – *Een adoptiekind aan de borst – Een keizersnee – Voeden na een borstoperatie – Ziekte en ziekenhuisopname – Praktische maatregelen – Opname van je baby – Postpartum depressie – Diabetes – Schildklierafwijkingen – Epilepsie – Laat je helpen – Het sterven van een kind*

12. Moedermelk en nog wat meer 216
Minderen met mate – Noodtoestand – Borstvoeding op z'n beloop gelaten – De eerste vaste voeding, wanneer? – Hoe en wat? – Oefening baart kunst – Melk is goed voor elk... – Spenen – De allerlaatste voeding – Nog heel klein en toch te groot? – Verstoorde nachtrust – Een nieuwe zwangerschap – Wat nu?

13. Borstvoeding in een breder perspectief 231
'Alles van waarde is weerloos' – Een vrouwenzaak – Wereldwijd – UNICEF *en de* WHO *op de bres – Waarom moet borstvoeding bevorderd worden? – Voordelen voor de vrouw – De Code in het kort –* IBFAN *– Kleine wereld-grote wereld*

Lijst van nuttige adressen 243

Beknopt literatuuroverzicht 246

Register 247

Voorwoord

Je kind de borst geven gaat niet altijd zonder zorgen. Hoe minder je door eigen opvoeding en ervaringen met dit natuurlijke proces vertrouwd bent geraakt, des te meer hulp kun je erbij gebruiken. Goede raad komt van alle kanten. Het is een hele kunst om je weg te vinden in een wirwar van goedbedoelde, maar vaak tegenstrijdige adviezen. Met wat kennis van zaken wordt dat een stuk eenvoudiger. Je hoeft geen diepgaande studie van borstvoeding te maken. Het gaat erom dat je zelfvertrouwen tegen een stootje kan, en dat je je eigen verantwoordelijkheid kunt nemen.

Er is de laatste decennia veel over borstvoeding geschreven, met name in het buitenland. Ook binnen de borstvoedingsorganisaties is in de loop van de jaren een grote hoeveelheid informatie verzameld. Die informatie moet gemakkelijk beschikbaar zijn. Maar in tot nu toe vertaalde en in Nederland gepubliceerde boeken is onvoldoende terug te vinden zowel van praktische kennis als van wetenschappelijke ontwikkelingen.

Het accent ligt in dit boek niet op het waarom, maar op het hoe van borstvoeding geven. De eerste zes hoofdstukken vormen een afgerond geheel, waarin je normaal gesproken al je vragen van de eerste maanden beantwoord ziet.

In het tweede gedeelte worden allerlei bijzonderheden aan de orde gesteld. Laat je niet overdonderen door de problemen. Er is naar gestreefd ook die betrekkelijk zeldzame situaties aan bod te laten komen, waar je elders nauwelijks informatie over kunt vinden. Het is natuurlijk niet de bedoeling dat je gaat piekeren over wat je allemaal te wachten staat, maar dat je weet wat je zonodig te doen staat.

Na hoofdstuk 12, over het einde van de borstvoedingsperiode, wordt zelf voeden in een ruimer kader geplaatst: het laatste hoofdstuk gaat beknopt in op maatschappelijke aspecten, flesvoeding in armoede, en commercie binnen de gezondheidszorg.

Dit boek had ik niet kunnen schrijven zonder de inspiratie van tal van vrouwen die mij in de loop van de jaren hun ervaringen hebben verteld. Het plezier en de zorgen, het doorzettingsvermogen en de teleurstelling in hun verhalen zijn voor mij een sterke motivatie geweest. Ik heb er veel van geleerd.

Ten slotte wil ik al degenen bedanken die me morele steun hebben gegeven, en bovendien de tekst geduldig van commentaar hebben voorzien: met name leden van de vereniging Borstvoeding Natuurlijk en van haar Medisch Advies College.

1. Waarom borstvoeding geven?

Als de baby het voor het zeggen had, zou hij het wel weten en voor borstvoeding kiezen.

Wie kan zich aan die indruk onttrekken? Als je de kans hebt om eens rustig te kijken naar een kind aan de borst, dan wordt je duidelijk hoe hij geniet. Je ziet de overgave waarmee hij drinkt, de aandacht waarmee hij het gezicht van zijn moeder zoekt. Je kunt je het gevoel van bescherming en warmte voorstellen dat hij ervaart. Koude voetjes zijn na een voeding weer lekker warm! Je ziet dat de baby zich voldaan ontspant en in slaap valt aan de borst. Of hij lacht en praat op zijn manier al drinkend, laat af en toe even los om daarna weer tegen zijn moeder aan te kruipen. Een baby die al een poosje ervaring heeft, laat op allerlei manieren merken dat hij graag gevoed wordt. Hij neemt dan ook actief deel aan de borstvoeding. Het is een proces van wederkerigheid en het aandeel van de baby is daarin van groot belang: hij moet de borst goed in zijn mondje nemen en pas na een paar keer krachtig zuigen gaat de melk volop lopen. Soms zie je hoe een baby met zijn handje op de borst klopt. Het lijkt een ongeduldig: komt er nog wat van! Hoe groter hij wordt hoe beter hij leert invloed uit te oefenen op zijn omgeving; borstvoeding is de eerste leerschool.

Het spreekt vanzelf dat een pasgeboren baby door de natuur voldoende is toegerust om goed te kunnen gaan drinken: zijn kans op overleven hing er in feite van af. Zo heeft een baby een klein plat neusje, om dicht tegen de borst aan te kunnen liggen zonder enig probleem met ademhalen. En als zijn kinnetje niet zo terugweek, zou het hem niet lukken de borst ver genoeg in zijn mondje te nemen. We kunnen rustig aannemen dat de baby geniet van borstvoeding, maar hij is niet de enige hoofdrolspeler!

Kennis

Het overgrote deel van de vrouwen wil graag zelf voeden. Zij nemen daarmee een belangrijke beslissing, al zijn veel vrouwen zich daarvan niet eens zo bewust. Met moedermelk geef je je kind de beste start in het leven. De kwaliteit van de voeding is uniek en zelf voeden is een intensieve en waardevolle ervaring. Tegelijkertijd weet ik maar al te goed dat er momenten zullen zijn waarop je denkt: waar ben ik aan begonnen? Vrouwen hebben behoefte aan meer kennis van zaken en aan praktische hulp bij allerlei vragen die zich kunnen voordoen. Want 'borstvoeding is het beste' is niet meer dan een loze kreet. Daar schiet je niets mee op als je kind nooit tevreden lijkt. Dan is borstvoeding geven maar een ondankbare baan voor dag en nacht.

Problemen kunnen vaak voorkomen worden. Als je zelf begrijpt wat er aan de hand is, ben je beter in staat de beslissing te nemen die op dat moment voor jou de beste is. Dikwijls krijg je van alle kanten zoveel tegenstrijdige adviezen, dat je door de bomen het bos niet meer ziet.

Is borstvoeding geven werkelijk zo ingewikkeld geworden? Zoiets natuurlijks, waar je speciaal op gebouwd bent, hoort toch vanzelf goed te gaan? Veel vrouwen kijken er zo tegen aan en eigenlijk is dat een heerlijke, ontspannen houding: borstvoeding geven is vanzelfsprekend, het hoort er gewoon bij. Waarom zou het tegenwoordig nodig zijn zelfs hierover boeken vol informatie te bestuderen?

Toch gaat het met het voeden niet altijd vanzelf goed. Iedereen kent wel de verhalen van teleurstelling en frustratie, waarin alles anders ging dan werd verwacht. Het vertrouwen in jezelf en in de natuurlijke gang van zaken loopt dan een deuk op. Je kunt er grote moeite mee hebben een dergelijk gevoel van teleurstelling te overwinnen, terwijl je tegelijkertijd blij bent met je kind.

Een schuldgevoel maakt de situatie nog veel ingewikkelder. Als je tegen je bedoeling in flesvoeding geeft, kun je kwaad zijn omdat je niet de hulp hebt gekregen die je nodig had. Maar voel je niet schuldig! Je hebt gedaan wat in jouw vermogen lag, jij bent niet tekort geschoten.

Weten waarom je borstvoeding kiest

Naast kennis van zaken heb je ook motivatie nodig. Juist als je elke avond doodmoe in je bed valt, is het van belang te weten dat je het beste hebt gekozen. (Overigens is een moeder die flesvoeding geeft even moe aan het eind van een lange dag met haar nieuwe baby.) Misschien is men geneigd je op te beuren met opmerkingen als: wat maak je je druk, flesvoeding is tegenwoordig toch net zo goed als moedermelk? Dat is zeker niet waar. Hoezeer de zuivelindustrie ook blijft sleutelen aan het product, het zal nooit meer dan een imitatie kunnen worden. Natuurlijk kunnen er redenen voor zijn dat ouders voor hun baby flesvoeding kiezen. Als aan bepaalde voorwaarden van hygiëne en financiën (want flesvoeding geven kost geld) is voldaan, vormt dat in onze samenleving een aanvaardbaar alternatief. In het laatste hoofdstuk wordt hier dieper op ingegaan.

De samenstelling van moedermelk

Het uitgangspunt voor de fabrikant van kunstmatige zuigelingenvoeding is moedermelk. Je kunt je wel afvragen welke moedermelk. Die verandert namelijk van samenstelling gedurende de hele periode dat je voedt, omdat de behoeften van een baby die groeit, ook steeds veranderen. Als je baby te vroeg geboren wordt, bevat je melk meer eiwitten en beschermende stoffen, precies wat zo'n heel kleintje nodig heeft. In een heet klimaat zit er meer water in de moedermelk, terwijl in koude landen het vetgehalte hoger is. Zelfs al zou je erg onverstandig eten, dan nog zou de kwaliteit van je voeding prima zijn. De natuur heeft het zo geregeld dat 'het jong' voor gaat. Voor je eigen conditie is het, juist in deze drukke tijd, natuurlijk van groot belang dat je gezond eet. Maar denk eens aan de situatie van vrouwen in grote armoede, oorlog en hongersnood: ze blijven moedermelk produceren, al is het vaak niet in overvloed, en hun baby's gedijen in zo'n bedreigende situatie nog het beste zolang ze maar borstvoeding krijgen.

Bescherming tegen ziekte

Aangezien moedermelk een vers, levend product is, komen er antistoffen in voor, die je kind beschermen tegen bepaalde infecties. Ook als je zelf tijdens de periode dat je voedt aan een infectie wordt blootgesteld, levert je melk meteen de bescherming die je baby nodig heeft. Moedermelk wordt zelfs als medicijn gebruikt in gevallen van chronische diarree. Pas na ongeveer een half jaar heeft een kind zijn eigen afweersysteem opgebouwd. Met borstvoeding bied je een geleidelijke overgang van volledige afhankelijkheid in de baarmoeder naar immunologische onafhankelijkheid. In dit opzicht schiet flesvoeding uiteraard tekort. We zijn er misschien te veel aan gewend geraakt dat ziek-zijn erbij hoort, dat ook een baby af en toe echt ziek is. Elke periode van ziekte betekent echter een terugslag; en dat telt aan, juist in dat eerste jaar waarin een kind zich zo snel ontwikkelt. Verschillende onderzoekers hebben aangetoond dat borstgevoede baby's veel minder vaak last hebben van maag- en darmstoornissen, diarree en van luchtweginfecties. Ook oorontstekingen komen minder vaak voor bij een baby die borstvoeding krijgt dan bij zijn flesgevoede leeftijdgenootje.

De verschillen worden pas echt duidelijk als een kind minstens drie tot zes maanden moedermelk krijgt. Heel wat onderzoeken hebben uitgewezen dat het positieve effect van langdurig voeden aanhoudt, ook in de jaren nadat je ermee gestopt bent. Vroeg bijvoeding geven kan afbreuk doen aan de bescherming die je met je eigen melk geeft.

Vaak worden de voordelen van borstvoeding opgesomd in een rijtje wetenschappelijke feiten en in een rijtje emotionele argumenten; of er wordt gekeken naar het belang van de moeder of van het kind. Als het gaat over kwaliteit van moedermelk en het effect daarvan op de gezondheid van je kind, dan krijgt het wetenschappelijke verhaal van al die onderzoekers ineens ook een emotionele betekenis: de kans dat je baby ziek wordt en in het ziekenhuis moet worden opgenomen, is belangrijk minder groot als je borstvoeding geeft, en dat is geen kleinigheid. Want ook al zijn in ons land de medische voorzieningen uitstekend, je baby houd je het liefste bij je thuis.

Er blijken dus wel degelijk verschillen te bestaan tussen de kwaliteit van moedermelk en flesvoeding.

Allergie

Voor kinderen die mogelijk een allergische aanleg hebben, gelden de voordelen van borstvoeding nog meer. Een aanleg kan nooit teniet gedaan worden, maar het lichaam heeft minder moeite met het lichaamseigen eiwit dat in moedermelk voorkomt, dan met de koemelkeiwitten uit flesvoeding. Ook sojamelk wordt door lang niet alle kinderen met een allergie of voedselintolerantie gemakkelijk verdragen. Verschijnselen als buikkramp, eczeem, luchtweginfecties en verkoudheid zullen bij borstgevoede baby's minder heftig zijn en later optreden dan bij fleskinderen. Bij borstvoeding kan het raadzaam zijn in je eigen voedingspatroon rekening te houden met de mogelijke aanleg van je kind. Het is de moeite waard; want moeite kost het zeker, vooral om ervan overtuigd te blijven dat je op de goede weg bent, als je baby zo vaak ontroostbaar huilt. Zie ook hoofdstuk 10.

Groeien

Baby's heb je in alle soorten en maten. De bouw en de aanleg van het kind zelf spelen bij de groei een belangrijke rol. Borstkinderen groeien vaak niet precies volgens het lijntje van de groeicurve die op het consultatiebureau wordt gehanteerd. Zo'n groeicurve is immers de weergave van gemiddelde waarden, gebaseerd op de gegevens van een grote groep baby's, van wie het merendeel kunstmatige babyvoeding heeft gekregen. Veel borstkinderen groeien niet zo regelmatig, ergens tussen de drie en vijf maanden zie je vaak een tijdelijke afvlakking van de groeicurve. Ze komen dan een poosje minder aan dan je zou verwachten, zonder dat je je daar zorgen over hoeft te maken. Op zo'n moment geeft het gedrag van je baby meer informatie over hoe het met hem gaat, dan de gegevens over zijn gewicht. Het kan zijn dat hij niet zo tevreden meer is. In dat geval heeft hij wel wat extra borstvoeding nodig.

Een borstkind wordt niet gauw te dik, en ook als hij tegen zijn eerste verjaardag nog steeds een bolle baby is, leidt dat niet tot latere vetzucht. Bij flesgevoede baby's is de kans daarop veel groter. Dat komt vooral door de samenstelling van kunstmatige babyvoeding. Bij borstvoeding speelt het natuurlijke gevoel van verzadiging ook een rol. De WHO doet onderzoek naar de groei van borstkinderen; vanaf eind 2005 is de nieuwe WHO groeicurve beschikbaar.

Een prettige bijkomstigheid is dat borstkinderen lekker ruiken! Ze hebben een zoetig luchtje, en zeker zolang ze nog geen bijvoeding krijgen, ruiken ook de poepluiers helemaal niet onaangenaam. Reden temeer om niet eerder dan nodig is met bijvoeding te beginnen.

Kaakontwikkeling en tanden

Zuigen aan de borst vereist een heel andere activiteit dan uit een flesje drinken. Je ziet de kaakjes van een baby tijdens de borstvoeding bewegen, de tong en het gehemelte spelen ook een rol. Velen zijn ervan overtuigd dat al deze inspanning een gunstig effect heeft op de ontwikkeling van de kaakjes, en daardoor ook op de stand van het gebit. Hoe ruimer de kaak, des te meer plaats is er immers voor de tanden en kiezen.

Ook zie je vaak dat borstkinderen minder behoefte hebben aan duimen en aan andere vormen van zuigen, omdat de zuigbehoefte aan de borst gemakkelijker bevredigd kan worden. En het valt niet mee om duimen weer af te leren.

De verleiding is groot om een kind dat moeilijk inslaapt, een flesje melk te geven vlak voor het naar bed gaan, of om hem er 's nachts mee te troosten. Als de tandjes al doorgekomen zijn, krijgen die op die manier meteen heel wat te verduren. En hoeveel peuters zie je niet die onafscheidelijk zijn van hun flesje (sap of melk). Het verschijnsel 'bottle cariës', ofwel door fles veroorzaakt tandbederf, kan het gevolg zijn van deze op zich heel begrijpelijke gewoonte. Borstkinderen slaan de fase van het flesje vaak over. Mochten ze nog lang ook 's nachts borstvoeding krijgen (doorslapen vanaf 6 weken is mooi, maar niet gegarandeerd), dan geeft dat voor de tandjes in ieder geval geen problemen. Moedermelk komt meteen achter in de mond terecht waardoor de slikreflex geprikkeld wordt, en zal dus niet in het mondje achter de tanden blijven staan.

Kosten

Banaal om geld te betrekken bij de voordelen van borstvoeding? Toch is het zo dat je met je eigen productie heel wat uitspaart. Misschien kun je eens uitrekenen hoeveel alleen al de blikken melkpoeder je gedurende de minstens een half jaar zouden kosten! Daarbij nog flessen, spenen, flessewarmer, energie en water... je rekent je rijk. Topkwaliteit babyvoeding tegen een paar extra boterhammen met kaas per dag.

In sommige huishoudens leidt het financiële argument ertoe dat veel te snel op een minder volwaardig, goedkoper alternatief dan kunstmatige babyvoeding wordt overgegaan. Anderen vinden flesvoeding niet alleen erg duur, maar hebben bovendien bezwaren tegen de verspilling van grondstoffen, energie en verpakkingsmateriaal die ervoor nodig zijn. Toch zijn de kosten van de voeding in een land als het onze waarschijnlijk maar zeer zelden van doorslaggevend belang.

Effect op je lichaam

De melkproductie vraagt energie van je lichaam. Vooral in het begin merk je dat je vaak zin hebt in iets extra's. Tijdens de voeding krijg je zelf ook dorst. Toch is het niet nodig voortdurend veel te eten om volop melk te kunnen produceren. Integendeel, de reservevoorraad vet, die in de zwangerschap speciaal voor dit doel werd aangelegd, wordt nu aangesproken voor de melkproductie. Zo raak je zonder veel moeite die paar kilo's teveel kwijt, die na de bevalling zijn blijven hangen. Hoewel dit voor de meeste vrouwen opgaat, kan het ook zo zijn dat je je pas weer de oude voelt nadat je gestopt bent met voeden.

Het hormoon dat ervoor zorgt dat de melk gaat stromen, veroorzaakt tegelijkertijd het samentrekken van de baarmoeder. Naweeën, niet altijd een even prettig gevoel! Borstvoeding heeft een gunstig effect op de 'ontzwangering'. De kans op een nabloeding wordt kleiner, en doordat de baarmoeder sneller weer in haar oorspronkelijke toestand van voor de bevalling komt, ben je ook eerder van het vloeien af.

Zelf voeden kun je niet beschouwen als een betrouwbare vorm van anticonceptie. Wel is het zo dat de kans erg groot is, dat de menstruatie uitblijft zolang je tenminste vier à vijf voedingen geeft, verdeeld over het etmaal. Bij volledige borstvoeding op verzoek zijn veel vrouwen, maar niet alle, een half jaar of langer niet ongesteld. Je geeft dan een voeding telkens wanneer de baby er om vraagt, zonder een strak schema te volgen. Geen menstruatie is enerzijds heel gemakkelijk, anderzijds ook erg vervelend omdat je niet weet waar je aan toe bent. Wetenschappelijk is aangetoond dat de eerste cyclus er vaak een zonder eisprong is (anovulatoir). Toch kun je er niet van uitgaan dat dat bij jou het geval is. De mogelijkheid bestaat dat je in verwachting raakt voor de eerste menstruatie na de bevalling. In hoofdstuk 5 vind je meer informatie over anticonceptie.

Natuurlijk verandert je lichaam door een zwangerschap en een bevalling. Het idee dat door borstvoeding geven op zich de vorm of conditie van je borsten blijvend anders wordt, berust op een wijd verbreid misverstand. Voordat de baby geboren is, kun je al merken dat je borsten op hun nieuwe functie van melk produceren worden voorbereid. Door een toename van het melkklierweefsel worden ze zwaarder. Deze veranderingen treden op ongeacht of je borstvoeding gaat geven of niet. Het kunstmatig onderdrukken van de melkproductie heeft waarschijnlijk een negatief effect op de veerkracht van de borsten; meer nog dan het voeden op zich. De overgang naar 'normaal' is, als je een tijd borstvoeding geeft, minder abrupt, en de borsten worden dan in de loop van de tijd heel geleidelijk weer minder zwaar.

Gemakkelijk

'Borstvoeding geven is gemakkelijk, je hebt het altijd bij de hand, vers en op de juiste temperatuur'. Het kan wel een paar weken duren voor je het gemak van zelf voeden gaat waarderen.

Vrouwen die zonder veel zorgen borstvoeding hebben gegeven, stellen zich het klaarmaken en opwarmen van een fles meestal als zeer ingewikkeld voor (hoewel ze voor hun kleuters poffertjes bakken als de beste!). Dat komt waarschijnlijk omdat het iets heeft van een onverwachte meevaller dat je zonder veel werk (een knoopje open, een haakje los) eersteklasmelk voor je baby ter beschikking hebt. In dit opzicht is borstvoeding gemakkelijk voor jezelf, maar ook voor je kind. Hij kan gevoed worden, zodra je tijd voor hem hebt. Dat is heus niet altijd onmiddellijk, aangezien je ook andere dingen te doen hebt. Maar vooral 's nachts is het een verademing dat je snel aan zijn schreeuwende behoefte kunt voldoen. Je hoeft niet met hem rond te lopen, terwijl zijn melk wordt opgewarmd en de rest van de familie ook wakker dreigt te worden.

Integendeel, de rust is snel weergekeerd, als je met je baby terugkruipt in je warme bed, en half of helemaal in slaap een voeding geeft. Pech als je er nog uit moet om hem te verschonen.

Uit onderzoek is gebleken, wat niet meer dan logisch is: dat kinderen die borstvoeding krijgen, meer dan fleskinderen bij hun ouders in bed mogen slapen. Zie ook blz. 70.

Lichaamscontact

Voor een baby is lichaamscontact van levensbelang, het is zijn houvast in de wereld. Hij ervaart geborgenheid, veiligheid en warmte doordat hij vastgehouden wordt. Volgens biologen behoort de mensensoort tot de 'draaglingen', dat wil zeggen dat een pasgeborene niet in het nest blijft, ook niet met de kudde mee trekt, maar gedragen wordt. De eerste negen maanden van het leven worden dan beschouwd als een voortzetting van de zwangerschap buiten de baarmoeder. Bij een langere zwangerschap zou de reis door het geboortekanaal onmogelijk worden door de snelle groei van de hersenomvang en dus van het hoofdje. De baby moet dus 'te vroeg' geboren worden. Het is zeker zo dat een mensenkind bij de geboorte heel erg afhankelijk is en dat ook nog lang blijft.

Maar hoe de theorieën ook luiden, uit de praktijk weten we dat baby's zich ontspannen als ze bij de mensen zijn, en dat het erbij zijn aanvankelijk ook letterlijk vastgehouden worden betekent. Een kind is daarvoor niet alleen op zijn moeder aangewezen!

Met borstvoeding krijgt een baby op een heel natuurlijke, vanzelfsprekende manier veel warmte en koestering. Lichaamscontact is in onze samenleving vaak door taboes omgeven. Het kan zijn dat je zelf daardoor wat onwennig staat tegenover het idee van borstvoeding. Geef jezelf de kans om het te proberen, zeker als je nog maar zelden een kind aan de borst hebt gezien. Door zelf te voeden wen je sneller aan de voortdurende aanwezigheid van je baby, omdat je hem zo vaak dicht bij je hebt. Je moet wel. Je bent voor hem het eerste contact met de wereld, via de aanraking van zijn hele lijfje en vooral door het intense zuigen aan de borst. De warmte van je huid is een andere warmte dan die van de op lichaamstemperatuur gebrachte fles.

Wederkerigheid

Je bent op elkaar aangewezen. De baby heeft je nodig, maar vergis je niet: jij hebt hem ook nodig. Is de melkproductie eenmaal op gang gekomen, dan kijk je uit naar de volgende voeding. Je borsten zijn gespannen, de melk die weer is aangemaakt, moet gegeven worden. De natuur heeft ervoor gezorgd dat voeden gepaard gaat met een prettig, ontspannend gevoel, zodat je niet alleen die melk kwijt 'moet', maar je er ook van kunt genieten de borst te geven.

Idylle?

Als er iets is waar we bij de opsomming van de voordelen van borstvoeding voor moeten oppassen, dan is het wel dat we niet het beeld oproepen van louter rozengeur en manenschijn. Borstvoeding geven is ontegenzeglijk niet alleen een lichamelijk, maar ook een emotioneel proces. Maar in het gevoelige, romantische plaatje van moeder (in wit kanten nachthemd, lang blond haar) met baby (mollig, bloot, innig tevreden), zullen de meeste vrouwen zich absoluut niet herkennen. Juist als je meer aan je hoofd hebt, kan het een verademing zijn dat je baby met borstvoeding zo gemakkelijk en volledig aan zijn trekken komt. Maar intussen haalt wel de tweejarige alle boeken uit de kast en eist die van vijf dat je een fiets voor haar tekent (gelukkig heb je een hand vrij).

Het moederschap is een pittige baan, en heel vaak niet eens de enige. Veel vrouwen ervaren de combinatie van borstvoeding met een baan buitenshuis als een goede keuze, niet in de laatste plaats omdat er ook praktische kanten aan zitten.

De idylle wordt regelmatig verstoord door de talloze eisen die door de omgeving aan je worden gesteld. Toch maken jij en je baby met borstvoeding een onvervangbare start, leggen een stevige basis voor wat je misschien nog te incasseren krijgt.

Zelfvertrouwen

Borstvoeding geven is zo oud als de wereld en het is in principe zo eenvoudig als wat. We zijn er per slot van rekening op gebouwd. Tegenwoordig krijg je de indruk dat het wel een hele prestatie is, je baby met je eigen melk groot te brengen. Door de talloze regeltjes en dieetadviezen zou je gaan geloven dat zelf voeden buitengewoon ingewikkeld is, en dus ook erg 'knap'. Natuurlijk is dat nogal overdreven. Maar misschien heeft het fabeltje dat voeden een hele kunst is wel tot gevolg, dat je er des te meer een gevoel van grote voldoening door krijgt. De zwangerschap en de geboorte van je kind vind je in wezen ook een hele prestatie, van je lichaam, en dus van jezelf. Op dezelfde manier kun je met een mengeling van verbazing en trots zien hoe gezond je kind is en hoe het groeit, dank zij niets anders dan jouw eigen melk. Zo'n prettig gevoel van zelfvertrouwen zie je uiteraard graag bevestigd door je omgeving: een compliment doet je altijd goed. Stond je voor kritische opmerkingen maar wat minder open.

Troosten

Voeden doe je niet alleen om je melk te geven. Er kunnen zich ook situaties voordoen waarin je vooral voedt om te troosten. Vrouwen hebben hierin ontegenzeglijk een voorsprong op de mannen. In een relatie is het goed je daarvan bewust te zijn, en je partner de tijd en ruimte te gunnen om ook zelf met zijn baby een hechte band te krijgen.

Als je borstvoeding geeft, heb je altijd iets te bieden: gemakkelijk als je baby van slag is door een vreemde omgeving, of pijn heeft na zijn prik. EHBO waarmee je hem tot rust brengt na een vervelende ervaring en ook een hele troost voor jezelf als hij ziek is en niets anders mag of wil dan moedermelk. Ook na de eerste paar maanden kan juist dat aspect, voeden om te troosten, belangrijk en ook praktisch zijn, zowel voor je kind als voor jezelf. Het woordje 'troosten' is misschien niet goed. Noem het voeden om te ontspannen, om het contact te herstellen. Vrouwen met een baan buitenshuis waarderen borstvoeding geven juist om het moment van intimiteit na de drukte van de hele dag. Het leven met kinderen thuis zit overigens ook vol onverwachte momenten en biedt mogelijkheden tot stress te over! Soms is het heerlijk dat je het jezelf en je baby dank zij de borstvoeding zo gemakkelijk kunt maken: het kan nooit kwaad een tussendoortje te geven. Wat een luxe even rustig te zitten. Je kind komt ook tot rust en is na zijn slokje weer 'aanspreekbaar'. Deze manier van troosten is heel efficiënt. Aangezien het geven van je voeding bovendien een ontspannende uitwerking op je heeft, vermijd je irritatie en mogelijke botsingen. Een moeder is ook maar een mens! Met een eigen humeur en eigen behoeften. Het zou je verbazen hoe boos je soms kunt worden op een onschuldige baby.

Je eigen behoeften

Je kunt je voorstellen dat er ook mensen zijn die van de mogelijkheid te voeden als extraatje nauwelijks gebruik maken. Het moet je liggen om op deze manier met de voeding om te gaan. De een zal het een ontspannen gevoel van vrijheid en gemak geven, de ander raakt er door van slag omdat ze het gevoel krijgt de situatie juist niet meer in de hand te hebben. Het is goed te beseffen dat er vele mogelijkheden zijn, en dat jij kunt kiezen wat het beste bij je past.

Als je erg gesteld bent op regelmaat streef je waarschijnlijk liever naar een vastere dagindeling. Sommige baby's doen daar gelukkig zonder moeite aan mee. Mocht dat tegenvallen, dan zul je wat flexibeler moeten worden, zonder je eigen behoeften al te zeer geweld aan te doen. Misschien is je kijk op kinderen niet erg realistisch. Vaak moet je jezelf ook wat meer tijd gunnen om te wennen aan het idee dat de langverwachte baby zijn eigen persoonlijkheid en temperament meebrengt. Geleidelijk zie je hem in zijn eigen waarde, en kun je accepteren dat hij zijn eisen stelt. Hoe intensief je ook met elkaar omgaat, verlies jezelf niet uit het oog.

Een weloverwogen keuze

De ouders zelf maken de keuze hoe zij hun kind zullen gaan voeden. Dat is een heel persoonlijke afweging. Wat voor de een de doorslag geeft om voor de borst te kiezen, is voor de ander juist een reden om van borstvoeding af te zien. Gevoelens spelen hierin een grote rol. Gelukkig maar. Een kind krijgen is een gebeurtenis die ons emotioneel diep raakt en alles daar omheen wordt intens beleefd.

De sterke betrokkenheid die gewoon hoort bij borstvoeding geven, leidt er soms toe dat de keuze alleen maar door emoties bepaald lijkt te worden. We zouden haast vergeten dat borstvoeding ook tal van wetenschappelijk aangetoonde voordelen heeft. Voordelen, die op hun beurt niet los gezien kunnen worden van persoonlijkheid en gevoelens.

Anders zou je afbreuk doen aan het feit dat het gaat om de ouders en hun kind. Zij zijn het die te maken krijgen met de praktijk van alledag, waarin je aan alleen theorieën over de unieke waarde van moedermelk geen boodschap hebt.

Er bestaat echter een tendens, te suggereren dat het vandaag de dag niet meer uitmaakt hoe je je kind voedt. De samenleving is georiënteerd op flesvoeding, ondanks het feit dat driekwart van de vrouwen zich uitspreekt voor borstvoeding. De associatie: baby-fles zie je voortdurend terug. Onwillekeurig zal dat je beïnvloeden; en dat is niet best voor het zelfvertrouwen en de vanzelfsprekendheid waarmee je wilt gaan voeden.

De wetenschappelijke ontwikkelingen van de laatste tijd maken duidelijk dat borstvoeding geven niet beschouwd moet worden als iets van vroeger dagen, dat door de moderne zuigelingenvoeding is ingehaald. Integendeel. Toch bestaat er nog steeds enige terughoudendheid om onomwonden te verkondigen dat moedermelk niet te evenaren is. Waarschijnlijk zijn ook hier de emoties debet aan. Is het angst dat vrouwen, die om wat voor reden ook geen borstvoeding willen of kunnen geven, zich daarover schuldig zullen voelen? Is het bezorgdheid voor diegenen die liever flesvoeding geven, maar zich daardoor geen 'goede moeder' zouden voelen? En wat is daarnaast de invloed van commerciële belangen? Me dunkt dat het niet zinvol is voor anderen te denken, of gegevens te bagatelliseren om eventuele teleurstellingen te verzachten. De emotioneel betrokken ouders zijn tevens rationeel denkende mensen, die de feiten moeten kennen om een weloverwogen beslissing te kunnen nemen.

Hoe het ook zij, het gebeurt nog te vaak dat je als (a.s.) voedende moeder te verstaan krijgt: waar maak je je druk om? Soms gebeurt dat met evenveel woorden, soms op een indirecte manier. Helaas ontbreekt dan de bezorgdheid om wat mislukken van de borstvoeding voor je zou betekenen. Het is hard nodig, dat er een lans gebroken wordt voor die grote groep vrouwen die graag wil voeden, maar die daarin te weinig steun vindt – zowel moreel als praktisch.

2. Hoe borstvoeding eigenlijk werkt

Ik heb wel eens iemand gesproken die niet aan borstvoeding durfde te beginnen. In de loop van het gesprek vertrouwde ze me de reden voor haar angst toe: ze zag er zo tegen op dat er een gaatje in haar tepels moest worden geprikt!

Dit is wel een heel extreem voorbeeld van gebrek aan kennis omtrent het functioneren van je eigen lichaam. Anderzijds zijn we over het algemeen helemaal niet meer vertrouwd met borstvoeding en is het vanzelfsprekende zogen verloren gegaan. En als iets opnieuw moet worden aangeleerd, bestaat de neiging er ook alles precies over te willen weten. Hoewel niet op alle vragen een antwoord is, komen we toch een heel eind.

De borsten in functie

De moedermelkproductie hoort thuis in het rijtje: menstruatie, ovulatie, zwangerschap, bevalling. Het is een door hormonen bepaald, biologisch proces. Gedurende de zwangerschap merk je dat je borsten gevoeliger en zwaarder worden. Vooral tijdens de laatste paar maanden zie je ook dat de tepel en de tepelhof donkerder van kleur zijn dan tevoren, en vaak worden aderen zichtbaar door de huid. De bloedtoevoer neemt toe, want bloed is de belangrijkste grondstof voor de moedermelk die door het melkklierweefsel wordt geproduceerd.

Uitbreiding van het klierweefsel is verantwoordelijk voor de gewichtstoename van je borsten. Onderhuids vet neemt tijdelijk wat af, vandaar dat je in eerste instantie soms kleinere borsten hebt nadat je gestopt bent met voeden. Of was je een beetje vergeten hoe je er maanden geleden uitzag? In ieder geval herstelt de hoeveelheid vetweefsel zich weer in de loop van de tijd. Van de elasticiteit van het onderhuids bindweefsel hangt af in hoeverre de rek kan worden opgevangen, en dus ook of het verschijnsel 'hangborsten' optreedt. Hoe elastisch je bindweefsel zal zijn, kun je niet voorspellen. Maar of je nu wel of niet besluit om zelf te voeden, door de zwangerschap zullen je borsten veranderen.

Het inwendige van de borst: melkklierweefsel, melkkanaaltjes, en de voorraadholtes onder de tepelhof.

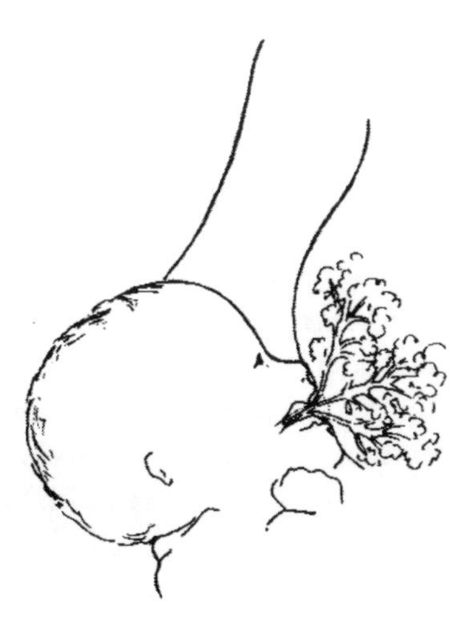

Met de tong en de kaakjes houdt de baby tepel en tepelhof tegen het gehemelte aangedrukt. De voorraadholtes worden geleegd nog voordat de melk toeschiet.

Je kunt je het melkklierweefsel het beste voorstellen als een wijd vertakte boom. Vijftien tot vijfentwintig melkkanaaltjes, met een doorsnede van ongeveer twee millimeter, waaieren vanuit de tepel uit in de borst en worden via talloze kleinere kanaaltjes voorzien van melk. De melk zelf wordt geproduceerd in de melkkliertjes die in trosjes aan het eind van de kleine kanaaltjes liggen (de bloesem van de boom). Onder de tepelhof (aan de voet van de boom) verbreden de grotere melkkanaaltjes zich nog verder tot voorraadholtes, waarin alvast wat melk voor de baby gemakkelijk ter beschikking is. Zodra hij namelijk gaat zuigen, komt een deel van de tepelhof in het verlengde van de tepel te liggen, en het samendrukken van de voorraadholtes leidt ertoe dat de melk naar buiten komt.

Over het algemeen heb je minder dan vijftien tot vijfentwintig onzichtbare openingetjes in de tepel, aangezien een aantal melkkanaaltjes zich in de voorraadholtes samenvoegt. De melkuitgangen bevinden zich niet allemaal op het topje van de tepel. Als je kolft, kun je dat soms goed zien.

De tepel kan zich oprichten door aanraking, maar ook door warmte of koude. Bij het drinken neemt de baby echter niet alleen de tepel in zijn mondje, maar ook (een gedeelte van) de tepelhof. Dat is het donkere gedeelte rond de tepel. Het kan zijn dat het opvallende kleurverschil betekenis heeft voor de pasgeboren baby: een wegwijzer waar hij zijn melk kan halen.

Rond de tepelhof bevinden zich de talgkliertjes, die al tijdens de zwangerschap duidelijker zichtbaar worden. Zolang je voedt, zorgen deze kliertjes, met de fraaie naam 'kliertjes van Montgomery', ervoor dat de huid van tepel en tepelhof soepel blijft. Daarna worden ze weer zo goed als onzichtbaar.

Melk maken

De melkproductie komt tot stand onder invloed van hormonen. Hoe klein (of hoe groot!) je borsten je ook lijken, vrijwel iedere vrouw die een baby heeft gekregen kan borstvoeding geven.

Tijdens de zwangerschap zijn de nodige voorbereidingen getroffen. Een van de hormonen die de melkproductie regelt, komt ook dan al in toenemende mate in je bloed voor, maar het wordt in zijn werking nog belemmerd door de zwangerschap. Zodra de bevalling helemaal achter de rug is, kan de werkelijke productie beginnen. Nu wordt namelijk de werking van het hormoon prolactine niet langer door de placenta of moederkoek onderdrukt.

Prolactine is in het menselijk lichaam voor meer verantwoordelijk dan alleen voor de melkproductie, maar het heeft hieraan wel zijn naam ontleend. In het Latijn betekent pro: voor, ten gunste van, en lac: melk. Dit hormoon zorgt er nu voor dat er uit je bloed melk gemaakt wordt. De stuwing die rond de derde dag na de bevalling optreedt, wordt dan ook niet zozeer veroorzaakt door een enorme hoeveelheid melk, maar vooral door een forse aanvoer van de belangrijkste grondstof: extra bloed. In de eerste week na de bevalling is het prolactinegehalte heel hoog. Vandaar dat ook vrouwen die niet voeden, last krijgen van gespannen borsten: ook bij hen wordt melk gevormd.

Het is een natuurlijke reactie van het lichaam op de geboorte van een baby.

Na die eerste periode is er meer voor nodig om te garanderen dat er voldoende van het melkmakend hormoon prolactine aanwezig blijft. Het is de prikkeling van de tepel die daarvoor zorgt. Hoe vaker de baby de tepel goed in zijn mondje neemt en echt zuigt, des te meer prolactine wordt er aangemaakt en dus ook des te meer melk. Zo wordt het aanbod aan voeding afgestemd op de vraag. Is er veel nodig, laat het aan je lichaam weten door middel van het zuigen van je kind, zodat er naar zijn behoefte kan worden aangemaakt. Maar wees niet zuinig op je melk. Dat werkt averechts.

Je kunt je voorstellen dat je dank zij dit mechanisme van vraag en aanbod ook genoeg melk kunt produceren voor een tweeling. Kolven biedt de tepel ongeveer dezelfde prikkeling en veroorzaakt dezelfde reactie: prolactine- en melkaanmaak.

Melk geven

Je zou zo zeggen dat er geen problemen kunnen ontstaan. De natuur heeft naar behoren geregeld dat na de geboorte van een kind voor voeding wordt gezorgd. Toch is dit nog maar de helft van het verhaal. Borstvoeding is een proces van melk maken, maar ook van melk geven. En in dat laatste schuilt vaker de moeilijkheid.

In de voorraadholtes onder de tepelhof monden de melkkanaaltjes uit. Daar kan een aardig voorraadje opgeslagen worden. Al ongeveer een uur nadat je gevoed hebt, ligt er naar schatting een derde van de benodigde hoeveelheid melk in klaar. Dit is de voormelk, waarmee de baby zijn eerste dorst kan lessen. Dorst inderdaad, want deze voormelk is heel licht, bevat minder vet, en levert dus ook niet veel calorieën. Als het hier bij bleef, zou de baby niet voldoende aan zijn trekken komen. Maar gelukkig is er veel meer melk in voorraad en zo nodig kan het ter plekke aangemaakt worden.

Soms voel je dat je borsten vol en gespannen zijn geworden, zeker als de vorige voeding al een poosje achter de rug is. De melkproducerende cellen (de bloesem van de boom) moeten dringend geleegd worden. Dat gebeurt wanneer de spiertjes die rond deze cellen liggen zich met kracht samentrekken. Daardoor stromen eerst de kleinere kanaaltjes vol en daarna de grotere, totdat de melk spontaan uit de borst loopt, er zelfs uit spuit. Dit noemen we de toeschietreflex. Dank zij een goed functionerende toeschietreflex krijgt de baby nu melk om ook zijn honger te stillen: de achtermelk met een hoger vetgehalte. Dat is de melk waar hij het van hebben moet.

Ook voor dit gedeelte van de borstvoeding is een hormoon verantwoordelijk met de minder aansprekende naam: oxytocine. In principe komt oxytocine in de bloedbaan doordat de baby aan de tepel zuigt, net zoals dat het geval is bij de prolactine. Toch is de toeschietreflex niet alleen van de prikkeling van de tepel afhankelijk. Het gebeurt ook vaak dat de melk gaat lopen, als je denkt dat het onderhand tijd wordt voor een voeding. Dat komt dan niet door het feit dat je borsten te vol zouden zijn, maar het zijn je gedachten aan de baby, aan de komende voeding, die de melk al doen toeschieten. Gedachten en gevoelens zijn dus van invloed op de werking van de toeschietreflex.
Hoe snel het hormoon oxytocine ertoe leidt dat de melk ook gaat stromen, is van vrouw tot vrouw verschillend, maar bovendien afhankelijk van de situatie. Het hangt samen met de mate waarin je voelt dat je je melk kunt 'geven'. Daar is een zekere ontspanning voor nodig. Tegelijkertijd heeft het toeschieten op zich ook een ontspannende werking: de natuur heeft ervoor gezorgd dat een moeder de rust voelt, die nodig is om haar baby te voeden.

Het is wel goed om je dat te realiseren, anders zou je het lome gevoel dat je tijdens het voeden bekruipt, gaan ervaren als vermoeidheid. Je hoort vrouwen daar ook wel over klagen: borstvoeding geven, ik werd er zo moe van! Misschien kost het je wat moeite om je op zo'n manier te laten gaan. Verzet tegen de rust die je als het ware wordt opgelegd, zal je echter alleen maar extra vermoeien, en het voeden vanzelfsprekend niet ten goede komen.

Veel zorgen rond de borstvoeding hangen samen met een niet goed werkende toeschietreflex. Het geven van de melk berust op een gevoelig systeem, dat beïnvloed kan worden door allerlei emoties. En emoties zijn er te over, vooral in de eerste periode na de bevalling. Het kan schaamte zijn om met je borsten bloot te zitten, angst voor het gretig happende mondje van je kind, voor pijn tijdens het voeden, bezorgdheid over je andere kinderen die je hoort huilen, over het feit dat de baby nog geel ziet. 'Voed je nu al weer? Heb je wel genoeg? Heb je wel een blikje voeding in huis?' – ook dat soort kritische opmerkingen is bij uitstek geschikt om je onzeker te maken over je eigen functioneren.

Onzekerheid zorgt ervoor dat je gespannen wordt. Het hormoon dat de toeschietreflex regelt, wordt door de spanning in je lichaam bij zijn werk gehinderd, en het kan enige tijd duren totdat de baby uiteindelijk echt kan gaan drinken. In een situatie die voor jou gespannen gevoelens met zich meebrengt, is het van belang dat je zelf weet dat dergelijke spanning effect kan hebben op de borstvoeding. Er zijn altijd wel manieren om de spanning te verminderen.

Maar zeker zo belangrijk is, dat je er wat dat betreft niet alleen voor staat. Ook degenen die bij jou en je kind betrokken zijn (partner, familie, kraamverzorgende, verloskundige) moeten begrijpen dat borstvoeding 'geven' een gevoelig proces is, dat bescherming nodig heeft. Zij zijn er niet altijd voldoende van doordrongen hoe essentieel hun bijdrage is, zeker in een samenleving waarin flesvoeding voor velen de norm is. In de periode dat de voeding nog goed op gang moet komen, ben je bij uitstek gevoelig voor de houding en de opmerkingen van anderen.

Het toeschieten van de melk geeft meestal een gevoel van lichamelijke ontspanning, dat iedereen weer anders omschrijft. Een sensatie van tinteling, prikkeling, warmte (de temperatuur van de huid van de borsten wordt meetbaar hoger), een diepe zucht van verlichting. Soms moet je wel wennen aan de hevigheid van dat gevoel, zeker als je er niet op was voorbereid dat borstvoeding zo'n lichamelijk gebeuren is.

Oxytocine is het hormoon dat ook verantwoordelijk is voor een gevoel van bevrediging bij het vrijen, waarbij ontspannen zijn trouwens een vanzelfsprekende voorwaarde is. Het heeft zijn uitwerking op het samentrekken van de baarmoeder, al ben je je daar normaal gesproken niet van bewust. Nu wel. Zoals eerder al is gezegd, kun je vooral de eerste paar dagen tijdens het voeden duidelijk contracties voelen. Deze samentrekkingen van de baarmoeder worden 'naweeën' genoemd. Gebruik gerust een pijnstiller als het nodig is. Ze hebben in ieder geval tot gevolg dat je baarmoeder zich sneller samentrekt dan wanneer je niet zou voeden. Bloedverlies is ook weer sneller achter de rug.

Melk nemen

Zuigen is niet het belangrijkste dat de baby moet doen om zijn voeding te krijgen. Door de toeschietreflex loopt de melk immers zo zijn mond in. Zijn bijdrage bestaat uit het goed in zijn mondje nemen van de borst. Daarbij vormt hij met de tong zowel de tepel als een gedeelte van de tepelhof tot een 'speen', die tot achter tegen zijn gehemelte komt. Zijn wangetjes zijn van vetkussentjes voorzien, zodat er gemakkelijk een vacuüm tot stand gebracht kan worden. Heel het mondje is gevuld. Met een ritmische beweging van de kaakjes oefent de baby druk uit op de voorraadholtes onder de tepelhof. Hij krijgt de voormelk, en door dit 'melken' treedt de toeschietreflex in werking. Als de baby nu loslaat, kun je een fonteintje van melk zien.

Volgens een verhaal uit het oude Griekenland is de Melkweg ontstaan toen Hera, de godin van de geboorte, door oppergod Zeus een van haar kinderen aangereikt kreeg voor een voeding. De druppels melk spatten alle kanten op en veranderden in even zovele sterren aan de hemel.

Voor een baby is het vooral de kunst, om goed vast te blijven houden en tegelijkertijd de soms krachtige melkstroom naar binnen te werken. Je merkt aan een duidelijke beweging van de slapen dat hij voortdurend moet slikken. Na enige tijd gaat het wat rustiger en slikt hij pas na een aantal keren 'melken' of zuigen. Heel energiek en wat rustiger drinken wisselen elkaar af, een rustpauze hoort er ook bij. Je kunt dat allemaal aan de baby overlaten!

Moedermelk

We hebben gezien dat de melk die de baby tijdens een voeding binnenkrijgt wisselend van samenstelling is: na de eerste waterige melk voor de dorst, krijgt hij de volle melk om zijn honger te stillen. Ook in de loop van de periode dat je voedt, is moedermelk aan verandering onderhevig.

Colostrum

Vlak na de geboorte maken je borsten nog geen 'echte' melk, maar een voeding van een heel bijzondere samenstelling. Nog niet eens zo lang geleden werden kinderen de eerste dagen als routine (bij)gevoed met flesvoeding, omdat de moeder toch nog niets had. Dit is onzinnig: de melkproductie zal moeilijker op gang komen als er helemaal geen vraag is, en de baby raakt in de war door de heel andere manier van zuigen aan de fles. Maar het belangrijkste is nog wel dat hem het waardevolle colostrum, de eerste melk, wordt onthouden.

Colostrum levert een unieke bijdrage aan de bescherming tegen infecties. Het ziet er heel anders uit dan de latere 'rijpe' moedermelk, het is dik en geelachtig van kleur. Toch is het niet vet en romig. Integendeel, het bevat erg weinig vet, maar juist veel eiwitten en beschermende stoffen. Een pasgeboren baby is kwetsbaar. De baarmoeder en de placenta zorgen niet langer voor beschutting. Met zijn moeders melk krijgt hij als het ware zijn eerste inenting.

Men heeft vastgesteld dat de belangrijkste antistoffen in een veel grotere hoeveelheid (ca. 17 maal zoveel) in colostrum voorkomen dan in de latere moedermelk. De wand van de darmen wordt gevoerd met een beschermend laagje, dat ervoor zorgt dat ziekteverwekkers, virussen en bacteriën, de slijmvlieslaag niet kunnen binnendringen. Bovendien wordt de darmflora overheerst door een type bacterie, waarvan de groei wordt bevorderd door een factor in de voeding: de bifidus factor. Daardoor krijgen andere ziekteverwekkende bacteriën geen kans.

Colostrum bevordert dat de baby gemakkelijk zijn eerste ontlasting kwijtraakt. Deze ontlasting (het meconium) is zwartachtig van kleur en erg kleverig. Hierin is ook de groeifactor voor de gunstige bifidus-darmbacteriën aanwezig. Hoe weinig melk je ook nog lijkt te hebben, juist die eerste dagen geef je een heel speciale kwaliteit! De voeding is dan rijk aan de vetoplosbare vitamines A en E. Op de derde dag bevat de melk ongeveer drie maal zoveel vitamine A als in zogenaamde rijpe moedermelk voorkomt. De betekenis van deze en andere verschillen hoeven we hier niet allemaal te bestuderen, evenmin als het effect van flesvoeding op de lichamelijke processen die de baby in zijn ontwikkeling doormaakt.

Vast staat dat alleen moedermelk bescherming biedt tegen tal van infecties aan de luchtwegen en tegen verschillende vormen van ernstige diarree, die veroorzaakt worden door staphylococcen, streptococcen, salmonella, de cholera- en difteriebacterie en vele andere. Ook zijn beschermende stoffen aangetoond tegen het hersenvliesontstekingsvirus en tegen twee leukemievirussen.

Zie voor een overzichtsartikel: 'Breastfeeding and the use of human milk', *American Academy of Pediatrics*, 2004.

Overgangsmelk

Als de baby ongeveer een week oud is, komen we in de fase van de 'overgangsmelk'. Hierin zit geleidelijk minder eiwit, terwijl vet en melksuiker, en daarmee de calorische waarde, toenemen. Er zijn minder vetoplosbare vitamines en meer wateroplosbare vitamines in te vinden.

Rijpe moedermelk

Pas ongeveer twee weken na de geboorte produceren de borsten rijpe moedermelk. Hoewel de concentratie van antistoffen nu lager is dan in het colostrum, blijft de beschermende werking onverminderd van belang. Wanneer we deze melk vergelijken met koemelk, de meest voor de hand liggende referentie, dan ziet hij er nogal waterig en blauwig uit. De laatste druppeltjes aan het eind van de voeding zijn alleen wat geliger door het hogere vetgehalte. (Even terzijde: kangoeroemelk ziet rose.)

Alle zoogdieren – en de mensen horen daar onherroepelijk bij – produceren melk, die in samenstelling beantwoordt aan de eisen die eraan gesteld moeten worden voor de optimale ontwikkeling van het eigen jong.

Over het algemeen hangt het eiwitgehalte samen met de groeisnelheid. Zo verdubbelt een konijntje zijn geboortegewicht in zes dagen dank zij een moedermelk met 10 tot 13% eiwit. Een veulen doet er 60 dagen over en krijgt melk met 2,5% eiwit, terwijl een mensenkind na 180 dagen het geboortegewicht pas verdubbeld heeft. Het is dan ook niet verwonderlijk dat mensenmelk een laag eiwitgehalte heeft van 0,9 tot 1,2%.

Vaak hangt de samenstelling van de melk ook samen met het aantal voedingen dat per etmaal gegeven wordt. Daarbij zie je dat er minder voedingen worden gegeven naarmate de melk meer eiwit levert en dus minder snel verteerd is. Een konijn voedt haar jongen bijvoorbeeld maar één keer per dag; logisch bij het hoge eiwitgehalte van 10 tot 13%. Op grond van de samenstelling van moedermelk is te verwachten dat een baby elke 2 à 3 uur een voeding nodig heeft.
Natuurlijk zijn er nog veel meer verschillen dan alleen het eiwitgehalte. De concentratie vet loopt bij de diverse moedermelksoorten enorm uiteen, en daarmee ook de calorische waarde. De blauwe walvis geeft melk die voor 50% uit vet bestaat: haar jong moet snel een dikke beschermlaag onderhuids vet opbouwen. Ter vergelijking: het percentage vet in moedermelk ligt tussen de 2,1 en 3,3%.

Al met al is het niet eens koemelk die de menselijke melk wat samenstelling betreft het meest benadert. De verschillen zitten in de vetten, de melksuiker, de calorische waarde en de eiwitsamenstelling. Men heeft wel gesuggereerd dat het eenvoudiger zou zijn om een goede kunstvoeding te maken op basis van de melk van een varken of een otter! Niet erg praktisch in onze samenleving.

Aanvankelijk werd koemelk eenvoudig aangelengd met water om het teveel aan eiwit te corrigeren, en extra gezoet met suiker. Inmiddels is de fabricage van kunstmatige zuigelingenvoeding heel wat ingewikkelder en zorgvuldiger geworden. Nadeel blijft echter dat het nooit een levend product zal zijn, en dat deze voeding nooit beter kan worden dan de technologische kennis op een bepaald moment mogelijk maakt. Die beperking neemt niet weg dat flesvoeding op het ogenblik minder problemen oplevert dan vroeger. En de mens blijkt een zeer flexibel wezen!
Het onderzoek naar de unieke samenstelling van moedermelk levert steeds nieuwe gegevens op, waarvan de betekenis niet altijd meteen doorzichtig is. Waarom bevat moedermelk bijvoorbeeld veel cholesterol, meer dan koemelk en meer dan flesvoeding tot nu toe? Wat is de betekenis van de typische vetzuursamenstelling van moedermelk? Men legt verband met de hersenontwikkeling; de snel groeiende hersenomvang is inderdaad een opvallend verschil tussen het kalfje en het mensenkind. Op testen voor intelligentie en motorische ontwikkeling,

scoren borstgevoede kinderen hoger dan kinderen die de fles kregen.

Het zou in dit bestek te ver voeren om alle componenten van moedermelk uitvoerig te bespreken. Je kunt er echter van overtuigd zijn, dat je met borstvoeding je kind de melk geeft die het beste aangepast is en blijft aan zijn veranderende behoeften.

3. Rond de bevalling

Zwanger zijn

De geboorte van een kind is een van de belangrijkste gebeurtenissen in je leven. Je hebt tijd nodig om je daarop voor te bereiden. Maar goed dat een zwangerschap zoveel maanden duurt. In die periode ben je niet alleen in verwachting van wat er gaat gebeuren, wachtend op wie er hoe geboren zal worden en wanneer precies... Je bent ook min of meer dagelijks bezig met het zwanger zijn op zich. Ook dat is een hele belevenis, die je waarschijnlijk beter kunt waarderen naarmate je je meer realiseert, welke veranderingen zich in je lichaam voltrekken. De ongemakken die je daardoor ervaart, hebben immers geen geringe oorzaak!

Hoewel je je niet altijd even stralend voelt als het fotomodel in de tijdschriften voor jonge ouders, zullen er ook dagen zijn, of komen, dat je van deze belangrijke fase in je leven geniet. Wisselende stemmingen horen echter evenzeer bij zwangerschap als die dikke buik. De een heeft het lichamelijk gezien ook moeilijker dan de ander. Geen wonder dat je dan meer moeite hebt om de lol ervan in te zien, dat je binnen een half jaar kortademig wordt als een oude dame.

Over de emoties waarmee zwanger zijn gepaard gaat, is veel geschreven. Je kunt er van 'collega's' die je ontmoet bij de verloskundige of op zwangerengym ook het nodige over horen. Hoe verschillend vrouwen deze tijd ook beleven, voor allen geldt dat ze extra aandacht en zorg nodig hebben. En niet alleen wanneer je voor de eerste keer een kind verwacht, ook als 'ervaren' moeder heb je er behoefte aan niet alleen te zijn met je emoties.

Je kind wordt over het algemeen, preventief, met medische zorg omringd. Maar er is meer voorbereiding nodig. De meeste vrouwen zouden het liefst samen met hun partner af en toe stil staan bij de belangrijke gebeurtenis die ze tegemoet gaan: de bevalling als het eindpunt van de zwangerschap, maar onweerlegbaar ook het begin van een veranderd leven. Als een kind geboren wordt binnen een goede relatie, betekent dat, dat er twee mensen (voor)bereid zijn zich te gaan hechten aan de baby. Dat maakt de verantwoordelijkheid minder zwaar.

Vóór je gaat voeden

Een kind krijgen, voeden en opvoeden is niet langer uitsluitend een aangelegenheid van moeders. De door de natuur bepaalde voorsprong die vrouwen op het gebied van baren en voeden nu eenmaal hebben, maakt het wel eens lastig om de verantwoordelijkheid te delen.

Zwangerschap en bevalling met elkaar beleven vraagt al bewuste inzet, borstvoeding geven lijkt nog wel meer een exclusief vrouwendomein. Toch is het ook voor het zelf voeden belangrijk dat je er niet alleen voor staat. Maar om je voor te bereiden op borstvoeding geven, moet je in de eerste plaats zelf vertrouwd raken met het idee. Dat kan op allerlei manieren.

Misschien kun je er met iemand over praten, van wie je weet dat zij haar baby met plezier heeft gevoed. Je kunt ook naar de bijeenkomsten van de vereniging Borstvoeding Natuurlijk gaan, als die bij jou in de buurt gehouden worden. Ook de organisatie La Leche League biedt voorlichtingsavonden. Op zo'n 'moedergroep' ontmoet je vrouwen die zelf borstvoeding geven of er meer over willen weten. Als je naar hun ervaringen luistert, krijg je al wat meer een beeld van het dagelijks leven met een baby. Zelf heb je misschien nog amper concrete vragen te stellen.

Laat je echter niet afschrikken door de problemen die aan de orde gesteld worden, of door het enthousiasme dat je vooralsnog misschien tamelijk fanatiek lijkt. Die 'ervaren' moeders zitten vol met vragen en meningen die ze op zo'n groep graag kwijt willen. Je zult horen dat op die vragen allerlei antwoorden gegeven kunnen worden. Bovendien merk je dat ook andere vrouwen het de moeite waard vinden om borstvoeding te geven, zo lang of zo kort als ze dat in hun eigen situatie willen. De voorlichtingsbijeenkomsten van deze organisaties worden begeleid door iemand die daar een training voor heeft gevolgd. Maar het belangrijkste is wel dat zij haar kind(eren) ook zelf heeft gevoed, en aan den lijve heeft ondervonden hoe leuk, en ook hoe lastig, dat kan zijn. Juist door die eigen ervaring is ze gemotiveerd om dit vrijwilligerswerk te doen. Je hoeft je niet opgelaten te voelen om met in jouw ogen de meest onnozele vragen of twijfels aan te komen. Maar al te vaak gebeurt het dat je eigen baby de eerste is die je ooit aan de borst ziet. Wie zou dan niet onzeker zijn? Juist daarom hoort het bij de voorbereiding, te wennen aan het idee zelf de borst te geven en zo over de laatste drempel van verlegenheid heen te komen.

Het is niet altijd de gewoonte dat a.s. vaders meegaan naar zo'n bijeenkomst. Napraten is dan zeker goed om een beetje gelijk op te blijven gaan.

Lezen en ook internet bieden de mogelijkheid om om je voor te bereiden op de komende borstvoedingsperiode. Informatie opdoen over het hoe en waarom van borstvoeding geeft je meer zelfvertrouwen, maakt je onafhankelijker in je oordeel over de adviezen, waarmee je ongetwijfeld overstelpt zult worden bij elke kik van je baby.

De gezondheidszorg

Moeder worden is gelukkig niet meer het lot dat je als vrouw jaar na jaar overkomt. Meestal is het een, min of meer bewuste, keuze geweest om in ieder geval een zwangerschap niet langer te vermijden. Als het dan zo ver komt, is de verwachting hoog gespannen: hier heb je echt naar uitgezien. Natuurlijk heeft dat ook zo zijn nadelen, omdat je geneigd bent op een perfecte zwangerschap en bevalling te rekenen. Teleurstellingen zijn hier en daar onvermijdelijk.

Maar het voordeel van zo bewust zwanger willen worden is wel dat je er zelf volop bij betrokken bent. Met de verloskundige, huisarts of gynaecoloog kun je praten over allerlei aspecten van de zwangerschap. Je kunt duidelijk maken hoe je je de bevalling voorstelt. Zij zijn er inmiddels wel aan gewend geraakt dat de aanstaande moeder de centrale rol speelt in dat gebeuren.

Zeker de eerste keer is de vraag hoe en wanneer je baby geboren zal worden, iets dat je enorm bezighoudt; een plaatje vol vraagtekens, maar ook met keuzemogelijkheden. Van wat er daarna komt, kun je je nog minder een voorstelling maken. Door je voor te bereiden op borstvoeding geven, ben je ook bezig de kraamtijd in gedachten in te vullen. Wil je dat je kind bij je op de kamer ligt, of bij je in bed? Moet hij gewogen worden voor en na elke voeding, of eens per dag? Hoeveel afvallen is normaal?

Je doet er goed aan je ideeën te bespreken met degene die je zal helpen bij de bevalling. Over het algemeen zijn ook zij meer geneigd zich op de bevalling te concentreren en het vervolg daarop op zijn beloop te laten. Ervaring heeft echter geleerd dat goede begeleiding bij borstvoeding niet altijd vanzelfsprekend is. Daarom kan het geen kwaad al voor de bevalling met de deskundigen te praten, om te ontdekken hoe zij er tegenover staan.

Als je de kraamdagen thuis doorbrengt, heb je ook te maken met de mening en de regels van de kraamverzorgende. Jammer genoeg kun je haar van tevoren niet spreken, omdat het kraamcentrum niet kan plannen wie precies jou zal komen helpen. Soms word je ruim voor de uitgerekende datum bezocht door iemand van het kraamcentrum; of er is een telefonische intake. Op dat moment kun je in ieder geval laten weten, dat je het erg belangrijk vindt om borstvoeding te geven, en dat je graag goed geholpen wilt worden.

Bij een ziekenhuisbevalling loont het de moeite hier en daar te informeren naar de ervaringen van andere vrouwen. Soms is het mogelijk een ziekenhuis te kiezen. De mate waarin belang wordt gehecht aan een goede start voor de borstvoeding, kan bij die keuze een van de factoren zijn. Zie ook blz. 60. Hoe dan ook, je kunt zeker vragen of je eens in het ziekenhuis langs mag komen om kennis te maken, alleen of samen met je partner, of misschien met je 'collega's' van de zwangerengym. Ook als je van plan bent kort na de bevalling weer naar huis te gaan, is het prettig eventueel de verloskamer te zien en een indruk te krijgen van het reilen en zeilen op de kraamafdeling.

Naar aanleiding van wat je gezien hebt, kun je in gesprek komen over de gewoonten die de dagelijkse gang van zaken daar bepalen. Stel je in eerste instantie belangstellend op en begin niet onmiddellijk met kritische vragen. Regels zijn in een organisatie onvermijdelijk. Ook de kraamverzorgende thuis zal zich aan een bepaald schema moeten houden, wil ze al het werk gedaan krijgen. De vraag is hoe star of hoe soepel men met die regels om wil gaan. Je kunt het beste voor jezelf een keuze maken, over welke onderwerpen je echt in discussie zou willen gaan. Aan het einde van dit hoofdstuk, op blz. 59, vind je een opsomming van de punten die van belang zijn voor een goed begin van de borstvoeding.

Lichamelijke aspecten

Je staat versteld van de hoeveelheid tips die in omloop zijn om de tepels te harden als voorbereiding op de borstvoedingsperiode. De eigenaardigste adviezen kun je tegenkomen, van tepelmassage met een tandenborstel tot schoonmaken met alcohol. Dergelijke oefeningen zijn niet alleen zinloos, ze hebben vaak juist een negatief effect: sommige vrouwen zijn er zo consciëntieus mee in de weer dat ze, voordat de baby er is, last van pijnlijke tepels hebben. Dat kan toch niet de bedoeling zijn!

Vaak blijft het overigens voornamelijk bij goede voornemens om bijvoorbeeld regelmatig koud na te douchen, stevig af te drogen of de tepels te masseren. Waarschijnlijk is het ook helemaal niet nodig. De zwangerschap op zich veroorzaakt al een verandering van de borsten; ook de tepels worden wat steviger en richten zich gemakkelijker op. Sommige vrouwen voelen zich echter niet erg op hun gemak bij het idee van zelf voeden, vooral vanwege dat blote gedoe. In dat geval is het wel zinvol af en toe eens voorzichtig je borsten te masseren, om vertrouwd te raken met de aanraking op zich. Je tepels hoeven niet zozeer gehard te worden, ze moeten soepel genoeg zijn om een bepaalde rek op te vangen. Dat is iets waar je de eerste dagen na de bevalling het meest aan moet wennen. Vandaar dat voorzichtig uitrekken van de tepels een van de weinige oefeningen is die een positief effect kunnen hebben. Leuker is het om, als je het seizoen en het weer mee hebt, topless te zonnen, om af en toe lekker zonder bh te lopen als je dat hebben kunt, en om te vrijen. Je huid blijft dan niet zo overbeschermd.

Lastige tepels

We gaan ervan uit dat borsten voor het voeden geschapen zijn, maar soms blijkt dat de tepels tijdens de zwangerschap heel erg vlak blijven en dat ze zich bij aanraking niet oprichten. Het kan ook gebeuren dat bij druk op de tepelhof de tepel juist naar binnen gaat of plat wordt: een ingetrokken tepel.

Soms krijg je met je pasgeboren baby op schoot voor het eerst commentaar op de vorm van je tepels, vooral in negatieve zin: 'o, met zulke tepels wordt voeden wel lastig, hoor!'

Echt ingetrokken tepels komen maar heel zelden voor, vlakke tepels veel vaker. Je kunt je tepels controleren door de tepelhof voorzichtig samen te knijpen tussen duim en wijsvinger, vlak achter de tepel. De tepel moet dan naar voren komen. Als dat niet zo is, bestaat er een verkleving aan het onderhuidse borstweefsel. Als je je afvraagt of dit het geval is, kun je het ter sprake brengen bij een zwangerschapscontrole. Over het algemeen wordt er zo weinig aandacht aan de voorbereiding van borstvoeding besteed, dat een gesprek hierover niet eens routine is. Iemand die alleen maar even kijkt, maar niet onderzoekt, kan zich geen gedegen oordeel vormen. Mocht je tot de conclusie komen dat je tepels inderdaad ingetrokken of heel erg vlak zijn, dan hoef je niet te denken dat je zelf voeden nu wel kunt vergeten. Het is in dit geval waarschijnlijk wel de moeite waard om te proberen de vorm van je tepel(s) te verbeteren, zodat je baby straks je borst gemakkelijk in zijn mondje kan nemen en kan gaan drinken zonder dat je er last van hebt.

• Om te bevorderen dat de tepel zich beter opricht, kun je de volgende oefening doen: je legt allebei je duimen aan weerszijden van de tepel en trekt ze dan van elkaar weg. Doe dat ook aan onder- en bovenrand.

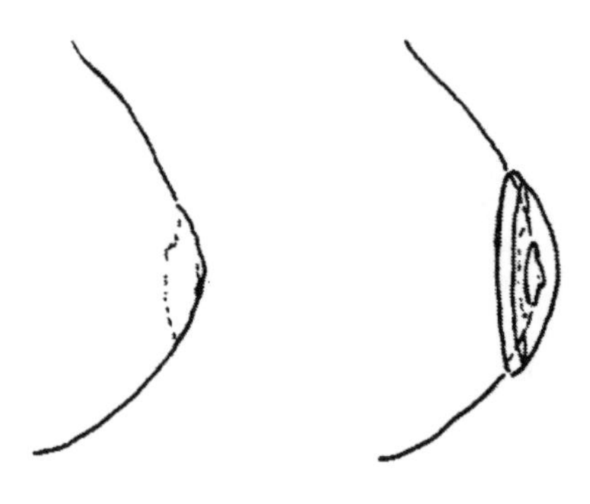

Een vlakke of ingetrokken tepel kan met behulp van een borstschelp van vorm verbeteren.

• Gedurende de laatste zes weken voor de bevalling doe je elke dag een oefening om de rekbaarheid van de tepels te verbeteren. Ondersteun je borst met je hele hand, terwijl je de tepel een aantal keren voorzichtig naar voren trekt tussen je duim en wijsvinger.

• Daarnaast helpt het waarschijnlijk zogenaamde borstschelpen of tepelvormers in je bh te dragen. Ze worden ook verkocht onder de naam lekglazen, hoewel ze tegenwoordig van plastic zijn vervaardigd. Je kunt je een borstschelp het beste voorstellen als een dekseltje dat uit twee lagen bestaat. In het onderste gedeelte zit in het midden een rond gat, dat om je tepel valt. Door de gelijkmatige druk op de tepelhof komt de tepel geleidelijk wat meer naar voren, omdat de onderhuidse verbindingen tussen tepel en tepelhof soepeler worden. Overigens is dit effect niet wetenschappelijk aangetoond.

Het zal niemand opvallen dat je borsten al weer wat groter lijken; en hoewel je de neiging hebt uit te kijken voor een 'botsing', heb je er eigenlijk helemaal geen last van. Toch moet je ze niet langer dan een paar uur achter elkaar dragen, om te voorkomen dat de huid vochtig wordt en gaat smetten. Je kunt ook alleen het onderste gedeelte dragen.

Verwacht geen opzienbarende veranderingen. Maar zelfs een kleine verbetering betekent vaak al dat de baby houvast kan krijgen. Het voeden zelf zorgt op den duur voor de rest.

Mocht het zo zijn dat je je pas na de bevalling realiseert dat je erg vlakke of ingetrokken tepels hebt, dan is het zeker nog de moeite waard de borstschelpen steeds een half uurtje voor de voeding te dragen. De melk die daarmee wordt opgevangen en op lichaamstemperatuur wordt bewaard, kun je beter niet meer aan de baby geven.

Hygiëne

We hebben eerder gezien dat de borsten al tijdens de zwangerschap veranderen. Rond de tepelhof worden kliertjes zichtbaar, die een vette substantie afscheiden om de huid soepel te houden. Op deze manier zorgt de natuur ervoor dat de verandering van de tepels wordt opgevangen. Vandaar dat fanatieke hygiëne uit den boze is. Vermijd de laatste maanden van de zwangerschap het gebruik van zeep, om het natuurlijk evenwicht van de huid niet te verstoren. Er is geen enkele reden om de tepels schoon te maken met wat voor lotion dan ook. Warm water is prima.

Alleen als je de indruk hebt dat je huid nogal droog aanvoelt wanneer je de tepels wilt oefenen, is het raadzaam om wat extra vet rond de tepel in te wrijven. Gebruik daarvoor een klein beetje (massage)olie, of een neutrale vette crème zoals ongeparfumeerde lanoline. Controleer eerst of je niet overgevoelig bent voor lanoline door wat aan de binnenkant van je elleboog te wrijven. Als er na een dag een rode plek is ontstaan, kun je dit middel beter niet gebruiken. Ongeparfumeerde lanoline kan ook na de bevalling nog van pas komen. Als de crème wat stug is, doe je eerst een beetje op de rug van je hand en dat wrijf je uit. Het zal dan beter lukken een dun laagje op de tepelhof aan te brengen.

Lekken

Soms zie je dat er wat colostrum op de tepel is opgedroogd. Ook dan is wassen met warm water voldoende. Het is echt niet nodig om eventuele schilfertjes elke keer weer los te peuteren. Afkolven van deze eerste melk om later een goede melkproductie te krijgen is zinloos. Een enkele keer leidt het zelfs tot een prikkeling van de baarmoeder, die de zwangerschap kan bedreigen. Het kan zijn dat er gedurende de zwangerschap al voeding uit je borsten lekt. De mate waarin dat gebeurt, varieert van vrouw tot vrouw. De meeste aanstaande moeders hebben er pas de laatste maanden last van, andere al heel vroeg in de zwangerschap. Er is niets anders aan te doen dan ervoor te zorgen dat je kleren niet nat worden, door iets tegen het lekken in je bh te dragen. Erg vervelend als je liever zonder loopt!

Je bent misschien geneigd deze lekkage te beschouwen als de voorbode van een veelbelovende melkproductie. Toch hoef je niet te gaan piekeren, als je nog geen druppel melk gezien hebt, voordat de baby er is. Ook dat is absoluut normaal: zonder melkverlies tijdens de zwangerschap zul je net zo goed volop melk kunnen geven, zodra je kind eenmaal geboren is. Laat je dus niet van de wijs brengen door de ervaringen van andere zwangeren die met bh aan slapen en 's ochtends hun bed uitdrijven!

Voedings-bh

Over bh's gesproken, dit is voor velen wel de periode om er een paar aan te schaffen. Er wordt veel gevraagd van de elasticiteit van je huid en van het onderhuids bindweefsel, aangezien je borsten nu al een stuk zwaarder worden. De steun die een lekker zittende bh geeft, kan er wellicht toe bijdragen dat je borsten stevig blijven.

Over het algemeen zijn je borsten tijdens de eerste paar maanden dat je volop voedt, ongeveer van hetzelfde formaat als gedurende de laatste weken van de zwangerschap. Je kunt dus gerust nu al vast voedings-bh's gaan kopen, als je toch op pad moet omdat je een maatje groter nodig hebt. Let erop dat vooral de onderkant van je borsten voldoende gesteund wordt. De bovenste helft mag gerust nog wat ruimer zitten, om de wisselende grootte van je borsten vlak voor en vlak na de voeding op te vangen. Ook ga je er misschien zoogcompressen of een borstschelp in dragen.

Bij een voedings-bh is het mogelijk een borst tegelijk te ontbloten, door een klepje middenvoor of bij het schouderbandje los te maken. Bij de laatste methode blijft een rand van de bh niet alleen onder je borst, maar ook rondom nog zitten. De kans is groot dat dat met een volle borst vervelend aan zal voelen. De sluiting van zo'n klepje kan bestaan uit een of twee haakjes of uit een plastic clipje. Er zijn ook leuke exemplaren te koop. Een gewone bh met voorsluiting voldoet niet goed, omdat het een hele toer is om na de voeding beide delen weer bij elkaar te krijgen onder je kleren vandaan. Het is prettig als een voedings-bh van katoen is, vanwege het feit dat katoen beter 'ademt' en goed warm te wassen is.

Praktische voorbereidingen

Bedenk dat het handig is om ook nachthemden met voorsluiting te hebben, zeker voor de kraamtijd met al dat bezoek rond je bed. Leuk om nu vast aan te schaffen, of te lenen van een goede vriendin. Een T-shirt dat je omhoog schuift, kan natuurlijk ook, en lekker wijde overhemden staan ook prima en zijn heel praktisch.

De meeste vrouwen hebben de drang om voor de bevalling een ruime voorraad eten en andere spullen in huis te halen. Als de baby over tijd is, blijf je boodschappen doen! Inderdaad is het een goed idee om het jezelf zo gemakkelijk mogelijk te maken en voorbereid te zijn op de waarschijnlijk nogal chaotische tijd, die volgt op het vertrek van de kraamverzorgende of op je thuiskomst uit het ziekenhuis. Misschien kun je nu ook dubbele porties koken en wat in de diepvries opslaan, zodat er kant-en-klaar maaltijden voor het grijpen liggen.

Je eetlust is na de eerste maanden van vermoeidheid en misselijkheid waarschijnlijk weer toegenomen. Het is bekend dat je niet hoeft te eten voor twee, en dat het onverstandig is je voeding te baseren op suiker en vet. Je gewicht wordt nauwlettend in de gaten gehouden. Het is niet prettig erg veel aan te komen tijdens de zwangerschap. Je moet er wel rekening mee houden, dat je lichaam geneigd is een reservehoeveelheid vet aan te leggen, waarop tijdens de periode dat je voedt aanspraak zal worden gemaakt. Probeer niet krampachtig onder een vrij willekeurig streefgewicht te blijven.

Een goede conditie is erg belangrijk, per slot van rekening ben je minstens een jaar niet alleen verantwoordelijk voor je eigen gezondheid, maar ook voor die van je groeiende kind. Bij die verantwoordelijkheid past ook de vraag hoe je omgaat met roken, het drinken van alcohol, met geneesmiddelen en drugs. In deze periode van je leven kost het je misschien minder moeite zo nodig een stap terug te doen, aangezien het niet alleen voor jezelf van belang is. Zie ook hoofdstuk 5, blz. 110.

Bijzondere situaties

• Soms zijn tepel en tepelhof tijdens de zwangerschap buitengewoon gevoelig geworden, zodat je elke aanraking zou willen vermijden. De oorzaak daarvan is hormonaal. Draag een goed passende bh van zacht materiaal, en probeer of je in een warm bad je borsten voorzichtig kunt masseren. Dergelijke overgevoeligheid is meestal van voorbijgaande aard. Het is van belang om jezelf intussen geen rigoureuze oefeningen op te leggen, zodat de situatie niet verergert. Loop wel eens een poosje zonder bh, of met een open voedings-bh, onder een katoenen blouse of T-shirt. Gebruik crème of olie met overleg, want het zou ook kunnen zijn dat je huid juist daarop reageert. Eventueel eczeem moet goed be-

handeld worden, voordat de baby er is, want anders levert het voeden onnodig problemen op.
• Twee borsten en twee tepels: daarmee ben je voldoende toegerust. Een enkele keer worden tijdens de zwangerschap of al eerder, extra tepels en/of verdikkingen zichtbaar langs de lijnen van de oksel naar de lies. Meestal is er geen extra klierweefsel aanwezig, en zal je dus ook geen last krijgen van melkproductie. Mocht dat wel zo zijn, dan is dat het snelste weer over, als je je 'extra borst' met rust laat, en eventueel een drukverband aanbrengt.

Eerste kennismaking
Goed voorbereid begin je uiteindelijk aan het avontuur van de bevalling. Het ene ogenblik verheug je je erop dat je tenslotte je kind zult leren kennen, even later lijkt het hele gebeuren je meer een onontkoombaar lot. De meeste vrouwen herinneren zich de bevalling als een zwaar karwei, maar ook als een onvergetelijke ervaring. Na afloop zou je er eindeloos over willen praten. Je hebt er behoefte aan om alles wat je is overkomen en wat je hebt gepresteerd, nog eens op een rijtje te zetten: hoe merkte je dat het echt begon, wanneer kwam de verloskundige, hoeveel cm ontsluiting, hoe laat was het toen je mocht persen?

En toen werd dit kind geboren. Gevoelens van opluchting, trots, opwinding, ontroering, verbazing... of vooral een enorme vermoeidheid.

Wat je nodig hebt na een bevalling, is rust en tijd om samen met je partner de baby te leren kennen. Na de geboorte hoort een baby daarom niet bij zijn moeder vandaan gehaald te worden. Waarschijnlijk leun je uitgevloerd tegen een stapel kussens, en heb je helemaal geen belangstelling voor al dat gedoe van de nageboorte, wassen en verschonen. Je kind wordt rustig en doet zijn ogen open. Een uur of wat geleden ben je er misschien over tekeer gegaan dat ze je maar aan je lot overlieten (het lijkt erop dat iedereen wel een fase van boosheid meemaakt tijdens de bevalling). Nu kun je er blij om zijn dat het in Nederland de gewoonte is niet of nauwelijks pijnstillende middelen te geven aan de barende vrouw. Want zeker als deze middelen kort voor de bevalling worden gegeven, is de kans groot dat de pasgeboren baby minder alert is. Een baby die de ander aankijkt, dat is iets heel bijzonders.

Vlak na de geboorte zijn de meeste baby's gedurende ongeveer een uur wakker en rustig. Ze schijnen hun nieuwe omgeving geïnteresseerd in zich op te nemen. Deze tijd moet niet voorbij gaan met wegen, meten, wassen, aankleden en allerlei routinehandelingen. Warmte is op dit moment het belangrijkste. Behalve het directe contact met het lichaam van zijn moeder is dus wel een extra warme doek of deken nodig, zeker omdat veel vrouwen als reactie op de zware inspanning die ze net geleverd hebben, zelf zitten, of liggen, te trillen.

Hoe rustig is deze welverdiende rust? Je zou je niet opgejaagd moeten voelen door allerlei mensen die je met een en ander willen helpen. Misschien houd je je kind nog onwennig vast. Hoewel, als hij nog bloot en een beetje glibberig is, druk je hem zeker wel stevig tegen je aan. Op je eigen manier leg je contact, ook al ben je misschien voornamelijk verbaasd en nog niet eens 'verliefd' op dit nieuwe mensje; je hebt de tijd nodig om hem aan alle kanten te bekijken.

Je baby heeft ook inbreng: hij kijkt je ernstig onderzoekend aan, hij luistert naar je stem. Na een poosje begint hij ook meer te bewegen, met zijn handjes, benen en voetjes (vijf vingertjes, vijf teentjes). Ook het gezichtje doet mee: hij knijpt een oogje dicht of trekt zijn neusje op. In dit eerste uur zijn de meeste baby's wel in voor borstvoeding, maar dat betekent niet dat je hem nu meteen moet aanleggen. Wacht maar rustig af. Het lijkt wel of hij even de tijd moet krijgen om zelf ook op het idee te komen! Als hij je warme huid tegen zijn wang voelt, zie je misschien hoe hij zijn mondje open en dicht doet, of met zijn hoofd snel op en neer beweegt. De drang zijn voedingsbron op te zoeken is hem aangeboren. Zorg ervoor dat hij voor dat zoeken de ruimte heeft, terwijl je hem lekker tegen je aan houdt. Het is een prachtig gezicht hoe zo'n pasgeboren baby reageert, als je met de tepel langs zijn wangetje strijkt: hij wendt zich ernaar toe en maakt allerlei onderzoekende bewegingen met zijn mond. Vaak begint het met een beetje likken. Na een poosje zal hij zijn mond wel wat verder open doen en echt happen. Op het zoeken en happen volgt vanzelfsprekend het zuigen aan de borst. Zoals je ziet heeft de natuur er zorg voor gedragen dat een mensenkind toch niet zo hulpeloos ter wereld komt als het lijkt. In het volgende hoofdstuk lees je uitvoerig waar je op moet letten bij het aanleggen.

Rooming-in

Niets is vanzelfsprekender dan dat een pasgeboren kind rustig bij zijn moeder blijft, en dat de moeder de hulp krijgt die ze nodig heeft, om hem te verzorgen. Dat samenzijn is voor alle vrouwen belangrijk en niet alleen voor degenen die borstvoeding gaan geven. Op een kraamafdeling is het steeds vaker de gewoonte dat de baby dag en nacht bij je op de kamer ligt (met de engelse vakterm 'rooming-in' genoemd); soms komt het voor dat hij alleen overdag bij je mag blijven. Na de eerste kennismaking wordt hij aangekleed en zelf wil je ook wel opgefrist worden; een lekker schoon bed om uit te rusten.

Hoewel, van slapen blijkt in de meeste gevallen niet veel terecht te komen, hoe moe je ook bent. De spanning van de bevalling ben je blijkbaar niet zo snel weer kwijt. Dan maar kijken naar de baby die naast je ligt, en napraten met je partner over hoe het allemaal is gegaan.

De gouden regels van rust, reinheid en regelmaat zijn nog niet zo lang verdwenen uit de babyverzorging. Hoe men vindt dat het hoort, is niet zo belangrijk. Het gaat erom, wat jij denkt dat het beste is voor jou en je baby. Waarom zou je je kind niet zo veel als je wilt bij je in bed houden? Thuis voel je je wat dat betreft al snel meer op je gemak. Als je je baby bij je op de kamer mag(!) houden, raak je sneller gewend aan de geluidjes die hij maakt, herken je eerder de momenten dat hij onrustig wordt en lichaamscontact of voeding nodig heeft.

Vlak na de bevalling sta je open voor al dit soort indrukken. Maar daarom ben je misschien ook wel gevoeliger voor de kritische houding waar je mee te maken kunt krijgen, als je je niet helemaal aan de regels houdt. De meeste vrouwen hebben de ervaring dat ze nu niet zo gemakkelijk voor zichzelf opkomen als anders. Als je dat van tevoren weet, kun je er rekening mee houden. Wel of niet de baby bij je (in bed) mogen hebben, blijkt vaak een van de discussiepunten te zijn.

Als hij bij je blijft, ben je niet meteen alleen verantwoordelijk voor de hele gang van zaken, maar je bent wel van meet af aan betrokken bij het wel en wee van je kind. Overigens kun je er natuurlijk ook behoefte aan hebben even helemaal alleen te zijn. Aarzel dan niet om dat te zeggen.

Voeden naar behoefte

Hoewel veel kinderen de eerste dag van hun leven nogal slaperig zijn, zal het niet lang duren of je neemt de baby elke twee à drie uur bij je voor een voeding. Het is belangrijk dat het wiegje zo dicht bij is, dat je hem zonder problemen zelf kunt pakken als hij onrustig wordt. Een systeem van rooming-in waarbij het niet de 'bedoeling' is dat je je kind ook bij je neemt, leidt zeker op een kraamafdeling tot grote onrust! Huilende baby's en zenuwachtige moeders. De overgang van het leven in de baarmoeder naar het leven daarbuiten is groot. Eerst voortdurende beweging, geluiden, voedselvoorziening, en nu de klok die bepaalt of het tijd is voor lichaamscontact en voeding? Juist de eerste periode na de geboorte kan een baby niet wachten op de bevrediging van zijn behoefte aan aanraking en voedsel. En als hij naast je ligt, is dat ook niet nodig.

Het proces van de melkproductie is gebaseerd op onbeperkt wederzijds contact tussen moeder en kind, op vraag en aanbod. Dat besef is langzamerhand ook in de kraamzorg thuis en in het ziekenuis doorgedrongen, al maakt men zich nogal eens zorgen over de organisatie of de dagindeling, of over de behoefte aan ongestoorde slaap van de baby of de moeder. Toch zal het meestal wel lukken om een bevredigende oplossing te vinden. Ook de familie zal zich er misschien mee bemoeien. Wie weet wordt je wel voorspeld dat je je baby schromelijk zult verwennen als je hem nu niet went aan regelmaat.

Als je in het ziekenhuis bent, is het bovendien de moeite waard erop aan te dringen dat de baby 's nachts voor de voeding(en) bij je wordt gebracht. Met een humoristische aanpak bereik je misschien meer dan met een discussie vol argumenten voor en tegen. Hang een kaartje aan het wiegje met een tekst als: ''s nachts huil ik niet slechts van de dorst, ik wil getroost aan mama's borst.' Weet je iets leukers, ga je gang!

Een nachtvoeding aan de borst hoort er voorlopig bij. Het is voor het op gang komen van de melkproductie niet goed om voedingen over te slaan, en je zult minder last van stuwing krijgen als je veelvuldig voedt, de klok rond! Bovendien heeft je baby ook voeding nodig. Hij hoeft echt niet te leren de nacht door te slapen als hij nog geen week oud is.

Bijvoeding

Een gezonde baby die op tijd geboren is, heeft in principe geen andere voeding nodig dan moedermelk. Het idee dat eerst een proefvoeding met glucose gegeven moet worden om te controleren of de baby kan slikken, blijkt gelukkig achterhaald. Tegenwoordig krijgt een kind de kans om meteen na de geboorte al kennis te maken met de nieuwe methode van voedsel krijgen: borstvoeding. Zoals we gezien hebben, begint de melkproductie op gang te komen zodra de placenta de baarmoeder heeft verlaten. Maar om zeker te zijn van voldoende voeding is het van belang dat de baby vaak kan drinken en zo de borsten stimuleert om melk te blijven aanmaken. Daarom zul je ook beginnen met kolven als je baby na 12 tot 24 uur nog niet goed aan de borst drinkt.

Als je je kind bij je hebt, gebeurt dat vaak voeden vanzelfsprekend. Dan heeft de baby niets anders nodig, ook al krijgt hij de eerste paar dagen slechts kleine hoeveelheden colostrum. Hoe weinig ook, het is een voeding die niet te evenaren is, onmisbaar vanwege de beschermende werking tegen tal van infecties. Dat is juist in deze eerste, kwetsbare periode van groot belang. En de hoeveelheid is geen probleem. Een pasgeboren baby heeft een reservevoorraadje vet en vocht, waardoor ook deze kleine porties colostrum voldoende zijn totdat de eigenlijke melkproductie op gang komt. Colostrum werkt bovendien enigszins laxerend: je baby raakt de eerste ontlasting gemakkelijker kwijt. Deze ontlasting is bijna zwart van kleur en heel kleverig. Tijdens deze dagen valt een baby wel wat af, maar dat is niet iets om je zorgen over te maken. Een gewichtsverlies van 7 tot 10% van het geboortegewicht is normaal: zware baby's kunnen dus ook meer afvallen dan kleintjes. Soms gaat men ervan uit dat een baby meteen moet gaan groeien. Dan wordt al snel met bijvoeding begonnen, nog voordat de melkproductie goed op gang is gekomen. Deze methode heeft een aantal nadelen:

- het systeem van vraag en aanbod dat ten grondslag ligt aan borst-

voeding geven, wordt bij voorbaat verstoord;
• de baby is zonder borstvoeding al voldaan en niet meer geneigd regelmatig te zuigen;
• hij krijgt kunstvoeding, water of glucose-oplossing in plaats van colostrum;
• je misschien nog wankele zelfvertrouwen wordt danig ondermijnd door de suggestie dat je zelf niet in staat bent je kind genoeg voeding te geven;
• als de bijvoeding ook nog met een fles wordt gegeven, is de kans groot dat je baby in de war raakt door het zuigen aan een speen, en daardoor moeite krijgt de tepel goed in zijn mondje te nemen. Borstvoeding vraagt om een heel andere techniek. De activiteit van de kaakjes en de tong die noodzakelijk is om aan de borst te drinken, is bij de fles veel geringer. Veel baby's worden door een opdringerige speen 'verwend', en doen hun mondje niet meer wijd genoeg open om goed aan de borst te zuigen. Aanlegproblemen zijn het gevolg. Mocht het werkelijk noodzakelijk zijn dat je kind wat extra's krijgt, geef het hem dan met een lepeltje of uit een klein glaasje, zeker zolang hij nog niet volop aan de borst gewend is.

Volgende vraag is dan wat voor bijvoeding er wordt gegeven. De eerste keus is je eigen afgekolfde moedermelk. Het is bemoedigend om te zien dat de melkproductie door het afkolven op gang komt. Maar als er meer nodig is, zal meestal gekozen worden voor een hypo-allergene kunstvoeding, zodat je kind niet het risico loopt om overgevoelig te worden voor koemelkeiwit. Dat is van belang als er allergieën in de familie voorkomen, maar ook als je niet zeker weet of dat het geval is.

Bijvoeding hoort hoe dan ook niet als routine-maatregel aan elke gezonde baby gegeven te worden. Als er een medische indicatie voor bestaat, zoals een laag of ook wel een hoog geboortegewicht, dring er dan op aan dat er geen flesje gebruikt wordt.

Wegen

Of er voor je baby al dan niet bijvoeding op het menu komt, hangt nauw samen met het gevolgde weegbeleid. Het is zeker zinvol het gewicht van een pasgeboren baby in de gaten te houden, om te weten hoeveel hij afvalt en wanneer hij weer gaat groeien. Maar de gewoonte om voor en na de voeding te wegen, om zodoende te controleren of het kind genoeg gedronken heeft, is werkelijk zinloos.

Zeker de eerste dagen krijgt een borstkind maar kleine hoeveelheden van het waardevolle colostrum binnen. Lastig nauwkeurig te wegen, maar hij drinkt het wel in die mate dat de spijsvertering en de nog onrijpe nieren het kunnen verwerken. Maar ook wanneer de melkproductie eenmaal goed op gang is gekomen, beantwoordt het resultaat van wegen vaak niet aan de verwachting. Men gaat dan uit van de vuistregel voor flesvoeding die stelt dat een baby per etmaal 150 cc per kg lichaamsgewicht nodig heeft. De samenstelling van moedermelk kan, ook in de loop van de dag, echter nogal variëren en daarmee de voedingswaarde. Bij een bepaalde voeding kan een kleine hoeveelheid melk met een hoog vetgehalte voor de baby ruim voldoende zijn, hoewel de weegschaal 'veel te weinig' aangeeft. Bovendien is gebleken dat moedermelk efficiënt wordt gebruikt, zodat een baby er minder van nodig heeft om goed te gedijen.

Het wegen voor en na de voeding heeft eigenlijk alleen maar nadelen:

• het voeden verliest zijn natuurlijke karakter als de baby eerst huilend van honger gewogen moet worden;
• het is ook heel onrustig voor het kind om vlak na de voeding, rozig en voldaan, weer plompverloren op een weegschaal gelegd te worden. Een schrikreactie met huilen en afkoeling is het gevolg;
• de uitkomsten die met deze procedure verkregen worden, zijn niet erg nauwkeurig, maar rechtvaardigen vaak wel het besluit dat bijvoeding nodig zou zijn;
• borstvoeding op verzoek komt door deze aanpak onherroepelijk in de knel, en daardoor het op gang komen van de melkproductie;
• en vergeet niet dat een van de voornaamste moeilijkheden die we in onze cultuur met borstvoeding kennen, bestaat uit onzekerheid over het eigen functioneren. Als er iets is dat door moeders wordt beschouwd als een motie van wantrouwen door de deskundige buitenwacht, dan is dat wel dit controlerend wegen en daarna bijvoeden.

Het valt niet mee om ontspannen te genieten van een voeding, die tegelijkertijd iets van een examen heeft. Alleen al door 'examenvrees' zou je zo te weinig melk produceren!

Vitamine K

Sinds een aantal jaren is bekend dat (ernstige) spontane bloedingen bij borstkinderen kunnen worden voorkomen door het toedienen van vitamine K. Het gaat om bloedingen die zich in de eerste tien weken voordoen in de huid, uit de navel, in het maag-darmkanaal, of in het hoofd. De oorzaak is een vitamine K-tekort. Het is heel belangrijk dat aan je baby deze vitamine wordt toegediend. Het gaat om bloedingen die na de eerste week gezien worden. Tijdens de eerste 24 uur, meestal meteen bij het nakijken na de geboorte, geeft de verloskundig een 'oplaaddosis', voldoende voor de eerste week.

Gedurende de volgende tien tot twaalf weken geef je 25 microgram per dag. Waarschijnlijk is deze dosering tamelijk hoog, dus je hoeft je geen zorgen te maken als je het een keer vergeten bent. Je moet zelf voor de bevalling vitamine K in huis halen. Je kunt het gewoon bij de drogist aanschaffen. Het is nog steeds niet duidelijk of je meer vitamine K in je moedermelk krijgt als je het zelf inneemt. Zolang daar geen zekerheid over bestaat, doe je er beter aan geen enkel risico te nemen.

Geelzien

Rond de derde dag van hun leven krijgen veel baby's een gele kleur; ook het oogwit wordt geel. Het komt zo vaak voor, dat het haast normaal te noemen is. Voor de geboorte had je baby meer rode bloedlichaampjes nodig voor het transport van zuurstof dan nu, omdat hij nu zelf ademhaalt. Bij de afbraak van die extra rode bloedlichaampjes ontstaat een afvalproduct dat bilirubine heet. Bilirubine wordt door het lichaam opgeruimd met behulp van de lever. De lever van een pasgeboren baby heeft daar echter een heel karwei aan. Vaak wordt niet alle bilirubine even effectief weggewerkt via de ontlasting, met het gevolg dat resten nog een tijdje in de bloedbaan blijven circuleren.

De kans op geelzien is wat groter bij baby's die te vroeg geboren zijn, een laag geboortegewicht hebben, of bij de geboorte blauwe plekken hebben opgelopen. Een bijzondere oorzaak ligt in het verschil in bloedgroep tussen moeder en kind. In enkele gevallen is een wisseltransfusie nodig, waarbij de baby met kleine hoeveelheden tegelijk nieuw bloed krijgt.

Maar in verreweg de meeste situaties gaat het geelzien vanzelf in de loop van een week weer over. Bij het ontstaan van geelzucht maakt het niet uit of de baby borst- of flesvoeding krijgt.

Het is wel goed om te proberen vaker te voeden, zodat hij sneller meer gaat drinken. Daardoor zal de afvoer van bilirubine bevorderd worden. Borstvoeding heeft daarbij het voordeel dat het de eerste dagen een laxerende werking heeft. Soms wordt ook tussendoor wat gekookt water geadviseerd; het is inmiddels duidelijk dat dat niet zinvol is. Flesgevoede baby's volgen een bepaald programma, waarbij ze al eerder veel voeding krijgen, en nauwelijks afvallen. Daarom krijg je misschien de indruk dat het juist aan jouw borstvoeding ligt dat je baby geel ziet. Maar dit is geen reden om aan je eigen prima melk te gaan twijfelen.

Een gele baby is soms ook een slaperige baby en dan valt het niet mee vaker te voeden. Het gewone aantal voedingen levert al problemen op. Je kunt die paar dagen je baby een beetje helpen door wat melk af te kolven voor je hem aanlegt om zijn belangstelling te wekken. Extra gekolfde achtermelk kun je met een kopje als toetje geven.

Als je baby al heel snel geel wordt of lang erg geel blijft zien, moet het bilirubinegehalte in zijn bloed bepaald worden. Een teveel van deze afvalstof kan beschadigingen in verschillende weefsels veroorzaken. Nadert het gehalte een bepaalde kritische waarde, dan kan het zijn dat je baby in het ziekenhuis onder een blauwe lamp moet liggen (fototherapie), waardoor de waarde naar beneden gaat. Nieuw is de mogelijkheid van thuis behandelen met een 'lichtdekentje'. Bovendien moet door medisch onderzoek uitgesloten worden dat het om een andere vorm van geelzucht gaat, waarvoor een behandeling nodig zou kunnen zijn.

Het komt heel zelden voor (waarschijnlijk bij minder dan 1% van alle baby's) dat een baby een onschuldige vorm van geelzucht heeft die wel samenhangt met borstvoeding. De baby wordt dan wat later geel en blijft dat ook langer; het kan twee weken tot drie maanden duren. Wat daarvan precies de oorzaak is, heeft men nog niet goed kunnen vaststellen. Het is in ieder geval niet zinvol en niet nodig om dan met borstvoeding te stoppen.

Soms krijg je het advies om 12 uur niet zelf te voeden, zodat de bilirubinewaarde kan dalen. Ook al gaat daarna het gehalte weer iets omhoog, dan blijkt het toch de moeite waard geweest te zijn. Op het moment dat je dat te horen krijgt, zie je er natuurlijk erg tegen op af te gaan kolven. Je hebt daar ook wel wat hulp bij nodig. Maar het kan zijn dat je door deze maatregel voorkomt, dat je baby naar het ziekenhuis moet voor een behandeling onder de blauwe lamp.

Stuwing

Een paar dagen na de geboorte van de baby merk je dat de melkproductie serieus op gang komt: je borsten zijn ineens veel zwaarder, soms zelfs erg gespannen. Door je baby vaak en regelmatig te laten drinken, voorkom je dat je er veel last van krijgt. Een baby, die al snel na de geboorte en ook de eerste dagen heeft kunnen oefenen aan de borst, helpt je zonder veel problemen door deze beginperiode heen. Bij vrouwen die al eerder borstvoeding hebben gegeven, is de overgang van weinig naar volop melk vaak veel geleidelijker. Enorme stuwing is in ieder geval niet de voorwaarde voor een veelbelovende zoogperiode. Voorkomen is ook in dit geval beter dan genezen.

De aanmaak van melk gaat in het begin gepaard met een toename van o.a. de bloedtoevoer. Als de melk niet voldoende wordt afgenomen, kan al dat extra vocht door de druk van het klierweefsel niet doorstromen en dat leidt ertoe dat de spanning blijft toenemen. Bij een flinke stuwing worden je borsten onherkenbaar groot en pijnlijk gespannen, de huid ziet glanzend rood, je voelt je gloeierig en beroerd. Vaak kun je het melkklierweefsel onder de huid als harde plekken voelen. Er kan ook verhoging bij komen. Drink gerust als je dorst hebt; weinig drinken leidt in deze situatie heus niet tot minder spanning. Er wordt al wat minder melk aangemaakt, doordat de borsten zo gespannen zijn. Het opbinden van de borsten na de bevalling, wanneer een vrouw geen borstvoeding wil geven, is gebaseerd op dit principe: hoge spanning leidt tot lagere productie.

Maar hoe kan stuwing dan worden aangepakt, als weinig drinken niet helpt, en als de melkproductie niet moet worden onderdrukt?

• De beste hulp is een baby die goed drinkt. Jammer genoeg zal hem dat niet altijd zo gemakkelijk lukken, omdat je borsten hard zijn. De tepelhof is opgezet en de tepel is 'verstreken', afgevlakt, waardoor je kind geen houvast kan krijgen. Het enige wat hij op dit moment met moeite in zijn mondje kan houden, is het puntje van de tepel. Maar dat is zeker niet de bedoeling: het is buitengewoon pijnlijk, waardoor de melk niet gemakkelijk zal toeschieten. Bovendien zal de baby al snel gefrustreerd gaan huilen, aangezien hij niets binnen krijgt. De voorraadholtes die onder de tepelhof liggen, worden zo namelijk helemaal niet bereikt.

• Het is belangrijk om, voor je aanlegt, de tepelhof voorzichtig met de hand leeg te masseren. Om te beginnen houd je een warm washandje een paar minuten op iedere borst. Leg daarna je duim en vingers net om de rand van de tepelhof, druk je hand stevig tegen je ribben en knijp gelijktijdig duim en vingers samen, terwijl je de druk van je hand even vermindert. Laat je vingers niet wegglijden over de huid. Probeer er een ritmische beweging van te maken, die lijkt op de kaakbewegingen van de baby.

• Als je er niet aan moet denken je keiharde borsten aan te raken, kun je ook proberen of een warme douche verlichting geeft. Vaak gaat door de ontspanning en de warmte de melk spontaan lopen. Probeer dan voorzichtig mee te masseren.

• Soms is het praktischer alleen je borsten een dompelbad te geven: vul de wastafel, of een teiltje – als je op bed blijft zitten – met goed warm water en leun er voorover in met je borsten. Wrijf er zachtjes overheen, en je zult zien dat in het water na een tijdje witte wolkjes melk verschijnen.

• Het is een hele opluchting als je kind de borst goed in zijn mondje kan nemen en lekker door gaat drinken. Voed heel regelmatig deze dagen. Met volle borsten hoef je heus niet altijd te wachten tot je baby uit zichzelf wakker is geworden. Laat hem lang genoeg aan de borst en kies af en toe een andere houding. Meer daarover vind je in het volgende hoofdstuk.

• Verwacht echter niet dat je borsten na één voeding meteen weer soepel aanvoelen. Bij een serieuze stuwing is er meestal ook nog sprake van een overmaat aan vochttoevoer (o.a. bloed), die pas geleidelijk weer af zal nemen. De vermindering van de melkdruk heeft daarop een positieve invloed.

• Het kan verlichting geven, niet alleen de tepelhof, maar heel de borst zo goed mogelijk leeg te kolven, misschien een of twee keer. Dat is alleen zinvol als je borsten al flink melk zijn gaan produceren, en uiteraard niet als het om de eerste vochtstuwing gaat. Steun je borsten met de ene hand en wrijf met de andere over heel de borst naar de tepel toe, zodat je de melk naar de voorraadholtes onder de tepelhof brengt. Of leg beide handen om je borst en gebruik je duimen om te masseren. Ga zo helemaal rond. Daarna kolf je de melk af zoals boven is beschreven. Ga in ieder geval heel voorzichtig te werk. Je borsten zijn nu niet alleen gevoelig, maar ook erg kwetsbaar en bloeduitstortingen maken de zaak er niet beter op. Een goede elektrische kolf kan het karwei ook voor je doen; de meeste handkolven zijn in deze situatie niet erg aangenaam.

• Nog een huis- tuin- en keukenmethode is de moeite van het vermelden waard: de jampotpomp. Vul een grote jampot met een wijde opening voor driekwart met heet water, smeer de rand in met vaseline. Na tien minuten gooi je het water eruit, en je zet de jampot voorzichtig op je borst. De warmte ontspant de tepel en de afkoeling van de jampot veroorzaakt een vacuüm dat de melk uit de borst laat lopen, zonder dat je deze hoeft te masseren. Op deze manier kun je bereiken dat de melk toeschiet en de tepelhof wat minder gespannen wordt. Voor een echte doorstroming heb je de baby nodig of desnoods een kolf.

• Na de voeding vind je het misschien prettig om koude compressen op je borsten te leggen. Neem bijvoorbeeld een plastic zakje met: ijsblokjes in een washandje, natgemaakte washandjes die je over een schaaltje ter grootte van je borst hebt ingevroren, diepvries-doperwtjes of schijfjes komkommer uit de diepvries. Zo is er nog wel het een en ander te verzinnen. Gebruik ijs niet te lang en niet direct op de huid. De kou verlicht het verhitte gevoel en de spanning. Maar zorg

voor warmte voor je weer gaat voeden.
• Het is prettig om nu ook 's nachts een bh te dragen. Zie hieronder voor de beschrijving van de luier-bh. Een gewone zit misschien niet lekker.
• Soms kan het nodig zijn iets in te nemen tegen de pijn. Hoewel je natuurlijk heel zorgvuldig moet omgaan met medicijngebruik bij borstvoeding, kan een pijnstiller zoals paracetamol geen kwaad. Overleg in ieder geval met de verloskundige of met de dokter.

Dit is een lang verhaal geworden, maar je moet voor ogen houden, dat de kans groot is dat je zonder veel problemen door deze periode heen zeilt. Als je je baby bij je houdt en hem vanaf het begin vaak laat drinken, heb je misschien amper last van stuwing, zeker als je al eerder borstvoeding hebt gegeven.

Al met al is het niet verwonderlijk, dat je door een flinke stuwing ook behoorlijk in de put kunt raken. Je krijgt de neiging te roepen dat het voor jou allemaal niet meer hoeft, of bij het minste of geringste in tranen uit te barsten. Maar ook zonder last van stuwing voelen veel vrouwen zich niet heel de kraamtijd even stralend als zij zelf of mensen in hun omgeving verwachten. Het is niet anders, een grote verandering in je leven gaat je nu eenmaal niet in je koude kleren zitten!

Nog even de belangrijkste punten over stuwing:
• vaak en regelmatig voeden, ook 's nachts, vermindert de kans op stuwingsproblemen;
• eerst is er sprake van bloed- en vochtstuwing, daarna van melkstuwing;
• zelf weinig drinken helpt niet;
• veel laten drinken helpt wel;
• om de baby goed te laten happen tepelhof leeg masseren;
• voor de voeding ook warmte toepassen: washandje, douche of (dompel)bad;
• vaak en lang genoeg in wisselende houdingen voeden;
• bij melkstuwing een- of tweemaal de borsten 'leeg'kolven;
• warmte bevordert het toeschieten: jampotpomp;
• na de voeding koude compressen;

• draag een goed steunende (luier)bh;
• pijnstiller gebruiken, in overleg met verloskundige of arts.

Luier-bh
Als de bh die je had aangeschaft, nu niet goed zit, kun je er zelf een maken van een katoenen luier en twee navelbandjes. Het gaat als volgt:

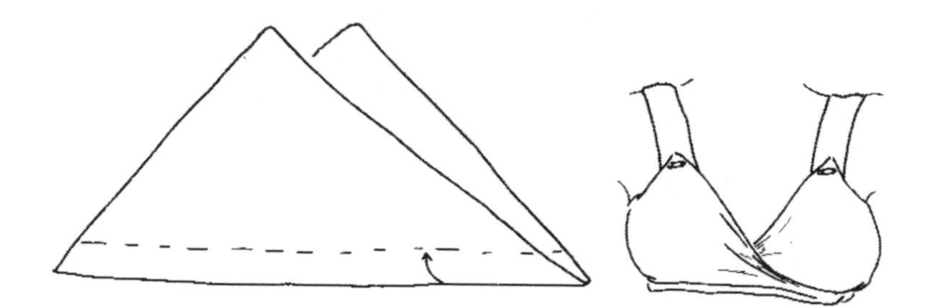

Luier-bh.

• vouw een luier over de diagonaal en trek daarbij de punten iets uit elkaar;
• vouw de lange zijde een stukje dubbel;
• doe de luier om je lichaam, onder je borsten en sluit de omgeslagen zijde op je rug met een speld. Misschien heb je daarvoor een derde navelbandje nodig en wat hulp is zeker handig!
• trek aan de voorkant de punten van de luier over je borsten en speld een navelbandje aan iedere punt;
• bevestig de beide schouder/navelbandjes op je rug aan de luier. Bij de voeding kun je één kant los maken. Deze bh is niet de meest charmante die je je kunt voorstellen, maar je wordt goed gesteund, zonder dat je last krijgt van knellende bandjes. Bovendien gemakkelijk te wassen.

Welverdiende rust
Je doet er goed aan het jezelf zo gemakkelijk mogelijk te maken. Voel

je niet geroepen om records te breken als het erom gaat alleen de baby in bad te doen, weer aangekleed bezoek te ontvangen, zelf even je bed te verschonen en wat dies meer zij. De hulp die je hebt, is er niet voor niets. En voor je het weet, sta je er weer min of meer alleen voor en zul je wel moeten!

Sommige vrouwen hebben er moeite mee een en ander echt over te laten. Inderdaad gaat misschien niet alles zoals je het precies hebben wilt. Een laconieke houding kan je kraamdagen redden. Wind je niet op, tenzij het om iets gaat dat echt belangrijk voor je is. Thuis voel je je snel minder afhankelijk, al kan anderzijds hulp van naaste familie ook weer gevoeligheden met zich mee brengen.

In gesprek met hulpverleners

De volgende aspecten verdienen aandacht bij kennismaking in een ziekenhuis, of in een gesprek met verloskundige, huisarts of gynaecoloog en bij het kraamcentrum, met het oog op borstvoeding geven:

- Kan de moeder haar baby meteen na de bevalling een hele tijd bloot tegen zich aan houden?
- Is het de gewoonte dat moeder en kind bij elkaar op de kamer blijven (rooming-in)?
- Blijft de baby ook 's nachts bij de moeder, of is het in ieder geval regel dat een borstkind voor nachtvoeding(en) bij de moeder wordt gebracht?
- Vormt borstvoeding op verzoek het uitgangspunt met betrekking tot de voedingstijden?
- Is het de gewoonte dat de moeder haar baby zelf bij zich in bed neemt en hem bij zich houdt zolang ze dat prettig vindt?
- Hoe vaak wordt de baby gewogen? Eens per dag of om de dag? Of voor en na iedere voeding?
- Wordt er bijvoeding gegeven? Op welke indicatie, wat voor bijvoeding, en op welke manier?
- Is er een goede (elektrische) kolf beschikbaar op de afdeling?

In 1991 is ook in ons land een boekje uitgegeven met de stellingname van UNICEF en de Wereld Gezondheids Organisatie over borstvoeding binnen de gezondheidszorg, met de titel: 'De bescherming, bevordering en ondersteuning van borstvoeding; de bijzondere rol van de gezondheidszorg'. De 'Tien vuistregels voor het welslagen van de borstvoeding' uit dit boekje vormen het uitgangspunt van de WHO/UNICEF campagne Baby Friendly Hospital Initiative, in Nederland 'Zorg voor Borstvoeding'. Het doel van die campagne is de begeleiding bij borstvoeding in de gezondheidszorg te verbeteren. Vraag de zorgverleners of hun instelling het WHO/UNICEF certificaat Zorg voor Borstvoeding heeft behaald, of kijk op www.zvb.borstvoeding.nl.

In 1999 heeft de Inspectie voor de Gezondheidszorg in het bulletin over de voeding van zuigelingen en peuters vastgesteld dat ook in ons land borstvoeding bevorderd moet worden; ze heeft de rol van zorgverleners daarbij onderstreept. Sinds 2004 behoort de bevordering van borstvoeding ook tot de beleidsdoelstellingen van het ministerie van VWS.

Volledigheidshalve volgen hier de 'Tien vuistregels voor het welslagen van de borstvoeding'.

Alle instellingen voor moeder- en kindzorg dienen te zorgen voor het volgende:
1. ze hebben een borstvoedingsbeleid op papier, dat standaard bekend wordt gemaakt aan alle betrokken medewerkers;
2. alle betrokken medewerkers leren de vaardigheden aan, die noodzakelijk zijn voor het uitvoeren van dat beleid;
3. alle zwangere vrouwen worden voorgelicht over de voordelen en de praktijk van borstvoeding geven;
4. moeders worden binnen een uur na de geboorte van hun kind geholpen met borstvoeding geven;
5. aan vrouwen wordt uitgelegd hoe ze hun baby moeten aanleggen en hoe zij de melkproductie in stand kunnen houden, zelfs als de baby van de moeder gescheiden moet worden;
6. pasgeborenen krijgen geen andere voeding dan borstvoeding, noch extra vocht, tenzij op medische indicatie;
7. moeder en kind mogen dag en nacht bij elkaar op een kamer blijven;

8. borstvoeding op verzoek wordt nagestreefd;
9. aan pasgeborenen die borstvoeding krijgen, wordt geen speen of fopspeen gegeven;
10. de instellingen onderhouden contacten met andere instellingen en disciplines over de begeleiding van borstvoeding, en ze verwijzen de ouders naar de borstvoedingorganisaties.

Voor de periode na de kraamtijd zijn ook uitgangspunten ontwikkeld, de 'Zeven stappen voor ondersteuning van borstvoeding in de JGZ'. Ze luiden als volgt.

Alle instellingen voor Jeugdgezondheidszorg dienen te zorgen voor het volgende:
1. ze hebben een borstvoedingsbeleid op papier, dat standaard bekend wordt gemaakt aan alle betrokken medewerkers;
2. alle betrokken medewerkers leren de vaardigheden aan die noodzakelijk zijn voor de uitvoering van dat beleid;
3. alle zwangere vrouwen worden voorgelicht over de voordelen en de praktijk van borstvoeding geven;
4. vrouwen die borstvoeding geven, worden daarin gestimuleerd en ondersteund met aandacht voor de preventie en oplossing van problemen;
5. aan vrouwen wordt uitgelegd dat het kind tot de leeftijd van ongeveer zes maanden over het algemeen geen andere voeding nodig heeft dan moedermelk, en dat de borstvoeding, gecombineerd met andere voedingsmiddelen, daarna kan doorgaan zolang moeder en kind dat wensen;
6. de instellingen geven voorlichting over de mogelijkheden om het geven van borstvoeding te combineren met werk of studie buitenshuis;
7. ze onderhouden contacten met andere instellingen en disciplines over de begeleiding van borstvoeding, en ze verwijzen de ouders naar de borstvoedingorganisaties.

4. Een kind aan de borst

Borstvoeding geven moet niet beschouwd worden als een techniek, hoeveel kennis je er ook over kunt vergaren. Zonder sentimenteel te zijn kunnen we gerust vaststellen, dat zelf voeden niet los te denken is van emoties. Toch wordt in dit hoofdstuk wat dieper ingegaan op allerlei 'technische' vragen als hoe, hoe vaak, hoe lang; en op de normale gang van zaken in de eerste tijd met je kind aan de borst.

Het eerste onderwerp is de manier waarop je een kind aanlegt, omdat daarmee niet alleen het voeden begint, maar ook vaak een probleem. Als er iets niet klopt in de houding van moeder en kind, kan dat leiden tot allerlei moeilijkheden, zoals last van de tepels, pijn bij het voeden, niet goed drinken, niet genoeg aankomen. Voorkomen is altijd prettiger.

Voeden leer je door te oefenen en als het eenmaal goed gaat, leer je het ook nooit meer af. Bij een volgend kind val je terug op je ervaring, al moet je er rekening mee houden dat ieder kind zijn eigen inbreng heeft.

Aanleggen

Borstvoeding geven gaat goed, als het een prettig gevoel geeft, zowel aan jou als aan je baby. Pijn bij het voeden, die langer duurt dan alleen het eerste aanzuigen gedurende de eerste week, is een signaal dat er iets niet in orde is. Het kan liggen aan je eigen houding, aan de lichaamshouding van de baby en aan de manier waarop hij daardoor de borst in zijn mondje neemt. Je doet er dan het beste aan de baby rustig van de borst af te halen. Neem er de tijd voor even zelf te ontspannen door een paar keer diep adem te halen, kalmeer de baby. En dan begin je een keer opnieuw.

Wat je in dit hoofdstuk leest over de manier waarop je je baby vasthoudt tijdens de voeding en over je eigen houding is van belang voor een goed begin van je borstvoedingstijd. Bij sommige vrouwen gaat het voeden als vanzelf, maar de meeste hebben wel wat geduld en oefening nodig. Van deze informatie over aanleggen kun je gebruik maken wanneer je je pasgeboren baby gaat voeden, ook als hij heel klein of zwak is. Maar je zult er ook baat bij hebben in de situatie dat een verkeerde start problemen heeft opgeleverd.

Bij het voeden van je baby speel je in op zijn aangeboren zoek-, hap- en zuigreflex, en je maakt het hem zo gemakkelijk mogelijk om zijn weg te vinden.

Je voelt je misschien onzeker, vooral als dit de eerste keer is dat je gaat voeden. Alles is nieuw en kritische ogen maken je nog stunteliger dan je je al voelt. Denk echter niet te snel dat het zonder hulp niet zal lukken. Het hoort er gewoon bij dat je tijd nodig hebt om te wennen aan het gevoel van een baby in je armen. Hulp bij het aanleggen kan zeker in het eerste uur na de geboorte ook onrust veroorzaken, alsof er dan echt wat 'gepresteerd' moet worden. En daar gaat het helemaal niet om. Je kind is helder wakker en klaar om contact te leggen.

Maar een paar uur later staat je hoofd er waarschijnlijk meer naar om te kijken wat er gebeurt.

Zoeken

Waar let je op? Om goed te kunnen zoeken naar de tepel moet de baby de kans hebben om zich te bewegen, vooral zijn hoofdje mag niet stevig vastgehouden worden. Natuurlijk houd je hem wel, goed gesteund, met zijn lijfje naar je toegekeerd.

Niets klinkt logischer dan dat, maar toch zie je talloze afbeeldingen van moeder met kind aan de borst, waarop de baby op zijn rug ligt en zijn hoofd helemaal opzij moet draaien om de borst te bereiken. Slikken wordt dan bijna onmogelijk. Probeer voor de aardigheid zelf maar eens een slok water te drinken, terwijl je over je schouder kijkt. Moeilijk? En dan moet de baby nog meer doen dan alleen maar slikken.

In principe ligt hij dus met zijn buikje tegen je aan. Als je zelf op je zij ligt met een kussen in je rug en onder je hoofd, moet hij ook op zijn zij naast je liggen. Voor je onderste arm moet je even de juiste positie zien te vinden: om de baby heen, of onder je hoofd en kussen.

Zittend voeden gaat vaak wat gemakkelijker, maar het loont de moeite handigheid te krijgen in het voeden op beide manieren. Daar kun je plezier van hebben in de maanden die komen. Ook als je je baby op schoot neemt voor de voeding, moet je erop letten dat hij op zijn zij in je armen ligt, lijfje en hoofdje in één lijn, zodat hij geen moeite zal hebben met slikken. Je geeft hem de ruimte om zelf de borst te zoeken en met de tepel tegen zijn wang en lipjes laat je hem voelen waar hij moet zijn.

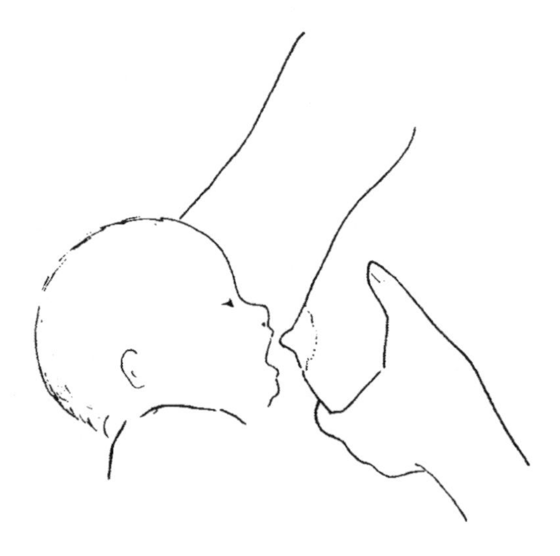

Zoeken en happen.

Happen

De baby krijgt de borst, niet de tepel! Het is van belang dat hij er gemakkelijk bij kan en zonder moeite een flink deel van de tepelhof in zijn mondje kan nemen. Zorg als je zit te voeden eventueel voor een extra kussen onder zijn billetjes. Zijn mondje moet zich tegenover de tepel bevinden, niet hoger maar liever net iets lager, de neusgaten zijn dan op gelijke hoogte met je tepel. Hij moet immers vooral met zijn onderkaakje en tong het werk doen en dus goed het onderste gedeelte van de tepelhof kunnen pakken. Het zoeken gaat na een poosje over in happen. Wacht even tot hij het mondje echt wijd open doet, alsof hij gaat geeuwen. Het is een kwestie van timing. Vaak zie je al dat de tong de golfbewegingen maakt, die samen met de ritmische kracht van de kaakjes zorgen dat hij zijn voeding zal krijgen. Kietelen van de onderlip bevordert dat het mondje goed opengaat met de tong naar beneden. De tong moet onder de tepelhof komen. Soms helpt het voorzichtig tegen het kinnetje te drukken. Pas als je ziet dat hij klaar is om te drinken, trek je de baby nog dichter met zijn lijfje tegen je aan. Breng nooit de borst naar de baby toe, maar juist de baby naar de borst. Anders kan het gemakkelijk gebeuren dat hij toch de greep verliest als je ontspant, zodra hij goed heeft gehapt.

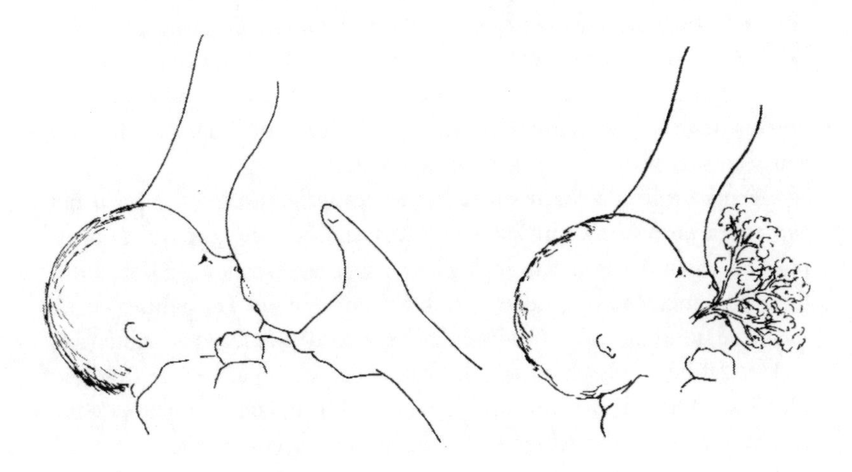

Met een wijd geopend mondje ligt de baby aan de borst. Met de tong en de kaakjes houdt hij tepel en tepelhof tegen het gehemelte aangedrukt.

Een kind dat goed aan de borst ligt, heeft zijn mondje wijd open, met naar buiten gekrulde lipjes. Je zou de onderlip voorzichtig opzij kunnen trekken, om te zien hoe de tong naar voren is gekomen tot over het harde randje waar later de tandjes komen. Je voelt een lichte druk van de onderkaak tegen je borst.

Ademhalen en zuigen

Nu is er nog iets waar je op moet letten: de baby moet de tepel ver genoeg in de mond kunnen houden, en tegelijkertijd moet hij de ruimte hebben om goed te kunnen ademhalen. In feite bereik je dit door ervoor te zorgen dat hij met zijn kin en borst heel dicht tegen je aan ligt. Dan zal hij vanzelf zijn hoofd iets oprichten of naar achteren buigen. Daardoor is zijn neusje vrij en hoef je zelf de borst niet in te drukken, zoals je vaak verteld wordt. Als hij daarentegen naar de borst toe wordt geduwd terwijl zijn lijfje en kin niet dicht tegen je aan liggen, krijg je het fenomeen van 'vechten' aan de borst, omdat hij problemen zal krijgen met zuigen en ademen tegelijk.

Wat dit betekent kun je zelf ook proberen, deze keer met behulp van een zacht opgeblazen strandbal of ballon. Als je kin er tegenaan drukt, blijft er ruimte om te ademen, maar als iemand je hoofd bij de kruin naar voren duwt, kom je in moeilijkheden. Je kin verliest het contact en wat denk je van drinken en slikken in deze houding? Neem maar eens een slok water met je kin op de borst.

Geen wonder dat baby's protesteren als welgemeende hulp bij het aanleggen erop neerkomt, dat een doortastende hand zijn hoofd beetpakt en tegen de borst aandrukt. Bovendien zal het hem in deze houding veel meer moeite kosten de tepel en tepelhof ver genoeg in de mond te houden, om de voorraadholtes voldoende leeg te 'melken'.

Het zal hem misschien nog lukken alleen de tepel beet te houden. Dat leidt echter al snel tot pijnlijke tepels. Of hij laat noodgedwongen de tepel telkens weer schieten, hoewel hij heel gretig zoekt.

Wees er ook op bedacht dat er misschien te veel omslagdoeken of kleertjes tussen jou en hem zitten, wanneer hij die eerste dagen als een ingepakt klein bundeltje bij je wordt gebracht. Pak hem maar een beetje uit; tijdens het voeden zorg je zelf wel voor de nodige warmte.

Als je dit allemaal gelezen hebt, begin je je misschien af te vragen hoe het mogelijk is gewoon te voeden, zonder voortdurend na te denken of je het allemaal wel goed doet. Toch gaat het alleen maar om een heel natuurlijke manier van vasthouden, die eigenlijk vanzelfsprekend is: je kind dicht tegen je aan, zijn lichaam en gezichtje naar je toe gewend, ruimte gevend aan zijn eigen initiatief. Na een poosje zijn jij en je baby vertrouwd geraakt met de borstvoeding en dan blijkt dat allerlei variaties op dit basisthema mogelijk zijn.

Nog even de belangrijkste punten op een rijtje:
• de baby ligt goed gesteund tegen je aan;
• hij ligt met lichaam en hoofdje in een lijn, naar je toe gekeerd;
• het mondje bevindt zich tegenover of net iets lager dan de tepel;
• je wacht tot het mondje wijd open is;
• je brengt de baby naar de borst toe, niet de borst naar de baby;
• je zorgt dat de baby niet hoeft te trekken aan de borst, je houdt hem dicht tegen je aan;
• de baby houdt het hoofdje een klein beetje achterover zodat zijn kin tegen jouw borst aan drukt en de neusgaten vrij zijn;
• hij ligt met zijn mondje wijd opengesperd te drinken, geen tuitmondje;
• zijn onderlipje is naar buiten gekruld;
• je voelt zijn onderkaakje drukken tegen de onderkant van je borst, niet vlakbij de tepel;
• voeden doet geen pijn; als dat wel zo is, haal je de baby van de borst af en begin je rustig opnieuw.

Ondersteunen van de borst

Het is helemaal niet nodig je borst samen te knijpen tussen wijs- en middelvinger (alsof je een sigaret vasthoudt), met de bedoeling de vorm ervan voor je kind te verbeteren. Hoewel je een dergelijke methode vaak ziet, wordt het op deze manier alleen maar moeilijker voor de baby om goed te gaan drinken: je vingers bevinden zich net daar waar zijn mondje moet komen. Na de bevalling zijn je borsten wat zwaarder geworden, en daardoor is het gemakkelijker om je baby voldoende houvast te geven. Hij moet immers de voorraadholtes onder de tepelhof tussen zijn kaakjes kunnen klemmen en niet alleen op de tepel zuigen. Om dat te bereiken let je erop, dat hij voldoende van de onderkant van de borst in zijn mondje krijgt. Zijn kin drukt tegen de borst.

Vaak is het wel prettig, zeker tijdens het aanleggen, om je borst wat te steunen. Doe dat vooral als je erg zware borsten hebt, of als de baby geneigd is snel los te laten. Je voorkomt dan dat het gewicht van je borst tegen de kin van de baby drukt. Leg je hand tegen je ribben met alle vingers onder de borst en laat het gewicht op je hand rusten. Je duim ligt boven op de borst, niet te dicht bij de tepelhof. Let erop dat je de borst niet indrukt en daardoor van vorm verandert.

Misschien kun je met zware borsten baat hebben bij een systeem dat vrouwen in Zuid-Amerika toepassen. Ze steunen hun borst met behulp van een brede, tot een ring gesloten band van geweven stof. Ze dragen deze band om hun hals en bij de voeding 'hangen' ze hun borst erin. Gebruik een zachte sjaal van enigszins rekbaar materiaal of een brede, elastische zwachtel. Zorg dat je steeds goed rechtop blijft zitten. Het voordeel is dat je je handen vrij hebt om de baby te helpen.

Het neusje vrijhouden voor de ademhaling is niet nodig. Hoogstens trek je je baby met zijn billetjes nog wat dichter tegen je aan, omdat hij daardoor het hoofdje iets achterover houdt. We hebben gezien dat die houding het mogelijk maakt tegelijkertijd te zuigen, te slikken en adem te halen. Ook al zie je zijn neusje helemaal tegen je borst aan liggen, hij redt zich wel: zijn neusgaten zitten immers aan weerszijden.

Hoe vaak?

Borstvoeding is een proces van vraag en aanbod. Er wordt weer nieuwe melk aangemaakt, zodra de baby drinkt. Dat gaat betrekkelijk snel: ongeveer driekwart van de benodigde hoeveelheid wordt geproduceerd in de eerste twee uur nadat je gevoed hebt. Wacht je met voeden totdat je borsten overvol worden, na meer dan vier à vijf uur, dan zal je lichaam op die spanning in het melkklierweefsel reageren met een matiging in de productie.

Dus alleen al om je melkproductie goed op peil te krijgen, zul je een kleine baby in ieder geval overdag elke twee à drie uur de borst geven. Door de specifieke samenstelling is moedermelk heel licht verteerbaar. Het maag-darmstelsel van een borstkind wordt niet overbelast en hij krijgt ook weer snel behoefte aan voeding.

Flesvoeding bevat andere eiwitten en geeft daardoor gedurende langere tijd een 'vol' gevoel. Vandaar dat je jouw borstkind in dit opzicht niet goed kunt vergelijken met een baby die de fles krijgt. En maar al te vaak wordt aan zo'n vergelijking ook nog een waardeoordeel verbonden: die van mij krijgt al om de vier uur, slaapt de nacht al door, goed, hè! Laat je daardoor niet van de wijs brengen. Het gebeurt vaak dat borstkinderen maandenlang elke paar uur drinken, als je voedt naar behoefte.

Dat betekent niet, dat je nooit weet waar je aan toe bent. Na een paar weken ontstaat er bijna altijd een bepaalde regelmaat in je dagen, en in je nachten. Over het algemeen zul je zien dat je baby in de ochtenduren gemakkelijk een lange ruk maakt tussen de voedingen, terwijl hij aan het einde van de middag onrustiger is. Waarschijnlijk hangt dit samen met de veranderende samenstelling van je voeding gedurende de dag. Zelf kun je daar geen invloed op uitoefenen, maar je kunt er wel rekening mee houden en gebruik maken van die rustige uurtjes. Doe dan niet alleen praktische klusjes, verzin ook iets wat je zelf echt leuk vindt.

De eerste weken reageer je misschien met een gevoel van bezorgdheid en spanning op de regelmatige roep van je kind. Je moet wennen aan het idee dat je zo vaak beschikbaar moet zijn, en je reactie is: alweer! Het lijkt wel of je aan niets anders toekomt dan aan voeden en zorgen, een hele verantwoordelijkheid. Maar echt, ook dat zal wennen. De vermoeidheid die erbij hoort na een bevalling, raak je weer kwijt en na een poosje begin je juist uit te kijken naar het moment van de voeding.

Dag- en nachtritme

Minder leuk worden de voedingen als je baby zich nog niets aantrekt van ons onderscheid tussen dag en nacht. Natuurlijk, een nachtvoeding hoort er gewoon bij gedurende de eerste weken of maanden. Maar het is niet de bedoeling dat de baby overdag maar slaapt, en 's nachts zijn schade in wil halen en elke twee à drie uur huilt. Probeer daar verandering in te brengen, door hem juist overdag met diezelfde regelmaat wakker te maken en te voeden. Wakker maken lukt vaak beter als je wacht tot hij in een lichte slaap is: je ziet dat aan snelle bewegingen van zijn gesloten oogjes, of hij beweegt zijn mond en brengt zijn handje naar zijn gezicht. Neem hem dan bij je, geef hem een schone luier en doe hem eventueel zijn truitje uit, zodat hij merkt dat er wat aan de hand is. Masseer zijn voetjes. Je kunt hem aanleggen als hij zijn ogen nog dicht heeft, maar het loont de moeite het volgende te proberen: je legt hem op zijn rug (op je schoot) en je brengt hem voorzichtig overeind tot hij zit, terwijl je zijn hoofdje en zijn rug natuurlijk goed met je hand en arm ondersteunt. Je zult zien dat zijn oogjes even open gaan, zoals bij een pop die overeind gezet wordt. Herhaal dit totdat hij zijn ogen open doet en open houdt. Door bovendien de voedingen overdag niet altijd op bed, maar soms ook gewoon in gezelschap te geven, leer je de baby geleidelijk dat er verschil bestaat tussen dag en nacht.

Probeer inmiddels de nachtvoeding(en) in ieder geval voor jezelf zo gemakkelijk mogelijk te maken. Je partner kan er ook uitgaan om de baby te verschonen en bij je te brengen, zodat je niet veel meer hoeft te doen dan een prettige houding aan te nemen en je baby zijn gang te laten gaan! Maak je geen zorgen als je half in slaap valt tijdens de voeding; voorzichtig met kussen en dekbedden. De kans dat je baby zonder dat je het zou merken in de knel raakt, is nihil, tenzij jij of je partner onder invloed zijn van slaapmiddelen of van alcohol. Over de hele wereld en in alle tijden hebben moeders met hun kinderen geslapen. Toch raadt de Stichting Wiegedood af om met een baby jonger dan vier maanden in één bed te slapen.

Schema

Hoe vaak je je baby de borst geeft, is dus afhankelijk van zijn behoefte aan voeding en lichaamscontact. Het kan geen kwaad als je hem vaker laat drinken dan je omgeving 'normaal' vindt. Je zult wel de neiging hebben je daarvoor te verontschuldigen, en allerlei smoesjes voor je huilende kleintje te verzinnen, zeker bij je eerste kind. Maar het is onzin je schuldig te voelen omdat je je eigen kind serieus neemt.

Er zit ook een andere kant aan voeden naar behoefte. Sommige kinderen zijn zo zoet, dat je hen rustig uren achter elkaar kunt laten liggen. Ze vragen niet om een voeding en zouden dus gemakkelijk te kort kunnen komen. Vandaar dat het veel belangrijker is dat je een minimum aantal van zeven of acht, en later vijf of zes voedingen in de gaten houdt, dan dat je erop let of je soms te vaak voedt.

Veel baby's slaan uit zichzelf de late avondvoeding over. Wakker maken lukt amper en je baby drinkt maar heel weinig. Misschien is het prettiger hem te laten slapen. Je kunt dan zelf ook eens op je gemak naar bed gaan. De kans dat je langer een nachtvoeding zult geven, is op deze manier wel groter. Overigens is de ervaring dat baby's, die uit hun eerste, diepe slaap gehaald worden, de rest van de nacht in een ritme van om de vier uur vervallen. Soms gaat het daarom beter als je de late avondvoeding niet zo laat mogelijk, maar juist zo vroeg mogelijk geeft.

Over het algemeen duurt het zeker een half jaar totdat baby's doorslapen van zeven tot zeven. Het is zelfs eerder regel dan uitzondering dat een kind er langer over doet dan zes maanden. Als je baby veel eerder in staat blijkt zo'n lange ruk te maken, moet je je afvragen of je borstvoeding daardoor niet te snel zal afnemen. Overleg ook op het consultatiebureau. Globaal gesproken zal een baby vier maanden moeten zijn, of vijf kilo moeten wegen, wil hij met zo'n lange nachtrust niet te kort komen. Vanzelfsprekend zal hij dan overdag energiek genoeg moeten zijn, zodat hij aan zijn minimum aantal voedingen komt. Bij borstvoeding staat echter niet alleen de baby centraal: je bent er zelf ook nog. Het is de kunst om een evenwicht te vinden tussen de behoeften van de baby en datgene wat je zelf op kunt brengen. Bij dat laatste spelen meerdere factoren een rol: welke eisen worden er verder dagelijks aan je gesteld door je werk, door andere kinderen, andere mensen? Past het bij je persoonlijkheid om zo flexibel om te gaan met je dagindeling? Op dergelijke vragen kun je alleen zelf een antwoord geven. Het kan gebeuren dat je reacties op je eigen baby anders zijn, dan je zelf van tevoren had verwacht. Houd in ieder geval voor ogen dat borstvoeding een proces is van wederkerigheid, dat berust op het systeem van vraag en aanbod.

Toeschieten

Je moet je laten gaan om je melk te laten lopen. Het hormoon dat de toeschietreflex regelt, het oxytocine, is immers niet alleen afhankelijk van het zuigen van de baby. Het wordt ook beïnvloed door je emoties. Zorg daarom goed voor jezelf. Zet iets lekkers te drinken klaar als je gaat voeden, neem er zo veel mogelijk rustig de tijd voor. In hoofdstuk 2 kun je hier meer over lezen.

Er zullen zich echter altijd situaties voordoen dat alles in het honderd loopt. De voeding is dan niet bepaald dat intieme moment van rust wat men zich ervan voorstelt. Gelukkig blijkt de toeschietreflex niet meer zo kwetsbaar, als je al wat ervaring met voeden hebt opgedaan. Vooral tijdens de eerste oefenperiode ben je erg gevoelig voor invloeden van buitenaf. De meeste vrouwen raken na enige tijd zo op hun kind ingespeeld, dat ze ook onder minder ideale omstandigheden weinig moeite hebben om zich even echt op hun baby te concentreren en hun melk te geven. En als je je melk geeft, kom je onwillekeurig al tot rust, want oxytocine in je bloedbaan leidt tot een gevoel van ontspanning.

Hoe lang?

Hoe lang elke voeding duurt, kan niet worden voorgeschreven. In principe kun je dat gerust aan de baby overlaten. Zeker de eerste tijd, wanneer je elkaar nog moet leren kennen, doe je er beter aan goed op het gedrag van je kind te letten. De klok heeft op borstvoeding geven nog nooit een positieve invloed gehad.

Elke kant tien minuten is een van de meest gehoorde voorschriften, gebaseerd op de ervaring dat het merendeel van de baby's daar tevreden mee is.

Een andere regel heeft betrekking op de eerste dagen: je wordt geacht met een heel korte voeding te beginnen en steeds een paar minuten langer aan te leggen. Het bezwaar van dergelijke maatregelen is dat je erg krampachtig met de voeding bezig bent. Bovendien, wanneer gaat de tijd in? Veel baby's zijn de eerste dagen echt wel een poosje bezig voordat ze goed happen, en de toeschietreflex laat aanvankelijk ook wel eens op zich wachten. Met de bedoeling gevoelige tepels te voorkomen, zou je zo het vlot op gang komen van de melkproductie belemmeren.

Hoe drinkt je baby?

Je tepels kunnen heel wat hebben, als je baby de borst tenminste goed in zijn mondje heeft kunnen nemen. Je tepel bevindt zich tijdens de voeding achter in de mond van de baby en kan daar niet beschadigd worden door zijn zuigkracht. De manier van aanleggen is daarom heel belangrijk (zie blz. 62). Het eerste aanzuigen kan in de kraamtijd vaak wel een kortdurend, stekend gevoel geven, omdat je tepels er nog niet aan gewend zijn de noodzakelijke rek op te vangen. Die pijn gaat in de loop van de eerste week echter zeker over. En zodra de baby echt drinkt omdat de melk is toegeschoten, heb je er geen last meer van.

Let je dus op je baby, dan zul je zien dat hij begint met regelmatige, korte zuigbewegingen om de tepel en tepelhof goed in zijn mondje te trekken. Vlak daarna proeft hij al melk uit de voorraadholtes. Pas als de melk toeschiet, begint ook het echte drinken. Je hoort dat hij afwisselend zuigt en slikt, zuigt en slikt; het gaat van klok, klok, klok. Vaak kost het hem zelfs moeite de stroom melk goed weg te werken, hij verslikt zich of laat even los. Dat is dus niet een kwestie van een ontzettend gulzige baby, maar van een reactie op een heftige toeschietreflex.

Hoe lang hij zo enthousiast door blijft drinken, is verschillend van voeding tot voeding en hangt samen met de hoeveelheid melk die beschikbaar is. Daarna komt er een pauze en een tijdje van kalm aan een paar keer zuigen en wat doorslikken. Soms schiet de melk dan opnieuw toe, al is het vaak met minder kracht. Je merkt echter wel dat hij weer heel regelmatig slikt.

Veel vrouwen voelen een tinteling in hun borst op het moment dat de melk toeschiet; er zijn ook vrouwen die er niets van voelen. De manier waarop de baby drinkt, geeft de beste aanwijzing. Mocht je merken dat hij heel oppervlakkig blijft zuigen en geen grote slokken neemt, zuigt hij zijn wangetjes naar binnen en hoor je een klikkend smakgeluid, dan doe je er het beste aan hem van de borst te halen. Je tepels kunnen op deze manier gemakkelijk beschadigd worden. Waarschijnlijk heeft hij de borst niet voldoende in zijn mond kunnen nemen. Leg hem opnieuw aan.

Hoewel je baby tijdens de eerste minuten van de voeding duidelijk het meeste binnenkrijgt, is het niet verstandig hem van de borst af te halen, zodra hij minder actief drinkt. De melk die na de eerste stroom in kleinere hoeveelheden ter beschikking komt, levert meer calorieën en kan dus voor het gevoel van verzadiging van de baby heel belangrijk zijn.

Het gaat natuurlijk niet alleen om het vullen van zijn maagje. Met het drinken aan de borst maakt de baby contact met de wereld. Hij begint hier het onderscheid te leren tussen zichzelf en de ander. Het zuigen geeft hem een intens gevoel van bevrediging. Allemaal redenen om de voeding niet te overhaasten of met de stopwatch te begeleiden. Drinken wordt afgewisseld met rusten aan de borst en tenslotte gaat het zelfs meer om zuigen dan om drinken. Van je eigen baby kun je het beste leren hoe lang je hem moet voeden. Je zult aan zijn manier van reageren merken, wanneer hij genoeg heeft. Met een voeding ben je bij voorbeeld al met al zo'n drie kwartier bezig.

In principe laat je hem aan twee kanten drinken, zeker in de periode dat de voeding nog goed op gang moet komen. Als je baby erg slaperig is, kun je beter bij de eerste borst wel de tijd in de gaten houden, zodat hij niet al weer diep in slaap is op het moment dat je hem de tweede kant aanbiedt.

Wees erop bedacht dat niet alle voedingen hetzelfde zullen verlopen. Met borstvoeding kun je je heel gemakkelijk aanpassen aan de veranderende behoeften van je kind. Na enige tijd zul je er een bepaald patroon in ontdekken. Zo drinkt hij 's ochtends vroeg misschien eens zo lang als bij de voeding na zijn badje, of blijkt hij aan het eind van de middag de voorkeur te geven aan een paar korte voedingen; maar graag wel binnen de twee uur! En dan met een maand of drie, vier is hij ineens in drie minuten klaar, en is ook niet meer geïnteresseerd in rustig zuigen. Of hij neemt er uitvoerig de tijd voor om tijdens de voeding een studie te maken van de knoopjes van je blouse; hij kijkt nieuwsgierig alle kanten op om te achterhalen waar dat geluid nu weer vandaan komt, terwijl hij er niet over denkt de tepel daarvoor los te laten! Tegen de tijd dat je baby aan dergelijke observaties toe is, ben je meestal al aardig aan het voeden gewend en blijken je tepels soepeler dan je had gedacht.

Loslaten

Als je vindt dat je baby lang genoeg heeft genoten aan de borst, kun je hem er natuurlijk gerust afnemen. Sommige kinderen zouden de hele dag wel zo lekker rustig tegen hun moeder aan willen liggen. Trek echter nooit gewoon je tepel uit het mondje van de baby, omdat je daar zeker pijnlijke tepels van krijgt. Je kunt beter je pink in zijn mondhoek leggen en zijn onderlip zachtjes naar beneden drukken. Je voelt dan dat het vacuüm in zijn mond verbroken wordt, of hij gaat op je pink zuigen en je kunt je borst terugtrekken. Nog even houdt je tepelhof de langgerekte, enigszins afgeplatte vorm die hij tijdens de voeding had aangenomen. Als je dat ziet, kun je je wel voorstellen dat borstvoeding geven altijd weer even wennen is.

Houdingen

Juist om wat afwisseling te verkrijgen in de druk, die de kaakjes van de baby uitoefenen op de tepel en de tepelhof, is het een goed idee om regelmatig in een andere houding te voeden. Daarbij blijft het uitgangspunt dat de baby met hoofd en lijfje in één lijn naar je toegekeerd ligt.

Een ander aspect dat je niet over het hoofd moet zien, is dat je houding in ieder geval voor jezelf ook gemakkelijk hoort te zijn. Je moet ontspannen zitten of liggen, wil je ontspannen kunnen voeden. Zorg met name voor voldoende steun van je rug en je armen, zodat je niet voortdurend je baby op hoeft te tillen. Je zou hem van vermoeidheid langzaam maar zeker laten zakken en dat zou betekenen dat hij een enorme kracht op je tepel uitoefent.

Zit goed rechtop; als je voorover helt, krijg je last van je rug. Bovendien zal je baby dan moeite hebben een 'mondvol borst' in zijn mondje te nemen. Ook als je onderuit gezakt zit, maak je het de baby moeilijk goed te happen en kan er wrijving ontstaan van het topje van de tepel tegen zijn gehemelte. Vermijd altijd dat je borst wordt uitgerekt tijdens de voeding.

Op schoot

De baby ligt dus heel dicht tegen je aan, zijn kinnetje tegen je borst. Zolang hij nog heel klein is, heb je veel plezier van een flinke hoeveelheid kussens die je van alle kanten tegen je aan laat duwen. Als je zit tijdens de voeding, is het misschien prettig een kussen op je schoot te leggen. Je zorgt ervoor dat zijn ene armpje achter je rug langs gaat, omdat hij dan zeker goed op zijn zij tegen je aan zal liggen. Zijn

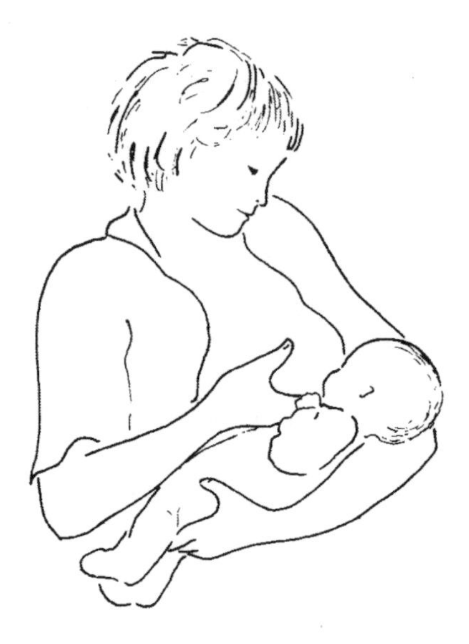

Zittend voeden: op schoot.

hoofdje en rug worden goed ondersteund door je arm. Let erop dat hij niet te veel aan de zijkant van je borst ligt, wanneer je hem vasthoudt met de arm aan dezelfde kant als waarmee je voedt. Het mondje moet echt bij de tepel uitkomen; leg hem niet per se in het holletje van je elleboog, maar misschien net op je onderarm. Je kunt je baby ook met de andere arm ondersteunen, zijn hoofdje rust dan in je hand. Een schommelstoel is heerlijk, net als een voetenbankje. Veel baby's hebben in het begin moeite met de stroom melk die ze met het toeschieten te verwerken krijgen. De dikkere melk van de eerste dagen, het colostrum, vereiste heel wat minder inspanning. Je kind verslikt zich en laat steeds los, of lijkt in slaap te vallen voordat hij echt goed gedronken heeft. Zuigen, slikken en ademhalen tegelijk wil nog niet lukken. Maar hij wordt wel binnen het uur hongerig wakker en heeft opnieuw moeite met een inmiddels gespannen volle borst.

In die situatie kan een andere houding de vicieuze cirkel doorbreken.

Ga dan zo zitten dat je verder achterover kunt leunen dan normaal, zodra de baby de borst goed in zijn mondje heeft genomen. Het keeltje van je baby ligt hoger dan de tepel. De melk komt daardoor minder krachtig aan en hij zal zich niet zo gauw verslikken. Nogmaals, zorg ervoor dat je baby dicht tegen je aan blijft liggen als je achterover leunt, met behulp van extra kussens. De tepelhof moet op dat moment door je beweging niet uit zijn mondje getrokken worden. Hij ligt als het ware bijna op zijn buikje over je heen. In hoofdstuk 7 vind je de beschrijving van een andere houding, die voeden bij te veel melk gemakkelijker maakt.

Zittend voeden: onder je arm.

Onder je arm

Zittend voeden kan ook nog op een andere manier, waarbij je baby niet op schoot, maar naast je ligt met zijn beentjes onder je arm door. Als je erg zware borsten hebt, of vlakke tepels, is dit een geschikte manier van voeden, omdat je beter kunt zien wat de baby doet en je het hoofdje beter kunt steunen. Dat is ook bij een te vroeg geboren kindje erg prettig. Bovendien zit je zo waarschijnlijk gemakkelijker na een keizersnee en wordt de zijkant van je borst bèter leeggedronken; bij stuwing kan dat heel belangrijk zijn.

Je legt een groot kussen naast je, gedeeltelijk op je schoot; daarop komt je baby zodat zijn billetjes vlak bij je elleboog liggen. Je neemt zijn bolletje in je hand en steunt zijn rug met je onderarm. Met de andere hand steun je je borst, je vingers eronder, je duim erop, ver van de tepelhof. Laat de baby zoeken en happen en breng hem dicht naar je toe, als zijn mondje wijd open is.

Liggend voeden

Je kunt goed uitrusten en zelfs in slaap vallen, terwijl je ligt te voeden. Het is ook een prettige houding als je in het begin last hebt van hechtingen, na een keizersnee, of als iemand je gaat helpen met aanleggen. Een slaperige baby blijft soms beter drinken wanneer hij naast je ligt, dan bij je op schoot.

Als je liggend voedt, heb je een steun in je rug zeker nodig, omdat je op je zij ligt maar toch net iets naar achteren moet hellen: je baby moet immers je 'onderste' borst kunnen bereiken. Sommige vrouwen vinden het overigens handig om op dezelfde zij te blijven liggen, als ze de tweede kant gaan geven; ze rollen dan gewoon iets verder door naar voren, of zorgen dat de baby hoger komt te liggen. Maar het is ook heel goed mogelijk om met de baby tegen je aan voorzichtig om te rollen naar je andere zij. Na verloop van tijd word je daar heel handig in. Je onderste arm ligt om de baby heen, of onder je hoofd en kussen. Aanvankelijk heeft je baby ook wel een kussen of een opgerolde handdoek als steuntje in de rug nodig, zodat hij goed op zijn zij naar je toegekeerd blijft liggen. Heeft hij problemen met het verwerken van het melkaanbod, dan kun je ook een opgevouwen handdoek onder hem leggen, of hem in je arm nemen. Zijn mond komt dan wat hoger dan de tepel van je 'onderste' borst, waar hij als het ware op neer kijkt.

Veranderingen

Heel de borstvoedingstijd zul je geconfronteerd worden met veranderingen, zoals dat ook daarna met opgroeiende kinderen onvermijdelijk het geval zal blijven.

We hebben al gezien dat de samenstelling van de voeding verandert in de loop van de eerste week na de geboorte van je kind. Er is verschil tussen de melk die in de voorraadholtes onder de tepelhof voor je baby klaarligt, en de melk die hij aan het eind van de voeding binnenkrijgt. 's Ochtends geef je andere moedermelk dan tegen de avond en met twee weken krijgt je baby andere voeding dan met vijf maanden. Al deze veranderingen zijn afgestemd op de behoeften van de baby, die zich ontwikkelt en dus verandert.

Over het algemeen is onze maatschappij ingesteld op regelmaat. Een zoete baby slaapt lang door en vraagt op gezette tijden om een voeding, maar nooit 's nachts. Hij huilt niet om lichaamscontact als het zijn tijd niet is. Hoe onzinnig dit beeld van de zoete baby ook is, vaak word je door je omgeving, het ziekenhuis, kraamzorg, familie, kraambezoek, toch beïnvloed. Het maakt je onzeker als jouw kind zich niet blijkt aan te passen aan die verwachting. 'Een borstkind, zeker. Nu al verwend,' denk je dan al gauw te horen.

Vanuit die onzekerheid zou je gemakkelijk de verkeerde conclusies kunnen trekken, wanneer blijkt dat je baby, en de manier waarop je hem voedt, eigenlijk steeds aan verandering onderhevig is. Met borstvoeding ben je in staat om, veel gemakkelijker dan bij flesvoeding mogelijk is, op de behoeften van je baby in te spelen. 's Ochtends bij je in bed voed je hem bijvoorbeeld rustig gedurende een uur, rond de middag heeft hij in zeven minuten zijn portie binnen. Maar in de loop van de avond kun je hem net zo goed op schoot houden, omdat hij aan de borst tenminste getroost kan worden als hij weer krampjes krijgt.

Denk niet bij elke verandering dat er iets niet in orde is en dat het dus wel weer aan de borstvoeding zal liggen.

Een voorbeeld: het komt heel veel voor, dat vrouwen ervan overtuigd zijn dat hun melkproductie enorm is teruggelopen, als ze merken dat hun borsten rond de tiende dag veel minder gespannen zijn. Toch is dit een van de normale veranderingen die je lichaam doormaakt: er is een evenwicht ontstaan tussen de behoefte van je baby en het melkaanbod. Stel je voor dat je maandenlang met stuwing zou lopen!

Kraamvrouw af

De eerste zes weken na de bevalling word je nog kraamvrouw genoemd, maar in feite draai je na zeven tot tien dagen al weer aardig mee. In veel samenlevingen is het de gewoonte dat de jonge moeder veel langer door andere vrouwen wordt opgevangen. Het geven van borstvoeding wordt daardoor in de eerste kwetsbare fase beschermd.

Het is, zoals gezegd, een verontrustende ontdekking dat na de kraamdagen van die volle borsten niets meer over is. En waarschijnlijk begin je aan jezelf te twijfelen als je baby nu ook onrustiger is dan tevoren. Dat is meestal het geval. Geen wonder: je staat er weer min of meer alleen voor en dat brengt een gevoel van spanning met zich mee. Er wordt heel wat minder gestofzuigd dan toen de kraamverzorgster er nog was, maar het bezoek houdt aan en de beschuiten met muisjes kruimelen meer dan ooit. Je wordt niet meer verzorgd, integendeel. Alles loopt misschien minder perfect dan je prettig vindt en je kunt zo kort na de bevalling nog niet even veel aan als vroeger. Het is de kunst om in dit stadium nog niet te veel van jezelf te eisen.

De baby heeft inderdaad een grote verandering in je dagelijks leven teweeg gebracht. Ga ervan uit dat je de eerste tijd heel intensief met hem bezig zult zijn. Hij komt vóór het bezoek, vóór een opgeruimd huis.

Bijna altijd zal de baby reageren op de onrust die je deze dagen onvermijdelijk voelt. Als hij vaker om een voeding vraagt, moet je echt proberen de boel de boel te laten en rustig met hem te gaan zitten of liggen. Zodra je voedt, reageert je lichaam met de aanmaak van meer melk. Je hoeft heus niet zuinig te zijn op wat je hebt, want er wordt steeds weer opnieuw melk geproduceerd. Hoe meer je geeft, des te meer heb je. Het huilen van de baby betekent natuurlijk niet altijd honger. Maar juist in deze periode is de kans groot, dat je goed op zijn vraag reageert als je hem aan de borst neemt. Misschien wordt hij al rustig door het zuigen, door het lichaamscontact.

Zorg in de drukte ook goed voor jezelf: drink genoeg, eet gezond. Je zult wel merken dat je in de ochtend nog het gemakkelijkst aan andere dingen toekomt. Vandaar dat het handig kan zijn het avondeten dan vast voor een groot deel klaar te maken, en in de loop van de middag samen met de baby kalm aan te doen.

Zodra je de zorg voor meerdere kinderen hebt, worden plannen om te rusten steeds minder realistisch. Van die frustratie word je nog eens zo moe. Dit is het moment om de hulp die je geboden wordt van ganser harte aan te nemen en je niet beleefdheidshalve groot te houden. Boodschappen kunnen door een ander gedaan worden. Iets grotere kinderen uit de buurt willen misschien een uurtje met je peuter spelen. Afhankelijk van je situatie zijn er vast talloze oplossingen te verzinnen: je hebt het gewoon even nodig. Bovendien is het zo dat je borstvoeding goed kunt combineren met voorlezen, als je andere kind daar oren naar heeft. Of je zet een lekkere stoel naast het bad en je voedt de baby terwijl de oudste de boel onderspettert. Eén ding is zeker: met kinderen gaat alles minder efficiënt dan zonder, je krijgt ze niet voor je gemak!

Regeldagen
In de loop van de weken wordt het steeds vanzelfsprekender dat je baby met enige regelmaat drinkt, en groeit van je eigen moedermelk.

Maar net als je denkt te weten waar je met hem aan toe bent, gooit hij je hele schema in de war. Telkens na zo'n anderhalf uur zet hij het op een huilen alsof hij rammelt van de honger. En dat is waarschijnlijk ook het geval. Rond zes tot acht weken zie je vaak een dergelijke periode en soms met een maand of drie nog een keer. Je kind is groter geworden en hij laat je weten dat hij meer nodig heeft. Misschien hangt zijn reactie ook samen met het feit, dat je inmiddels weer andere verantwoordelijkheden op je hebt genomen en je daarbij wat hard van stapel bent gelopen. Hoe het ook zij, hij vraagt om meer, of het nu komt doordat je voeding teruggelopen is, of omdat hij meer nodig heeft. Kreeg je baby flesvoeding, dan zou er per slot van rekening ook op gezette tijden wat meer in de fles gedaan worden. Nu moet je hem meer borstvoeding geven door in eerste instantie vaker te voeden. In een paar dagen regelt je baby zo, door vaker te drinken, dat het aanbod weer aangepast wordt aan het blijkbaar vereiste peil. Vrouwen die van nature veel melk produceren, zullen van deze regeldagen niet veel merken. Misschien geven zij tijdelijk twee borsten per keer, terwijl hun baby daarvoor na een kant al voldaan was. En naarmate je minder op de klok kijkt, zal het je minder opvallen dat je baby om een extra voeding vraagt, tenzij hij echt erg onrustig is. Vergeet niet, dat je meer melk maakt naarmate je meer melk geeft.

Als je vaak voedt, zul je aanvankelijk niet merken dat je melkproductie toeneemt. Je borsten krijgen immers niet de tijd om zo vol te raken dat je de spanning voelt. Dat zou ook averechts werken, want spanning in de borsten leidt juist tot een afname van de melkproductie. Het is wel eens moeilijk om voldoende vertrouwen te houden in je eigen capaciteit je kind te voeden, als hij zo vaak begint te huilen. Toch is het leed binnen een paar dagen weer geleden. Iedereen die borstvoeding heeft gegeven, weet zich wel een of meer van zulke regeldagen te herinneren: het hoort er gewoon bij.

Lekken

Als je borstvoeding geeft, blijf je lichamelijk bij je baby betrokken. Je kunt daarmee op de meest onverwachte momenten geconfronteerd worden!

• Vooral de eerste tijd zal het regelmatig gebeuren dat de melk ineens toeschiet, en voor veel vrouwen betekent dat dat hun borsten beginnen te lekken. Toeschieten is niet alleen afhankelijk van de zuigprikkel van de tepel, maar het wordt ook beïnvloed door gevoelens en gedachten. Misschien hoor je een baby huilen terwijl je boodschappen doet, of denk je dat het weer eens tijd wordt voor een voeding. Sommige vrouwen hebben de ervaring dat het helpt om even met de armen stevig tegen de tepels te duwen. In gezelschap ga je braaf met je armen over elkaar zitten. Na verloop van tijd raak je steeds beter op elkaar ingespeeld, zodat dit onverwachte toeschieten van de melk zal afnemen.

• Het hormoon dat de toeschietreflex regelt, het oxytocine, houdt er geen rekening mee of je de linker- of rechterborst geeft: aan beide kanten begint de melk te lopen als de baby even heeft gezogen. Misschien betekent dat een drupje voeding en kun je de tepel even indrukken. Misschien moet je maandenlang een spuugdoekje bij de hand houden als je gaat voeden, omdat je anders kletsnat wordt. De mate waarin je lekt, hangt af van de sluitspiertjes rond de melkopeningen. Het zegt dus niets over de hoeveelheid melk die je produceert.

Aangezien ditzelfde hormoon een rol speelt bij het vrijen, moet je er rekening mee houden dat er ook dan melk uit je borsten kan komen. Je verkleint de kans daarop, als je kort tevoren je baby hebt gevoed. Dat zul je trouwens meestal toch liever net achter de rug hebben, omdat je dan meer kans hebt dat jullie niet gestoord zullen worden door een veeleisende schreeuw om voeding. Dat leidt zo af.

• Het kan ook voorkomen dat je voortdurend een klein beetje melk verliest. Na een paar weken krijg je daar behoorlijk genoeg van. Misschien wordt de lekkage wat minder naarmate je baby ouder wordt en meer voeding nodig heeft. Je hoeft je er geen zorgen over te maken dat je te weinig voor je baby overhoudt. Hoewel je borsten bijna altijd nat zijn, gaat het toch om een heel kleine hoeveelheid in verhouding tot wat je baby drinkt. Er is niet veel aan te doen. Draag een bh waarin je katoenen zakdoeken, navelbandjes of zoogcompressen legt. Vervang deze heel vaak om te voorkomen dat de huid door het vocht geïrriteerd raakt. Mochten je tepels gevoelig zijn, gebruik dan geen materiaal dat plastic bevat. Er zijn ook zoogkompressen van 'ademend' siliconenmateriaal.

Het valt niet mee om maandenlang in wijdvallende truien te lopen, en om altijd 'nat' te zijn. Wie weet helpt het om met koud water na te douchen en zo de genoemde sluitspiertjes te versterken.

Het heeft geen zin borstschelpen, ook wel verkocht onder de naam lekglazen, te gebruiken om de melk op te vangen. Meestal leidt de druk die de rand van zo'n lekglas uitoefent op de tepelhof ertoe, dat er inderdaad voortdurend melk komt: het heeft een enigszins kolvende werking.

Je kunt wel tijdens de voeding een borstschelp gebruiken, om de melk uit de borst die je niet geeft, op te vangen, in plaats van een spuugdoekje, luier of handdoek. Ga zeer hygiënisch te werk als je de voeding die je zo verzamelt, wilt bewaren voor je baby. Houd er rekening mee dat je op deze manier voornamelijk de voormelk opvangt, en niet de voeding die een hogere calorische waarde heeft. Voeding die in de loop van de dag, en dus niet tijdens de voeding, in een borstschelp wordt opgevangen, kan niet voor de baby gebruikt worden. In hoofdstuk 9 lees je meer over afkolven.

Vader en kind

Doordat je als borstvoedende moeder zo op je kind bent aangewezen, en hij op jou, is de kans groot dat je een voorsprong krijgt in het opbouwen van een relatie met je nieuwe baby. Je bent noodgedwongen met een grote regelmaat met hem bezig. Tegenover de belasting die dat met zich meebrengt, staat het voordeel dat je gemakkelijker vertrouwd raakt met deze nieuwe rol in je leven, die van moeder zijn.

Je partner heeft ook tijd nodig om zich thuis te gaan voelen in zijn vaderrol. Zonder die voortdurend terugkerende confrontatie van de voedingen verloopt het contact met de baby ongetwijfeld anders en het zal vaak toch minder vanzelfsprekend en intensief zijn. Bedenk met deze gegevens in je achterhoofd op welke manier je ruimte kunt geven voor de betrokkenheid van je partner. Voor een kind draag je liefst gezamenlijk verantwoordelijkheid, maar dat betekent helemaal niet dat je alles ook letterlijk samen moet doen.

Zou niet iedereen zich meer op zijn gemak voelen op het moment dat hij of zij alleen met de baby bezig is? Niemand die hoort wat voor onzin je tegen hem kletst, niemand die commentaar geeft op de onhandige manier waarop je hem in bad doet. Je baby heeft meer nodig dan alleen borstvoeding en al die andere bezigheden kunnen gedeeld worden. Het argument dat jij als moeder inmiddels handiger, sneller of wat dan ook zou zijn, verliest al gauw zijn waarde. Al doende leert men. En niet alleen hoe je moet verschonen: je leert elkaar kennen.

Draagdoek

Gedragen worden vinden de meeste baby's nog leuker dan op schoot zitten. Ze kunnen een beetje rond kijken en vallen tegen je aan gemakkelijker in slaap. Met een draagdoek of slendang heb je nog een beetje je handen vrij. Er zijn veel modellen te koop, maar deze beviel mij verreweg het beste.

• Neem een strook stevige katoen van 132 cm bij 45 cm. Als je groot bent, is 140 cm misschien beter.

• Sluit de strook aan de korte kanten tot een ring en stik de lange kanten om. Je kunt er ook voor kiezen de slendang elke keer te knopen; je hebt wel veel meer stof nodig. Voordeel is dat iemand anders er dan ook plezier van kan hebben en de slendang ook over een jas of dikke trui gebruikt kan worden.

De productie van deze slendang is zeer eenvoudig, de baby erin en eruit gaat al even vlot.

Draagdoek of slendang.

- Doe een arm en je hoofd door de doek.
- Spreid de stof op je schouder en draai de doek aan de andere kant op je heup binnenste buiten.
- Het zitje dat zo ontstaat, is heel klein. Laat je baby er van boven af inzakken. Hij zit dicht tegen je aan; hij mag er niet tussen door kunnen glijden!
- Een kleine baby ligt met de beentjes voor je middenrif, het hoofdje wordt gesteund door je arm en door de doek.
- Als hij iets ouder is, zit hij met gespreide beentjes op je heup. De doek wordt steeds minder ver omhoog getrokken.

Op deze manier wordt je rug veel minder belast dan wanneer je een draagzak gebruikt met twee (smalle) schouderbanden. Nog een voordeel van dit systeem is dat de baby in een ronde houding gedragen wordt, waardoor hij zich beter kan ontspannen.

5. Vragen, zorgen en twijfels

Tot nu toe heb je gelezen hoe het voeden in zijn werk gaat, hoe borstvoeding vlot op gang kan komen, en waarmee je rekening moet houden als je ervoor gekozen hebt je kind zelf te voeden. Je hebt je verheugd op deze tijd en wie weet gaat alles van een leien dakje.

Toch zijn de meeste vrouwen er af en toe onzeker over of ze het wel goed doen, of krijgen ze te maken met een situatie waar ze zich niet tegen opgewassen voelen. Misschien gaat het alleen maar om een vaag gevoel van onbehagen, waarmee je de wijkverpleegkundige niet wilt lastig vallen. Op zo'n moment heb je de steun van je omgeving nodig. Je moet kunnen terugvallen op iemand die aanvoelt, hoe belangrijk het voor je is borstvoeding te geven, ook al is de moed je even in de schoenen gezonken. Ga niet alleen te rade bij familieleden of vrienden, die eigenlijk nogal onverschillig staan tegenover borstvoeding, of die zelf flesvoeding hebben gegeven, hetzij uit eigen keuze, hetzij noodgedwongen. De reactie is dan maar al te gauw: als het moeite kost, dan hoeft het toch niet! Of: maak je niet druk, flesvoeding is tegenwoordig immers even goed! Zo'n negatieve reactie is wel het laatste waar je op zit te wachten.

Hoewel steeds meer zwangere vrouwen kiezen voor borstvoeding, moet je niet verbaasd zijn als blijkt dat veel mensen er niet echt warm voor lopen.

Je kunt altijd een beroep doen op de vrouwen die actief zijn in een borstvoedingsgroep. Dat kan door op te bellen of door naar een contactavond te gaan, als die bij jou in de buurt gehouden wordt. Ook als je twijfelt of je wel de juiste keuze gemaakt hebt, kan het helpen om alles eens op een rijtje te zetten, samen met iemand die het wel en het wee van borstvoeding geven uit ervaring kent.

De vragen, zorgen en twijfels in dit hoofdstuk zullen veel voedende moeders bekend voorkomen. Eerst wordt ingegaan op onzekerheden rond de baby, daarna op zaken die meer met jezelf te maken hebben. Andere problemen, met de melkproductie, met de tepels en de borsten, en borstvoeding geven onder bijzondere omstandigheden komen in volgende hoofdstukken aan de orde.

'Hoe weet ik of hij wel genoeg krijgt?'

Aangezien je niet ziet hoeveel de baby bij je drinkt, is het heel begrijpelijk dat je wel eens twijfelt of hij voldoende voeding krijgt. In onze samenleving is het nu eenmaal niet meer de gewoonste zaak van de wereld dat moeders hun kinderen de borst geven. Misschien krijg je daardoor het idee dat je aan een bijzonder moeilijke taak begonnen bent. Reacties van je omgeving kunnen dat gevoel van onzekerheid gemakkelijk versterken. Maar je twijfel wordt misschien ook gevoed door het feit, dat je baby zich niet veel lijkt aan te trekken van de groeicurve. Of hij huilt meer dan je gedacht had. En al komt hij prachtig aan, je blijft de borstvoeding de schuld geven.

Je baby krijgt genoeg voeding

- als hij zeven tot acht keer drinkt per etmaal, na de eerste weken wat minder vaak;
- als je hem ritmisch hoort zuigen en slikken (klokken) tijdens de voeding;
- als hij de tijd krijgt om rustig uit te drinken, als hij wil ook aan de tweede borst;
- als je borsten na de voeding wat soepeler aanvoelen dan daarvoor;
- als hij vanaf de vierde of vijfde dag meer natte luiers maakt, tot zo'n acht luiers per etmaal;
- als hij vanaf de vierde of vijfde dag licht gekleurde ontlasting heeft.

Het heeft geen zin te proberen of de baby na de voeding nog een fles water of kunstvoeding neemt: borstkinderen zuigen krachtig en zullen ook als ze geen honger hebben misschien nog wat accepteren. Huilen na de voeding kan ook wijzen op een boertje of krampjes, op behoefte aan zuigen en lichaamscontact. Het betekent niet per definitie dat hij niet genoeg heeft gekregen. Mocht dat wel zo zijn, dan is daar bijna altijd wel een oplossing voor te vinden. In hoofdstuk 7 kun je meer lezen over wat te doen bij te weinig melk.

'Waarom huilt mijn baby zoveel?

Een baby huilt niet voor niets. Hij heeft geen andere mogelijkheid om je te laten weten dat er iets niet in orde is. Maar wat? De borst geven is niet altijd het antwoord. Een jonge baby laat zich meestal ook niet troosten aan de borst, als hij eigenlijk geen honger heeft. Je kunt het natuurlijk wel proberen, zeker als de vorige voeding toch een poosje geleden is, maar het heeft geen zin erop aan te dringen.

Rond de twee weken merk je misschien dat je baby wel erg vaak onrustig is. Het is een hele aanslag op je zelfvertrouwen, zo'n baby die ook na de voeding blijft huilen. Je bent maar al te snel geneigd aan te nemen dat het aan de borstvoeding ligt, en dus aan jou. Ook de omgeving zet je misschien op dat spoor. Maar sommige baby's zijn de eerste maanden heel onrustig, of ze nu borst- of flesvoeding krijgen. Je kunt er in ieder geval van overtuigd zijn dat je hem precies die voeding geeft, die optimaal is aangepast aan zijn mogelijkheden. Sommige kinderen jengelen overigens altijd een paar minuten voor ze in slaap vallen. Maar als het om langdurig huilen gaat, wil je de oorzaak ontdekken. Behalve honger zijn er nog meer redenen te bedenken:

- heeft hij het koud of te warm?
- zit er een boertje dwars?
- heeft hij moeite met de ontlasting?
- heeft hij al last van een tandje?
- is hij kletsnat of heeft hij een vieze luier?
- kapotte billetjes?
- mist hij het lichaamscontact?
- verveelt hij zich?
- zou hij oorpijn hebben, of koorts?

Het is heel moeilijk te ontdekken wat je kind van je vraagt, al zul je altijd van die zeer ervaren moeders tegenkomen, die beweren meteen te horen waarom een kind huilt. Waarschijnlijk twijfel je voortdurend wat je moet doen. Laat in ieder geval ook de huisarts naar hem kijken, als je vindt dat hij wel erg veel huilt. Vaak zul je dan te horen krijgen dat hij prima in orde is: hij heeft 'gewoon' last van krampjes of koliek, of het is een kwestie van het huiluurtje dat wat lang is uitgevallen.

Op de vraag wat je kunt doen om je melkproductie (te weinig of te veel) aan zijn behoefte aan te passen, gaan we in hoofdstuk 7 in. Aan het huilen van een baby met een allergische aanleg wordt in hoofdstuk 10 aandacht besteed.

We hebben al gezien dat borstkinderen over het algemeen 's ochtends gemakkelijker een lange ruk maken tussen de voedingen en tegen de avond wat vaker willen drinken. Zo komt het ook heel vaak voor dat een baby juist gedurende die laatste uren van de dag erg onrustig blijft. Een keer extra voeden helpt maar heel even. Het huilen begint dan rond een uur of vijf, juist wanneer je wat aan het eten moet gaan doen, oudere kinderen in bad en een paar uur later in bed moet stoppen; en meestal duurt het uren voor de baby weer ontspannen is. Het vraagt heel wat van je doorzettingsvermogen om de moed erin te houden.

Misschien is je baby niet alleen de beruchte avonduren onrustig, maar huilt hij naar je gevoel de hele dag. Als je hem bij je neemt en met hem rondloopt, wordt hij wel even stil, maar voor je het weet begint het krijsen opnieuw. Je hebt duidelijk de indruk dat hij aanvallen van buikpijn heeft, hij trekt zijn beentjes op en strekt ze weer en is één hoopje ellende. En zelf voel je je soms al niet veel beter. Zo had je je deze periode niet voorgesteld! Het is ontzettend vermoeiend om wekenlang voor je koliekbaby te zorgen. Je slaapt te weinig, je krijgt het gevoel dat je aan alle kanten tekort schiet, je raakt geïrriteerd over van alles en nog wat. Het is maar een schrale troost te weten dat ook deze periode voorbijgaat. De meeste koliekbaby's worden met een maand of drie een stuk rustiger.

Een huilende baby kan je erg onzeker maken. Niets wat je doet helpt echt. Je bent uren met hem in de weer, maar soms lijkt het of je hem amper kunt bereiken. Toch is het voor hem van groot belang dat hij niet aan zijn lot wordt overgelaten.

Wat kun je doen om het leven voor je baby, maar ook voor jezelf, toch zo prettig mogelijk te maken?

- Probeer je erop in te stellen dat je erg veel aandacht aan je baby zult geven, maar zoek wel naar mogelijkheden om de verantwoordelijkheid te delen. De uurtjes rust die er heus ook zijn, moet je niet alleen gebruiken voor klusjes die zijn blijven liggen. Je kunt ook een eind gaan fietsen, iets doen waar je plezier in hebt.

• Misschien helpt het je op te schrijven hoe lang – of kort – je baby rustig is; het geeft je wat greep op de situatie.
• Houd hem veel tegen je aan. Gewoon op schoot is meestal niet genoeg, je zult moeten lopen. Draag hem zo, dat hij een gelijkmatige druk tegen zijn buikje voelt, over je schouder of op zijn buik op je onderarm. De warmte van je lichaam werkt ontspannend. Misschien vindt hij een draagdoek of slendang ook wel prettig; wie weet valt hij zo in slaap of leiden je bezigheden hem een beetje af.

Een prettige draaghouding: de baby kan zich ontspannen en je rug wordt niet overbelast.

Sommige baby's reageren niet goed op veel lichaamscontact. Het is moeilijk om je niet afgewezen te voelen, als je huilende baby zich lijkt te verzetten tegen je pogingen hem te troosten. Tijd en geduld zijn nodig om er achter te komen op welke manier je het beste met je overgevoelige baby kunt omgaan. Na de eerste onrustige maanden leert hij geleidelijk toch in zijn eigen tempo te genieten van knuffelen.
• Zorg ervoor dat zijn lichaampje zo weinig mogelijk gestrekt wordt,

maar houd hem in een 'ronde' houding. Je kunt hem bijvoorbeeld dwars op het aankleedkussen leggen, als je hem verschoont. Of je houdt hem op schoot met de beentjes naar je toe, waarbij je ervoor zorgt dat je knieën hoger zijn dan de zitting van je stoel. Zijn beentjes liggen tegen je bovenlichaam aan. Ook tijdens de voeding kun je hem ongeveer in die houding laten liggen, gedeeltelijk op schoot, gedeeltelijk naast je op een kussen; zijn beentjes onder je arm door en vrij hoog, omdat een gespannen lijfje door die ronde houding beter tot rust kan komen (de houding 'onder-je-arm' uit hoofdstuk 4, blz. 77). Daarbij moet je erop letten dat hij zich niet met de voetjes ergens tegen af kan zetten. Zorg ervoor dat hij zichzelf niet extra van streek maakt door zijn eigen, onrustig zwaaiende armpjes, wikkel hem in een dekentje. Til hem liever ook niet onder de oksels op, zodat hij zich helemaal strekt.

• Beweging met een zeker ritme heeft een rustgevend effect. Niet alleen wanneer je met hem rondloopt, maar ook het ouderwetse wiegen of domweg op en neer rijden met de kinderwagen in de kamer, bij voorkeur over een duidelijke ribbel in het kleed. En auto rijden! Misschien slaapt hij rustiger of iets langer als hij in een hangmatje ligt. Dat is eenvoudig te maken van een grote badhanddoek, waarvan je de korte zijden omnaait, daar een koord doorheen en klaar.

• Soms helpt het hem stevig in te stoppen, met eventueel nog een opgerolde handdoek tegen zijn ruggetje, zoals de bakerkinderen van vroeger. Voed hem, gewikkeld in een omslagdoek en leg hem met doek en al terug in zijn bedje, zodat hij niet wakker schrikt van het frisse lakentje tegen zijn wang. Je kunt hem ook liggend op bed voeden; als hij dan aan de borst in slaap valt, laat je hem daar rustig liggen. Voorzichtig met de kussens en dekbedden.

• Wie weet werkt het ontspannend als je hem neerlegt op een T-shirt dat je zelf net gedragen hebt, want al heel jong herkennen baby's de geur van hun eigen moeder.

• Muziek in de buurt van de baby, of een ander ritmisch geluid leidt hem misschien ook voldoende af om een poosje te ontspannen. Ook rustig pratende mensen in een kamer vindt hij waarschijnlijk prettiger dan doodse stilte, al is een koliekbaby wel gevoelig voor onverwachte harde geluiden. Hij zal snel een schrikreactie hebben.

• Een lekker warm badje helpt ook nog wel eens. Zorg voor warme voetjes.
• Probeer je baby te kalmeren voordat je hem laat drinken. De meeste baby's accepteren de borst niet als ze heftig aan het huilen zijn. Je kunt proberen hem eerst even op je pink te laten zuigen. Of leg hem aan terwijl je met hem loopt; met enige ervaring lukt dat wel.

Als hij zich bij het toeschieten verslikt in de grote hoeveelheid melk, is het ook raadzaam om even te pauzeren en hem pas opnieuw aan te leggen als de grootste spanning eraf is.
• Hikken en boeren is een specialiteit van koliekbaby's. Ze drinken vaak onrustig, omdat het zuigen de darmfunctie prikkelt en dat betekent pijn. Ook leidt veel huilen ertoe dat ze meer lucht binnen krijgen. Probeer je kind tijdens de voeding zoveel mogelijk rechtop te laten zitten.

Het is de moeite waard om met geduld het boertje af te wachten. Je kunt hem op zijn buikje over je knieën leggen en op zijn rug kloppen, of gewoon over je schouder laten kijken. Een prettige manier is ook om hem in zithouding goed rechtop op schoot te nemen en een paar keer voorzichtig wat naar voren te laten buigen.
• Je zult geneigd zijn een baby die veel huilt vaak te voeden om hem te troosten. Dan doet zich al snel het dilemma voor dat hij nu mogelijk huilt, omdat hij krampjes heeft door een teveel aan voeding. Misschien gaat het beter als je één kant per voeding geeft en pas na ongeveer drie uur de andere kant. Tussendoortjes om te troosten geef je alleen met de eerste kant. Probeer in deze periode ook of hij een fopspeen accepteert als hij tenminste al zonder aanlegproblemen aan de borst drinkt. Je houdt hem dan tegen je aan alsof je gaat voeden en je zorgt ervoor dat hij de speen tegen zijn gehemelte voelt. Het kan best zijn dat hij de speen er zo snel mogelijk weer uit werkt en dat je het een paar keer opnieuw moet proberen, voordat hij werkelijk begint te zuigen. Sommige baby's moeten ook boeren nadat ze heftig op een fopspeen hebben gezogen.
• De kans bestaat dat je twijfelt aan je borstvoeding, omdat de vermoeidheid en spanning ertoe kunnen leiden dat je toeschietreflex af en toe op zich laat wachten. Het valt niet mee om bewust te ontspannen.

Warmte wil nog wel eens helpen; een douche is niet zo praktisch, maar een dompelbad of warme, vochtige handdoeken op je borsten leggen is een goed alternatief.

• Blijf in al deze drukte goed voor jezelf zorgen. Drink regelmatig een lekker glas sap, eet fruit, ongezouten noten, stukjes kaas uit het vuistje.

Roken of veel koffie drinken mag dan voor sommigen een uitweg zijn bij spanning, de kans is groot dat de baby juist daardoor meer last van krampen krijgt. Zo kan gemakkelijk een vicieuze cirkel ontstaan.

Over het menu van de zogende moeder zijn in dit verband talloze verschillende adviezen in omloop. Over het algemeen is het nauwelijks echt afdoende te bewijzen dat er verband bestaat tussen je eigen maaltijd en het huilen van je baby, tenzij er werkelijk een allergie in het spel is. Maar ervaringen wijzen uit dat sommige kinderen vooral de eerste maanden reageren, als je bepaalde voedingsmiddelen in een flinke hoeveelheid hebt gegeten. Het gaat dan bijvoorbeeld om prei, uien, schaaldieren, koolsoorten (spruitjes, groene, witte en rode kool en boerenkool), chocolade, en sinaasappels. Vermijd koolzuurhoudende dranken. Ook scherp gekruid of Chinees eten, zeker als je daar niet aan gewend bent, kan tot buikpijn bij de baby leiden. Hoeveel tijd er verloopt tussen jouw maaltijd en de reactie van de baby, hangt samen met het bewuste voedingsmiddel en je eigen stofwisseling, en is daarom lastig aan te geven.

• Heb je de indruk dat het buikje van je baby gespannen is of zitten hem windjes dwars, dan kun je hem daarbij proberen te helpen. Ga met iets opgetrokken knieën zitten en leg hem op je schoot met de beentjes naar je toe. Zorg voor een ronde houding, pak zijn voetjes vast en maak rustige fietsbewegingen met zijn benen, maar strek ze nooit helemaal. Je kunt hem ook met zijn rug tegen je aan houden en dan de beentjes gespreid omhoog brengen. Door die beweging ontspant de sluitspier zich. Het effect van venkel(baby)thee is meestal niet gunstig; bovendien zit er suiker in.

Al met al kun je uit deze opsomming ideeën opdoen voor het dagelijks leven met een baby die veel huilt, of het nu gaat om 'gewoon' een extra lang huiluurtje of om een 'echte' koliekbaby. Neem wel de tijd voor een bepaalde aanpak en probeer niet elke vijf minuten wat anders. Het zal altijd schipperen zijn tussen de kreten van je baby en je andere verantwoordelijkheden en wensen. De kunst is om een reëel evenwicht te vinden. Houd daarbij in de gaten dat deze huilperiode tijdelijk is.

Nog even in het kort wat je kunt doen:

- troosten aan de borst;
- lichaamscontact en -warmte, met druk tegen het buikje;
- draagdoek;
- 'ronde' houding, ook bij verschonen en voeden;
- ritmische beweging: wiegen, hangmatje;
- stevig instoppen;
- vertrouwde luchtje van je eigen T-shirt;
- ritmisch geluid, muziek, praten;
- geen onverwacht lawaai;
- een warm badje;
- kalmeren voor het voeden;
- pas laten drinken als de eerste spanning van de borst af is;
- neem de tijd voor een boertje;
- laten zuigen: borst of fopspeen, ook dan laten boeren;
- zorg goed voor jezelf;
- wat eet je? Denk aan cafeïne en nicotine (roken);
- fietsbeweging om het buikje te ontspannen.

'Maar hoe moet dat gaan met nóg een kind?'
Een baby erbij is voor ouders al een enorme verandering, maar kinderen worden er helemaal door overvallen, hoe goed je hen er ook op probeert voor te bereiden. Vooral degene die tot nu toe de jongste was, zal er de meeste moeite mee hebben de aandacht te delen met de nieuwkomer.

Sommige kinderen houden zich groot en willen niet betrokken worden bij de verzorging van de baby. Anderen doen graag met alles mee, zodat je voor het badje wel een uur extra uit kunt trekken. Geduld zal je goed van pas komen. Om te voorkomen dat je – toch nog kleine – oudste vooral tijdens de voeding lastig wordt, maak je er ook voor hem een prettig moment van. Geef hem ook iets te drinken, een doosje rozijntjes om een poosje zoet mee te zijn, of reserveer bepaald favoriet speelgoed of een boekje voor voedingstijd. Misschien is het ook zinvol ergens te gaan zitten waar hij in ieder geval niet te veel ondeugende streken uit kan halen. De aandacht die hij hiermee vraagt, kun je hem beter op een ander moment bewust geven; al vraag je je af waar je de tijd vandaan haalt!

'n Ideetje: maak van een grote en kleine beer een zogende beremoeder met jong, met behulp van drukkertjes. Het kleintje krijgt een open mondje opgenaaid, de moederbeer twee tepeltjes. Weer eens iets anders dan een poppezuigflesje.

Na een tijdje is het voeden ook voor je oudste een vanzelfsprekend onderdeel van de dag geworden, waar hij amper belangstelling voor heeft. Maar aanvankelijk kan het best zo zijn dat je diplomatiek te werk moet gaan. Laat hem rustig ook even proberen hoe het is om aan de borst te drinken, als hij daardoor geïntrigeerd wordt. Hij heeft er vast zo genoeg van, als het hem al lukt wat melk binnen te krijgen.

Over een nieuwe zwangerschap terwijl je nog borstvoeding geeft, kun je meer lezen in hoofdstuk 12.

'Komt hij wel genoeg aan?'

De eerste maanden houdt de vraag of je kind goed groeit je bezig. Vooral als je borstvoeding geeft, zal ook je omgeving daar erg in geïnteresseerd zijn. Zoals we al eerder gezien hebben, is het normaal dat een pasgeboren baby afvalt, zelfs tot 10% van zijn geboortegewicht. Hij mag er dan ook weer een tijdje over doen om op dat gewicht terug te komen. Hoe lang dat duurt, is minder belangrijk dan het feit dat hij tijdens de eerste week weer begint aan te komen. Als je al eerder borstvoeding hebt gegeven, komt de melkproductie over het algemeen vlotter op gang.

Soms kan het wel een week of drie duren voor het geboortegewicht weer bereikt is, zeker bij zware baby's die veel zijn afgevallen. Het is een goed idee om je kind rond de twee weken te wegen, om vast te stellen of hij weer (praktisch) op het geboortegewicht is. Is dat het geval, dan weet je zeker dat je voeding goed op gang is gekomen. Zo niet, dan heb je nog rustig de tijd om er extra aandacht aan te geven. De reacties op langzaam aankomen zijn met drie of vier weken vaak nogal paniekerig;

uit bezorgdheid zal het je dan moeilijker vallen voldoende zelfvertrouwen te houden.

Getallen gebruiken als richtlijn bij het voeden heeft eerder problemen veroorzaakt dan een echt houvast gegeven. Hoe vaak, hoe kort, hoe lang, hoe veel: je eigen kind blijkt maar al te dikwijls niet in het overzicht te passen. Niettemin moet in de gaten gehouden worden of je baby groeit. Het wordt hoog tijd dat voor borstkinderen een borstvoedingsgroeicurve wordt gehanteerd, zeker zolang er nog zo veel waarde wordt gehecht aan getallen. Borstkinderen groeien namelijk over het algemeen minder hard dan kinderen die flesvoeding krijgen. Je zou gaan denken dat je kind te weinig krijgt, omdat hij niet groeit volgens de curve die op het consultatiebureau gebruikt wordt. En helaas ben je niet de enige die twijfelt. Je onzekerheid wordt misschien gevoed door opmerkingen van de arts of verpleegkundige.

Dus toch maar een paar getallen: aankomen tussen de 100 en 200 gram per week is in orde, d.w.z. ongeveer 500 gram per maand in de eerste maanden. Als het eens een of twee weken minder dan 100 gram is, moet dat geen reden tot wanhoop zijn. Het gedrag van de baby geeft aan, of er maatregelen nodig zijn om hem wat meer voeding te geven. Er zijn natuurlijk ook baby's die met borstvoeding erg snel aankomen. Aanleg en bouw spreken daarbij een woordje mee.

Borstkinderen groeien soms niet alleen minder hard, de groei gaat vaak ook minder regelmatig dan bij een baby die kunstmatige voeding krijgt. Vooral tussen de drie en vijf maanden kan zich een periode voordoen waarin de groei tijdelijk een stuk minder is. Het gedrag van je baby is ook dan de beste maatstaf om vast te stellen of hij soms wel meer voeding nodig heeft. Zie voor 'te weinig melk' blz. 123. Maar meestal hoef je je nergens zorgen over te maken, al kan dat wel eens moeilijk zijn als anderen in je omgeving dat duidelijk wel doen. De WHO stelt eind 2005 een speciale groeicurve voor borstkinderen beschikbaar; zie www.who.org.

Na het eerste halfjaar verandert je kijk op het gewicht van je kind. Hij is dan voor zijn groei niet meer alleen afhankelijk van jouw melkproductie. Het geeft een gevoel van voldoening, als je hem tot nu toe voornamelijk zelf hebt gevoed. En je kunt nog een hele poos genieten van het plezier en gemak van je kind aan de borst.

'Moet hij elke dag een poepluier hebben?'
De ontlasting van een baby die uitsluitend borstvoeding krijgt is altijd zacht. Dat betekent niet dat hij er helemaal geen probleem mee kan hebben.

De kleur kan variëren van groen tot goudgeel of mosterd. Soms is de ontlasting zalfachtig, soms waterig met vlokken, of licht schuimig. Ben je bezorgd dat je baby niet in orde is, dan geeft temperatuur opnemen meer informatie dan zijn luiers. Diarree is bij een baby die alleen de borst krijgt uiterst zeldzaam. Bij gecombineerde voeding is de beste behandeling van diarree over het algemeen, alle bijvoeding stoppen en meer borstvoeding geven.

Door de optimale samenstelling levert moedermelk weinig afvalstoffen; het is een voeding die door het lichaam heel efficiënt gebruikt wordt. Vaak zie je dan ook dat het aantal poepluiers in de loop van de eerste zes tot acht weken afneemt. Eerst produceert je baby praktisch tijdens elke voeding een vieze luier (verschonen voor de voeding betekent dubbel werk). Dat wordt eens per dag en daarna nog minder vaak. Zelfs over een tussenpoos van een week of twee hoef je je geen zorgen te maken: je kind heeft geen last van obstipatie. Ga dan ook niet tobben met lepeltjes sinaasappelsap. Sommige kinderen hebben echter wel veel moeite om hun ontlasting kwijt te raken, juist omdat deze zo zacht is. Ze spannen zich enorm in, lopen rood aan en huilen, zonder veel resultaat. Troosten, tegen je aan houden, een warm badje en geduld zijn de beste hulpmiddelen. Het heeft geen zin zelf een meer laxerende voeding te eten.

Een kind dat erg weinig ontlasting heeft, die bovendien donker groen tot bruin van kleur is, moet in de gaten gehouden worden. Weeg hem, het kan zijn dat hij te weinig voeding krijgt.

'Is dat spugen nou normaal?'
Er zijn baby's die altijd een beetje melk teruggeven na de voeding. De meest voor de hand liggende oplossing is het bij de hand houden van een handdoek en vaak verschonen, zowel de baby als de wieg, en je eigen kleding. Misschien gaat het beter als je de baby wat meer rechtop zet tijdens de voeding en hem daarna nog een tijdje heel rustig op schoot houdt.

Heeft het spugen te maken met het feit dat je melk erg hard toeschiet, dan kun je eerst wat kolven voor je hem laat drinken. Vooral een kleine baby wordt nogal eens overweldigd door die eerste golf melk. Lees ook het stukje over houdingen op blz. 75 nog eens door.

Soms zie je zelfs wat stremsels in de teruggespuugde voeding en lijkt het wel of je baby zo weer opnieuw wil gaan drinken. Om in te schatten hoeveel, of hoe weinig, melk er eigenlijk verloren gaat, moet je eens een lepel gewone melk op het spuugdoekje knoeien. Het lijkt al gauw een grote hoeveelheid. Dit teruggeven van de voeding neemt in de loop van de eerste maanden af.

Een enkele keer komt er echt een hele voeding terug. Het kan zijn dat dat veroorzaakt wordt door iets wat je zelf hebt gegeten, maar dat is moeilijk te bewijzen. En in een experiment heb je vast geen zin. Gaat het spugen meer op braken lijken en heeft je baby koorts, dan is het zaak de dokter te raadplegen.

Mocht je kind ook zonder koorts steeds meer spugen en komt de melk er bij meerdere voedingen echt in golven of in een boog weer uit, dan kan er sprake zijn van een probleem met de spier die de uitgang van de maag bewaakt. Dit doet zich meestal voor tussen de twee en de zes weken. Bij borstkinderen is de situatie niet altijd even snel duidelijk, omdat de voeding lichter verteerbaar is dan kunstvoeding. Vaker voeden aan een borst per keer en rechtop houden kan in eerste instantie een oplossing zijn voor dit projectiel-spugen. Het kan na verloop van tijd weer overgaan. Soms gaat de baby echter afvallen en zal alleen een operatie, waarbij de vernauwing wordt opgeheven, afdoende helpen. Borstvoeding kan snel weer hervat worden. Misschien moet je je melkproductie opvoeren, omdat die door al de spanning wat is teruggelopen.

'Kun je nog voeden als de baby tandjes krijgt?

Er is grote variatie in de leeftijd waarop baby's hun eerste tandje krijgen. Het is geen reden om niet meer te voeden. Je hebt alleen het voordeel dat je een onrustige baby, die last heeft van het doorkomen van een tand, met een tussendoortje aan de borst kunt troosten. De tong ligt over het tandvlees van de onderkaak en beschermt in feite de tepelhof.

Maar let op: het kan gebeuren dat je baby zich vergist en ineens bijt, soms zelfs voor de tanden door zijn. Dat gebeurt meestal tegen het einde van een voeding, maar ook wel juist voordat de melk toeschiet. Voor alle zekerheid kun je in de dagen, dat hij echt last heeft van het doorkomen van de tandjes, zorgen dat je met een ijskoud nat washandje, een ijsklontje of met je vinger over zijn gevoelige tandvlees strijkt, vlak voor je hem aanlegt. Of laat hem eerst zelf een poosje op dat washandje zuigen.
Als hij toch ineens hapt, reageer je ongetwijfeld meteen. Hij merkt aan je stem dat dat echt niet de bedoeling is: Nee! Leg je vinger tussen zijn kaakjes voor je hem van de borst neemt. Dat was waarschijnlijk eens maar nooit weer.

Baby's leren zoiets snel. En je doet er goed aan hem voorlopig voor alle zekerheid zelf vast van de borst af te halen, tegen de tijd dat hij amper meer drinkt.

'Mijn baby wil niet happen. Mijn baby laat telkens los.'
De kans is groot dat je een oplossing voor deze vervelende situatie kunt vinden, als je nog eens rustig doorleest wat er in hoofdstuk 4 staat over aanleggen. Stel jezelf de volgende vragen en laat ook iemand anders kijken hoe het gaat, omdat je je handen vol hebt.
• Kan de baby goed bij de borst, ligt hij dicht tegen je aan?
• Ligt hij met zijn buikje tegen jouw buik, dus met hoofd en lichaam in één lijn?
• Houdt hij zijn hoofdje een beetje opgericht, zijn kinnetje tegen jouw borst, maar ligt hij niet met zijn kin op de borst?
• Steun je zo nodig je borst aan de onderkant, zodat die niet door het gewicht de tepel en tepelhof weer uit zijn mondje duwt?
• Zitten je vingers niet in de weg? Druk je niet met je duim de tepelhof in, en daardoor weg?
• Kan hij de tepelhof voldoende vasthouden? Zorg je met aanleggen dat zijn mondje iets lager dan de tepel ligt, zodat hij juist de onderkant goed beet kan pakken?
• Stimuleer je hem zijn mondje wijd open te doen door het onderlipje te kietelen en heel zachtjes tegen het kinnetje te duwen?

Er kunnen nog wel andere oorzaken en oplossingen zijn voor het onrustige gedrag van je baby aan de borst.

• buikpijn, een boertje dat dwars zit.

• moeite met ademen door een verstopt neusje of benauwdheid.

• er komt teveel melk ineens bij het toeschieten. Je kolft dan even met de hand totdat de grootste spanning eraf is. Zie ook hoofdstuk 7, 'te veel melk'.

• hij is ongeduldig omdat er niet snel genoeg wat te drinken valt. Over de toeschietreflex kun je meer lezen in hoofdstuk 4.

• een korte tongriem. Sommige baby's hebben de grootste moeite de borst goed in hun mondje te nemen, of de borst een tijdlang vast te houden, omdat zij een te korte of strakke tongriem hebben. Het komt maar zelden voor. Als de baby huilt kun je zien of dit het geval is. Ze kunnen hun tongetje dan niet ver genoeg uitsteken om de tepel en de tepelhof naar binnen te trekken, of ze worden het heel snel moe. Het zuigen op een speen of op een vinger lukt wel. Soms gaat de ene borst ook gemakkelijker dan de andere. Herhaaldelijk opnieuw aanleggen is een (nood)oplossing. Misschien lukt het beter in een andere houding.

Gelukkig kan een arts dit probleem goed verhelpen door een klein knipje in de tongriem te geven. Sommige artsen hebben er moeite mee, omdat inmiddels is vastgesteld dat spraakmoeilijkheden bij een te korte tongriem niet te verwachten zijn. Borstvoeding krijgen is echter ook een heel belangrijke reden om deze eenvoudige ingreep te verrichten. Vraag advies aan een lactatiekundige.

• verwarring veroorzaakt door de fles. Vooral bij jonge baby's, die nog niet goed gewend zijn aan de borst, kan bijvoeden met de fles tot gevolg hebben dat ze met hun tongetje de tepel naar buiten werken. Een fopspeen kan hetzelfde effect hebben.

Soms weten kinderen ook zonder die verwarrende ervaring niet wat ze met hun tong moeten doen. Er zijn baby's die op hun eigen tongetje zuigen. Waarschijnlijk hebben ze zich dat al voor de geboorte aangewend. De wangetjes worden naar binnen gezogen.

Prikkel je baby zijn mondje open te doen door zijn onderlipje te kietelen en zachtjes tegen zijn kin te duwen.

Je kunt je baby helpen door bij het aanleggen ervoor te zorgen, dat je met je duim of een vinger de tepel in het mondje tegen de bovenkaak drukt. Hij kan de tepel zo niet meer 'uitspugen'. Ga in de 'onder-je-arm'-houding zitten, zodat je wat meer controle hebt over de situatie. Als iemand anders je helpt, is het misschien prettiger op je zij te liggen. Gewoonlijk voel je binnen een paar minuten dat hij met zijn tong de tepel naar binnen zuigt. Dan laat je hem alleen verder drinken. Misschien moet je een paar keer met hem oefenen, maar op deze manier leert hij het wel (weer).

• Oefen vaak met je baby, maar niet te lang. Sommige baby's hebben minder moeite met een borst die niet al te vol en gespannen is.

• Neem niet te snel je toevlucht tot een speen op de borst of een tepelhoedje. De nadelen daarvan worden beschreven in hoofdstuk 7. Als je baby na 12 tot 24 uur nog niet goed heeft gedronken, krijg je waarschijnlijk de raad om hem bij te voeden, liefst met afgekolfde moedermelk. Bij voorkeur gebruik je daarvoor een lepeltje, of een klein kopje. Kolf net zo vaak af als je zou voeden.

• Problemen met happen en zuigen lijken hopeloos, maar toch is de ervaring dat de meeste baby's na een of twee weken geduldig oefenen de smaak te pakken krijgen. Zoek contact met een borstvoedingsorganisatie of lactatiekundige.

• In hoofdstuk 11 vind je informatie over het aanleggen van een te vroeg geboren baby, waar je misschien ook in deze situatie baat bij hebt.

'Hij wil ineens niet meer drinken, wat nu?'

Er is geduld en oefening voor nodig om borstvoeding geven en nemen te leren. Maar als je eenmaal aan elkaar gewend bent en je dagelijks vele malen je kind bij je neemt om te voeden, sta je werkelijk vreemd te kijken als hij van het ene moment op het andere niet wil drinken. Hij heeft wel honger, hij huilt, maar protesteert heftig tegen de borst. Misschien zuigt hij heel even maar hij laat al gauw huilend weer los. Je voelt je gefrustreerd en ontmoedigd en het kost je grote moeite geduldig te blijven. Borst weigeren kan voorkomen op een leeftijd dat je baby nog helemaal afhankelijk is van moedermelk. Het kan ook gebeuren rond een half jaar of nog later. Maar wanneer de baby zo onverwacht de borst absoluut afwijst, gaat het meestal niet om het gewone spenen. Zo'n 'staking' kan een aantal dagen duren of na een paar uur weer voorbij zijn.

Wat kun je eraan doen? Om te beginnen probeer je te achterhalen wat de reden zou kunnen zijn van deze verandering in zijn gedrag. Wie weet leidt dat al snel tot een oplossing, maar ook als dat niet zo is, kun je beter met de situatie omgaan als je begrijpt wat er aan de hand kan zijn.

• Doet het zuigen of slikken pijn? Zijn tandvlees kan erg gevoelig zijn door doorkomende tandjes. Je kunt van houding veranderen. Misschien heeft hij keelpijn, is er sprake van spruw of heeft hij andere wondjes in het mondje. Over spruw lees je meer op blz. 144. Laat bij twijfel de dokter of wijkverpleegkundige naar hem kijken.

• Is de baby niet lekker? Kan hij niet goed tegen je aan liggen, omdat hij net een prik heeft gehad in zijn beentje, of heeft hij oorpijn? Hij zal dan waarschijnlijk de ene borst weigeren. Ook dan kun je door een andere houding voorkomen dat hij pijn heeft.

• Zit zijn neus verstopt en krijgt hij het benauwd tijdens het drinken? Gebruik babyneusdruppels of zout water: een half theelepeltje op een kopje gekookt water.

• Is de voeding de laatste tijd erg onrustig verlopen? Moest je misschien talloze malen een van de andere kinderen tot de orde roepen, en is de baby daarvan geschrokken? Vraag om hulp voor de zorg voor je andere kind, zodat je af en toe echt rustig kunt voeden; zing of praat zachtjes tegen je baby tijdens de voeding.

• Zou het kunnen zijn dat de baby protesteert, omdat het te lang duurt voordat de voeding toeschiet? Als hij niet zijn best wil doen tot de melk komt, kun je je toevlucht nemen tot een lekker glas drinken voor jezelf, warme compressen voor de voeding of je kunt eerst even kolven, zodat hij meteen wat proeft.

• Of heeft hij juist last van een te heftige toeschietreflex? Kolf dan voor het aanleggen de eerste spanning weg.

• Is hij onrustig omdat hij te veel wordt afgeleid? Voeden in een rustige ruimte met de gordijnen dicht of liggend op bed gaat misschien be-

ter. Soms werkt een achtergrondmuziekje.
• Zou hij bezwaar maken tegen de smaak van de melk? Het is bekend dat deze kan veranderen vlak voor of tijdens de menstruatie, onder invloed van bepaalde medicijnen of in het begin van een zwangerschap. Heb je zelf iets anders dan anders gegeten? Aangezien smaak en reuk nauw met elkaar samenhangen, wil het nog wel eens helpen als je andere zeep of bodylotion gaat gebruiken. Of wie weet reageert hij juist negatief omdat je net een nieuw parfum hebt.
• Is hij in de war geraakt door de andere manier van zuigen aan de fles? Misschien moet hij opnieuw leren hoe hij met name zijn tong gebruikt om de tepel op de juiste plaats tegen zijn gehemelte te houden. Duw zijn kinnetje naar beneden en kietel zijn onderlipje. Gebruik de 'onder-je-arm'-houding.

Stel dat je werkelijk niet kunt bedenken hoe het komt dat je baby ineens niet meer wil drinken. Dan zijn er toch nog mogelijkheden om hem op andere gedachten te brengen.
• Om te beginnen kan het zinvol zijn hem af te leiden, zodat hij als het ware vergeet dat hij zich wil verzetten. Voed hem terwijl je ritmisch beweegt: in een schommelstoel, lopend en zingend. Hang een tros ballonnen boven hem, van pure verbazing vergeet hij zijn protest en vervalt hij in zijn oude gewoonte.
• Ga zo mogelijk samen in het grote bad en speel met hem, zonder dat je per se wilt voeden. Misschien brengt het lichaamscontact hem op een idee.
• Soms drinkt hij toch als je hem slapend en wel opneemt en meteen aanlegt, of als je hem pas probeert te voeden tegen de tijd dat hij eigenlijk wel weer aan een dutje toe is.
• Als je baby lang in zijn weigering volhardt, kan het natuurlijk nodig zijn dat je je borsten leegkolft. De baby moet ook drinken. Geef hem de melk dan niet met de fles, maar uit een klein kopje, of met een lepeltje, eventueel als pap.
• Om hem tot een voeding te bewegen kun je ook met een druppelaar wat melk in zijn mondje druppelen, terwijl hij tegen de borst ligt.

De situatie is minder ingewikkeld, wanneer je merkt dat je kind aan de ene borst duidelijk de voorkeur geeft en de andere weigert. Hij kan in ieder geval voldoende voeding krijgen, ook uit één borst. Het aanbod zal zich weer aanpassen aan de vraag, en de melkproductie in de borst die niet gebruikt wordt, loopt geleidelijk helemaal terug.

Natuurlijk vraag je je af wat de oorzaak zou kunnen zijn van deze plotselinge verandering. Bovendien zul je aanvankelijk blijven proberen of hij toch niet weer beide borsten wil nemen. Je wordt namelijk wel een beetje scheef, al is dat maar tijdelijk!

Is (oor)pijn de reden, dan lukt het vaak eerst de gemakkelijke kant te geven en de baby in dezelfde houding gewoon door te schuiven. Komt het doordat de melk aan de ene kant van nature vlotter toeschiet of overvloediger stroomt (de 'chocoladekant' in vroeger dagen), dan kun je hem eerst heel even de goede kant aanbieden en daarna meteen doorschuiven naar de minder volle borst. De melk is dan in ieder geval toegeschoten, en misschien drinkt hij toch wat beter als hij nog hongerig is.

Verschil in tepels kan ook een reden zijn; je kunt daar niet veel aan veranderen. Hoe dan ook, het is prettiger om op je gemak één kant te geven, dan om van elke voeding een strijd te maken. Je wordt er alleen maar gespannen van en je baby zal er niet beter van gaan drinken.

Een waarschuwing: mocht het zo zijn dat de baby heel abrupt een borst weigert, dan kan dat wijzen op de aanwezigheid van een tumor. Zeker als je ook na het afkolven een knobbeltje voelt, moet je in zo'n situatie altijd snel een arts raadplegen.

'Hoe zit het nu met menstruatie en anticonceptie'

Vrouwen die hun baby volledig borstvoeding geven op verzoek zijn over het algemeen minder snel weer vruchtbaar dan diegenen, die niet of niet zo vaak voeden. De eisprong of ovulatie wordt onderdrukt door het hormoon prolactine dat de melkproductie regelt. Hoe vaker je voedt, ook 's nachts, des te groter is de kans dat je niet ongesteld wordt. Voor veel vrouwen geldt dat hun cyclus weer op gang komt, wanneer ze gemiddeld maar vier voedingen per etmaal gaan geven. De prolactine kan er dan niet meer tegenop. Aangezien het kan voorkomen dat je daarna weer wat vaker voedt, blijkt de cyclus niet altijd meteen regelmatig te zijn. Toch zijn er ook vrouwen die volop voeden, dag en nacht, en binnen twee maanden weer in hun maandelijkse ritme van voor de zwangerschap vallen.

Het is natuurlijk prettig om een hele tijd niet ongesteld te worden. Zes tot twaalf maanden is niet ongewoon; anderhalf jaar kan ook. Het nadeel is echter dat je helemaal niet weet waar je aan toe bent. De kans dat je zwanger wordt vóór de eerste menstruatie is niet zo groot, aangezien de eerste cyclus vaak zonder eisprong (anovulatoir) is. Als je niet door een volgende zwangerschap overvallen wilt worden, zul je je toevlucht moeten nemen tot een vorm van anticonceptie.

Het is steeds duidelijker dat het beter is om niet de pil te slikken als je borstvoeding geeft. De combinatiepil, die zowel progesteron als oestrogeen bevat, heeft namelijk een remmend effect op de melkproductie. Bovendien is aangetoond dat ook de samenstelling van moedermelk erdoor verandert. Overleg in ieder geval met je arts. Uit onderzoek blijkt dat vrouwen die de pil slikken gemiddeld korter de borst geven dan vrouwen die de pil niet gebruiken.

Als je er toch mee begonnen bent, kan het dus zijn dat je de indruk hebt dat je baby minder tevreden is. Het is dan heel goed mogelijk om er weer mee te stoppen en volop melk te gaan produceren. De terugval in melkproductie is maar tijdelijk. Alleen maar vaker voeden helpt meestal niet voldoende, omdat naast de stimulans die daarvan uitgaat, het remmend effect van de pil blijft optreden.

Er bestaan ook anticonceptiepillen die berusten op de werking van slechts één hormoon, progesteron. De melkproductie wordt door dit soort pillen niet beïnvloed. Effecten op het kind van een eventuele verandering in de samenstelling van de melk zijn niet aangetoond. Mogelijke andere nadelen zijn heel persoonlijk; raadpleeg je arts.

Voor de morning-after pil bestaan verschillende methodes. Overleg met de arts of je de minst ingrijpende kunt gebruiken, waarbij doorvoeden mogelijk is. De melkproductie loopt iets terug, maar zal na een goede week weer op peil kunnen zijn. Een andere mogelijkheid is nu een spiraaltje te laten plaatsen, waardoor innesteling voorkomen kan worden. De bevalling moet dan wel minstens zes weken geleden hebben plaatsgevonden.

Andere middelen, die niet ingrijpen in de hormoonhuishouding hebben uiteraard geen invloed op de borstvoeding. Het is niet nodig, te wachten met het plaatsen van een spiraaltje tot je weer ongesteld bent geweest.

In het stukje over borst weigeren hebben we al gezien dat sommige baby's reageren op de menstruatie van hun moeder door kieskeurig gedrag, vaak ook al een paar dagen voordat het zover is. Je kunt ook de indruk krijgen dat je baby minder tevreden is dan anders. Misschien is dat een reactie op je eigen stemming, of een tijdelijke terugval in melkproductie. De tijd proberen te nemen voor wat extra rust, met je kind aan de borst, zal je goed doen.

'Vrijen als je borstvoeding geeft?

Partners hebben na de geboorte van hun kind allebei de tijd nodig om te wennen, zowel aan de baby, als aan elkaar in een nieuwe situatie. Hoewel meestal aan het eind van de kraamtijd adviezen gegeven worden over anticonceptie, en blijkbaar het groene licht gegeven wordt voor geslachtsgemeenschap, komt het er heus niet altijd even snel weer van. Eén ding is zeker, wat 'normaal' is doet er niet toe. Probeer elkaar te laten weten wat je in dit opzicht verwacht, waar je naar verlangt, of waar je tegen op ziet. In het begin kunnen je borsten gevoelig zijn of spontaan gaan lekken, je voelt je anders dan anders, je vindt jezelf te dik. Bovendien ben je vaak gewoon doodmoe; en dat geldt misschien ook voor je partner. Dit is een vermoeiende periode, maar ook die gaat weer voorbij en hopelijk is het leven samen nog veel langer.

Als je echt vertrouwd bent geraakt met het voeden, kun je daar anderzijds een heel voldaan gevoel uit putten; noem het tevredenheid, trots, acceptatie van je lichaam dat prima functioneert. Die voldoening werkt door in je relatie. En een periode waarin je op moet letten niet weer zwanger te worden, leidt niet per definitie tot spanning of frustratie. Het kan ook een stimulans zijn voor de fantasie.

'Zou het aan de borstvoeding liggen dat ik altijd zo moe ben?

Het is een ontmoedigend gevoel als je steeds bijna aan het eind van je Latijn bent. Zwangerschap en bevalling hebben extra energie gekost en je bent misschien geneigd aan te nemen dat je door de borstvoeding niet snel genoeg weer helemaal de oude bent. Ook haaruitval wordt ten onrechte vaak aan het zelf voeden toegeschreven, hoewel eigenlijk iedereen daar na een bevalling wel een paar maanden last van heeft. Het gaat vanzelf weer over.

Zelf voeden betekent, lichamelijk gezien, geen zware belasting voor een vrouw die de mogelijkheid heeft voldoende en gezond te eten. De vetreserves die in de zwangerschap werden opgeslagen, leveren al een deel van de energie. Wat je verder extra nodig hebt, hangt samen met je stofwisseling en je activiteiten. Vermoeidheid leidt er soms echter toe, dat je amper de moeite wilt nemen om voor jezelf iets klaar te maken. Zorg voor een voorraadje gemakkelijke en lekkere tussendoortjes, ongezouten noten, fruit, rauwkost, kaas, crackers. En begin met een echt ontbijt.

Er kunnen meer dan genoeg redenen zijn voor dat gevoel van voortdurende vermoeidheid. Bespreek mogelijke oorzaken met je huisarts. Een enkele keer is er iets aan de hand met de schildklier of met het ijzergehalte van het bloed. Nachtvoedingen, bezorgdheid om een baby die veel huilt, bezoek dat te lang blijft zitten zijn meer alledaagse verklaringen. Soms is het nodig voor jezelf op te komen en anderen duidelijk te maken dat je graag hulp wilt hebben. Onuitgesproken verwachtingen zijn alleen maar frustrerend. Praten met andere volwassenen, je partner, familie, een borstvoedingsgroep, is een belangrijke uitlaatklep.

Het is ook goed eens na te gaan of je niet te veel van jezelf verwacht. Of je fles of borst geeft, het eerste wennen aan elkaar gaat niet zonder slag of stoot. Ook emoties vreten soms energie. Het hoort erbij dat je de eerste periode in een kleinere kring leeft dan je daarvoor deed. Maar juist het gevoel dat je eigenlijk meteen weer allerlei dingen daarbuiten zou moeten oppakken, geeft je het idee dat je tekort schiet. Ten onrechte. Bekijk eens kritisch welke activiteiten echt belangrijk zijn. Het huishouden kan op verschillende niveaus en hoeft niet door moeders gedaan te worden!

Na de eerste paar maanden bekruipt je misschien het gevoel dat je het altijd druk hebt, maar dat je eigenlijk niets doet. Zeker als je niet meer buitenshuis werkt, is ook de verandering in je dagelijkse contacten erg groot. Iedereen kan daar haar eigen oplossing voor vinden, al kost de eerste stap ook moeite.

'Moet je elke dag rusten als je borstvoeding geeft?'
In het bovenstaande stukje is al duidelijk gemaakt dat borstvoeding geven een natuurlijk proces is, waar we in principe uitstekend voor zijn toegerust. De vermoeidheid waar veel vrouwen vooral de eerste weken mee te kampen hebben, hangt samen met een irreëel verwachtingspatroon. Alles moet meteen weer op rolletjes lopen. In veel andere culturen bestaat een netwerk dat een pasbevallen moeder praktische steun geeft: andere vrouwen zorgen voor haar, zodat zij voor haar baby kan zorgen. Zo'n systeem biedt meer kans om op adem te komen dan het onze, waar je er al weer snel min of meer alleen voor staat. Dat vraagt veel van je uithoudingsvermogen en voldoende rust schiet er wel eens bij in. Wat we hier echter even zeer missen als de praktische opvang in het dagelijks werk, is de vanzelfsprekende steun bij borstvoedingsvragen. Hulp van ervaren 'collega's' maakt borstvoeding sneller plezierig. En dan is zelf voeden helemaal niet vermoeiend, maar juist een moment van rust waar je naar uitkijkt.

Na de eerste gewenningsperiode kun je zonder problemen een actief leven leiden en bovendien borstvoeding geven, zoals vrouwen al eeuwenlang gedaan hebben.

'Ik denk dat ik er te gespannen voor ben.'
Sommige vrouwen willen wel graag borstvoeding gaan geven, maar beschouwen zichzelf als een 'zenuwachtig type' en dientengevolge ongeschikt voor deze manier van voeden. Je hoort immers maar al te vaak dat je je wel moet kunnen ontspannen!

Kinderen veranderen je leven; een heleboel gaat niet meer volgens de planning. Hoe veel of weinig moeite het je kost om op onverwachte situaties in te spelen, hangt nauw samen met je eigen persoonlijkheid. Een kind verandert niet alleen je leven, maar leert je ook relativeren. In dit opzicht kunnen mensen iets leren van hun kinderen, ook over zichzelf. De hormonen die zorgen voor de melkproductie en de toeschietreflex oefenen een rustgevende invloed op je uit. De natuur heeft erop toegezien, dat je behoefte hebt te reageren op de signalen van je baby, en dat het je niet veel moeite kost je te laten gaan om je melk te geven. Probeer er vertrouwen in te hebben dat borstvoeding je juist goed kan doen, als je van jezelf vindt dat je je te snel druk maakt.

'Hoeveel moet ik extra eten om te kunnen voeden?'

Tijdens de zwangerschap ben je meer aangekomen dan je meteen na de geboorte van je baby weer kwijt bent. De eerste dagen verlies je veel vocht, maar ook daarna blijf je meestal nog wat zwaarder dan tevoren. Het duurt wel een maand of wat voor je favoriete lange broek weer lekker zit. Je lichaam heeft een reservevoorraad vet aangelegd, zodat de melkproductie de eerste maanden niet helemaal afhankelijk is van wat je eet. Je valt vaak geleidelijk af, zonder dat je aan de lijn doet.

Toch wordt niet alle energie die nu nodig is, geleverd door reserves uit de zwangerschap. Je hebt een drukke tijd en alleen al daarom doe je er goed aan niet slordig om te springen met je voeding. Als je niet gezond eet, gaat de melkproductie wel door, maar ten koste van je eigen conditie. Vermoeidheid, neerslachtigheid, rusteloosheid en snel afvallen is het resultaat.

Het kan ook zijn dat juist je gevoel van oververmoeidheid heeft geleid tot geringe eetlust. Je zult goed voor jezelf moeten zorgen om goed voor je kind te kunnen zorgen. Naar schatting verbruik je met het voeden 500 calorieën per dag extra: twee boterhammen, een appel en een glas melk. Op zich niet veel als aanvulling op een goede basis. Zorg voor handige tussendoortjes, voor het geval een degelijke maaltijd er af en toe bij inschiet. Neem extra vitamine D: 5 mcg of 200 internationale eenheden per dag. Moedermelk is altijd goed: hoogstens kun je er rekening mee houden dat je dagelijks wat vitamine C binnen moet krijgen. Het heeft dus geen nut je moedermelk te laten testen.

Drink naar behoefte. Dat hoeft echt niet per se melk te zijn! (Per slot van rekening drinken koeien alleen maar water.) Als je niet genoeg drinkt, merk je dat je urine donker van kleur wordt; je kunt ook last krijgen van obstipatie.

Sommige vrouwen vallen meer af dan hun lief is, ondanks een goede voeding. Het commentaar van de omgeving liegt er niet om: je kind eet je op! Belangrijkste vraag is dan natuurlijk of je je lekker voelt. Bespreek met een diëtist of er aanpassingen nodig zijn in je menu; misschien heb je meer vitamine B, eiwitten, ijzer of kalk nodig. Het kan gebeuren dat je stofwisseling na de bevalling een verandering heeft ondergaan, waardoor je meer verbruikt dan tevoren. Uiteindelijk moet je soms de afweging maken of je de borstvoeding daarom geleidelijk wilt afbouwen.

'Is roken en drinken slecht voor de borstvoeding?'
Al tijdens de zwangerschap heb je waarschijnlijk gehoord dat roken slecht is voor de ontwikkeling van je ongeboren kind. Een te laag geboortegewicht van de baby (minder dan 2500 gram) komt bij rooksters tweemaal zo vaak voor als bij vrouwen die niet roken. Maar ook na de bevalling heeft roken negatieve gevolgen voor de gezondheid van je baby. Nicotine en andere schadelijke stoffen kunnen via de moedermelk worden doorgegeven en het vitamine C-gehalte van de voeding wordt lager. Rechtstreekse inademing van tabaksrook is eveneens ongezond. Vaders en anderen hebben hierin een zelfde verantwoordelijkheid als moeders. Zeer matig roken is echter geen reden om de voorkeur te geven aan flesvoeding. Maar rook dus nooit in de nabijheid van je baby.

Een enkel glaasje bier of wijn als je de borst geeft, zal de baby geen kwaad doen. Toch moet je niet vergeten dat de alcohol in je melk terechtkomt: blijf maat houden en wacht twee à drie uur met aanleggen.

Over soft drugs, zoals hasj en marihuana, en borstvoeding geven is niet veel bekend. Het actieve bestanddeel komt waarschijnlijk wel in de moedermelk terecht. Men kan verwachten dat de baby versuft zal raken en trager zal gaan drinken.

'Ik ben bang dat mijn borstvoeding ineens stopt als er iets ernstigs gebeurt'
Het is een hardnekkig misverstand dat borstvoeding alleen maar lukt onder de meest ideale omstandigheden: je moet veel slapen, een rustig leven leiden, een evenwichtig karakter hebben, goed eten. Je mag zeker

niet blootgesteld worden aan lichamelijke inspanning, onverwachte gebeurtenissen, stress, kritiek, ziekte of een sterfgeval. Onzin.

Vooral in het begin heb je zeker rust, steun, geduld en vertrouwen nodig om een goede start met je baby te maken. Maar gelukkig blijkt borstvoeding niet zo kwetsbaar als wel eens wordt aangenomen. Het zou ook erg onwaarschijnlijk zijn, dat de menselijke soort voor het overleven afhankelijk is van een proces, dat al te gemakkelijk verstoord kan worden.

We hebben gezien dat het toeschieten van de melk beïnvloed wordt door hoe je je voelt. Je bent echter niet helemaal afhankelijk van je gevoelens. Praat erover. Als je oververmoeid of gespannen bent, zie je voor de hand liggende, praktische oplossingen misschien over het hoofd, maar ze zijn er vaak wel.

De melkproductie kan tijdelijk teruglopen. Door vaker dan maar kleine beetjes te geven komt dat weer in orde. Bovendien is er natuurlijk ook nog de mogelijkheid om (enige tijd) bij te voeden met andere voeding, melk of een hapje, afhankelijk van de leeftijd van je kind.

Voeden in gespannen tijden blijkt heel goed mogelijk; misschien biedt het voeden je zelfs troost, of een houvast aan de realiteit van alle dag.

'Mijn vriendin had wel genoeg voeding, maar het was te waterig'

Moedermelk ziet er anders uit dan de melk waaraan we gewend zijn: koemelk. Moedermelk is ook heel anders van samenstelling. Zie hoofdstuk 2. Onzekerheid over het welslagen van de borstvoeding wordt wel eens afgedaan met de opmerking dat de voeding niet voldoet in kwaliteit.

Moedermelk is altijd goed (zie blz. 109). Er zit heel veel water in moedermelk, zoals dat overigens voor de meeste andere soorten melk ook geldt. Vandaar dat je als voedende moeder voldoende moet drinken.

De kleur van 'rijpe' moedermelk is blauwachtig. Dat betekent dus niet dat er geen voeding in je melk zit! Als je na afloop van het voeden op je borst drukt, komt er vaak nog een druppel melk die er juist wat geler uitziet. Dat komt doordat de samenstelling van moedermelk niet constant is: de eerste melk die je baby met de voeding binnenkrijgt, is minder vet dan de laatste slokjes. Aan de borst wordt eerst de dorst gelest en daarna pas de honger gestild. Geef je kind daarom de tijd om een borst 'leeg' te drinken; hij komt dan ook aan de meest voedzame melk toe. Het kan zelfs gebeuren dat een baby niet goed groeit, hoewel zijn moeder het gevoel heeft dat ze overloopt van de melk. Hij krijgt in dat geval te snel de tweede borst aangeboden en drinkt daar weer alleen de voormelk. Al met al levert dat veel melk, maar weinig calorieën. Daar komt het oude fabeltje over 'blauwselwater' waarschijnlijk vandaan. De oplossing is dan, de baby zorgvuldig aan te leggen en aan de ene kant te laten drinken zolang hij zelf wil. Daarna pas de andere kant aanbieden. Je weet dan zeker dat hij ook aan de volle laatste melk is toegekomen. Zie ook hoofdstuk 7: Veel drinken, maar weinig aankomen.

'Ik moet er niet aan denken om in gezelschap half bloot te gaan zitten voeden!'

Voordat je baby geboren is, kun je je niet goed voorstellen dat je ook met vreemden erbij de borst zult geven. Laat het maar rustig op zijn beloop. Je hoeft ook niet te voeden waar iedereen bij zit. De eerste dagen, en misschien wel weken, moet je nog zo wennen, dat veel belangstelling je onhandig en nerveus kan maken. Laat je bezoek dus gerust weten dat je liever even alle aandacht aan de baby geeft. Je zult merken dat de voeding beter verloopt als je je op je gemak voelt. Sommige mensen heb je dan liever niet om je heen en andere juist wel.

Meestal zijn deze zorgen maar tijdelijk. Zodra jij en je baby met elkaar en met het voeden vertrouwd zijn, zul je er minder behoefte aan hebben om je terug te trekken. Als het nodig is, kun je zo onopvallend voeden dat je omgeving het amper in de gaten heeft. De onderste knoopjes van je blouse los in plaats van de bovenste, een trui die je omhoogschuift. Er is speciale borstvoedingskleding te koop. Ook is het handig om een voedings-bh te dragen die je in een handomdraai los en vast kunt maken. En denk aan een spuugdoekje of iets dergelijks om de lekkende melk uit de andere borst mee op te vangen.

Bij vrienden en familie voeden is nog wat anders dan echt in het openbaar. Als je je kind de borst geeft tijdens het dagje dierentuin of in een restaurant, sta je er zelf inmiddels wel ontspannen tegenover. Het gaat er dan vooral om dat je geen vervelende reacties krijgt. Veel mensen weten niet wat ze zien, maar zijn vaak wel vertederd. Het is treurig dat men in onze samenleving vervreemd is geraakt van zoiets natuurlijks als borstvoeding geven. Als je heel vanzelfsprekend – en niet al te bloot – gaat zitten voeden, maak je mooi reclame! En wie zal dat anders doen?

'Sporten en borstvoeding, gaat dat samen?'
Er is geen bezwaar tegen sporten als je borstvoeding geeft. Kort na de bevalling moet je wel rekening houden met de spieren van de bekkenbodem.
Draag een bh die goed steunt, vermijd plotselinge afkoeling, en drink meer als je erg getranspireerd hebt (sauna!). Na een flinke inspanning stijgt het melkzuurgehalte in de borstvoeding. Als je baby afwijzend reageert, moet je misschien wat afkolven voor je hem aanlegt. Je kunt ook gaan zwemmen, tenzij je last hebt van pijnlijke tepels; het is dan minder hygiënisch. Maar normaal gesproken zijn de melkkanaaltjes prima afgesloten. Sommige baby's trekken een vies gezicht als je na het zwemmen de borst wilt geven. Het chloorluchtje bevalt hun niet. Extra afspoelen en eventueel wat bodylotion bieden een gemakkelijke oplossing.

'Mijn moeder had ook geen voeding, dus...'
Het zou kunnen dat er een aanleg bestaat om veel of weinig melk te produceren, en dat een dergelijke aanleg erfelijk is. Maar in de tijd dat onze moeders hun kinderen voedden, was de invloed van de gulden regel 'rust, reinheid en regelmaat' zo groot, dat die waarschijnlijk eerder de oorzaak was van het mislukken van de borstvoeding dan welke aanleg ook.

Dat borstvoeding geven berust op het idee van vraag en aanbod, dat de toeschietreflex beïnvloed kan worden door stemmingen en dat een baby die huilt, daarmee iets vraagt – het zijn allemaal opvattingen die destijds nog nauwelijks bekend waren. Weinig zelfvertrouwen en een groot vertrouwen in de nieuwe ontwikkelingen van de zuigelingenvoedingsindustrie hebben er ook toe geleid, dat veel vrouwen in die periode niet 'konden' voeden. Bovendien leek het misschien heel modern om je kind de fles te geven. De redenen dat je eigen moeder of andere familieleden geen borstvoeding konden geven, zijn niet meer te achterhalen. Opvallend is dat zij er vaak nog wel heel emotioneel bij betrokken zijn; dat kan voor jezelf een positief of een negatief effect hebben.

'Ik heb last van bekkeninstabiliteit. Kan ik niet beter stoppen met voeden?'
De verweking van het bekken vindt plaats voordat de baby geboren is, onder invloed van de zwangerschapshormonen. Meteen na de bevalling is er sprake van een flinke omslag: de hormonen die de borstvoeding regelen zijn heel andere dan die de zwangerschap in stand hielden. Daardoor komt het, dat het feit dat je borstvoeding geeft geen enkele invloed heeft op je klachten van bekkeninstabiliteit. Het is dus geen verstandig advies om te stoppen met de borstvoeding met het idee dat je dan sneller zou opknappen. De borstvoedingshormonen hebben nu eenmaal niets met dit lastige probleem te maken.

6. Moedermelk en milieuverontreiniging

Het probleem van milieuverontreinigende stoffen in moedermelk spreekt tot de verbeelding. Het is goed mogelijk dat dat een van de oorzaken is van het feit, dat er regelmatig zo veel aandacht aan wordt besteed in de pers. Moedermelk hoort zuiver en schoon te zijn: de veiligste voeding voor jonge kwetsbare kinderen. Maar al jarenlang worden in moedermelk stoffen aangetoond die er niet in thuishoren.

Welke stoffen?

Het gaat in principe om alle stoffen die helemaal niet, of heel slecht, in de natuur kunnen worden afgebroken. Uit de lucht, het water en de bodem komen gifstoffen terecht in gewassen die door dieren en mensen worden gegeten. De gifstoffen hopen zich op in vetweefsel of organen en kunnen zo ook nog worden overgedragen van dier op dier, en van dier op mens. Een organisme is meer verontreinigd naarmate het verder in de voedselketen zit. Omdat we ons als mens aan het einde van de voedselketen bevinden, krijgen we een relatief hoge concentratie giftige, slecht afbreekbare stoffen uit het milieu met ons voedsel binnen. Sommige onderzoekers menen dat maar de helft van de totale lichaamsbelasting afkomstig is uit ons voedsel; voor de rest zouden diffuse bronnen verantwoordelijk zijn, zoals de lucht die we inademen.

De vetoplosbare stoffen stapelen zich gedurende je hele leven op in het lichaamsvet, en zullen ook in het vet van moedermelk aanwezig zijn. Moedermelk is een vorm van menselijk materiaal dat betrekkelijk gemakkelijk toegankelijk is voor onderzoek. Het zou heel wat ingrijpender zijn om in onderhuids vetweefsel het gehalte aan milieuverontreinigende stoffen te bepalen.

In flesvoeding zit over het algemeen 10% koemelkvet en 90% plantaardig vet, waardoor de hoeveelheid verontreinigende stoffen te verwaarlozen is.

Een belangrijke groep van deze stoffen wordt gevormd door de zogenaamde gechloreerde koolwaterstoffen; hiertoe behoren sommige bestrijdingsmiddelen zoals DDT en HCB (hexachloorbenzeen), en de groep PCB's. Naast deze stoffen, die voor een bepaald doel werden gemaakt, blijken er ook vergelijkbare giftige stoffen te ontstaan bij vuilverbranding, industriële processen en bijvoorbeeld bij het bleken van papier. Dit zijn de dibenzofuranen en de bekendere dioxinen. Roken van sigaretten is volgens een aantal onderzoeken ook een bron van dioxineverontreiniging.

Onderzoek en normstelling

Er zijn heel wat analyses gedaan van verontreinigende stoffen in moedermelk. Daarbij is het heel belangrijk welke melk wordt onderzocht: die van het begin van een voeding of de laatste druppels, voeding die vroeg op de dag werd afgekolfd of 's avonds laat. Er wordt vaak weinig aandacht besteed aan deze aspecten, hoewel ze van betekenis zijn voor de gevonden resultaten. De hoogste waarden worden vastgesteld aan het eind van de voeding rond het middaguur.

Men heeft ook moedermelk onderzocht van vrouwen die gemiddeld 4,5 jaar geen dierlijke vetten gebruikten. Daarin werden zo'n 25% lagere gehaltes aan PCB's en bestrijdingsmiddelen vastgesteld. Inmiddels is bovendien duidelijk geworden, dat de concentratie PCB's in de melk tijdens de eerste zes maanden gestaag afneemt met ongeveer 45%.

Al met al wordt regelmatig nagegaan hoe het staat met de verontreiniging van moedermelk, zowel op internationaal als op landelijk niveau. Het Rijksinstituut voor Volksgezondheid en Milieuhygiëne onderzoekt elke vijf jaar 300 monsters. Men kan steeds beter steeds kleinere hoeveelheden van deze stoffen meten. Het gehalte van bestrijdingsmiddelen blijkt te dalen. In Zweden werden mengmonsters moedermelk uit 1972 tot 1985 geanalyseerd; ook de hoeveelheid PCB's en dioxinen namen af. In Nederland blijken de gehaltes ook langzaam te dalen. Het probleem is echter te bepalen, welke betekenis de gevonden getallen hebben voor de gezondheid van de baby die borstvoeding krijgt. Er moet een norm vastgesteld worden: wat is schadelijk? Hiervoor gebruikt men het begrip TDI, hetgeen staat voor Tolerable Daily Intake, de aanvaardbare dagelijkse opname: hoeveel kun je gedurende je hele leven dagelijks van een bepaalde stof binnenkrijgen zonder schadelijke gevolgen?

Voor de betreffende stoffen is een TDI-waarde gekozen op grond van dierproeven. Men zoekt daarbij naar het niveau waarop dieren een bepaalde stof kunnen binnenkrijgen zonder nadelig effect op hun gezondheid: 'no effect level'. Deze hoeveelheid wordt vervolgens gedeeld door een veiligheidsfactor. Er bestaat dus een norm voor deze stoffen in koemelkvet. De waarden in moedermelk liggen hoger. Maar een baby drinkt maar kort bij zijn moeder, zodat de norm voor koemelk niet kan worden toegepast.

De vastgestelde normen zijn nogal eens aan discussie onderhevig en worden af en toe bijgesteld. Ze zijn vooral van waarde voor de bescherming van de volksgezondheid. In ieder geval zijn ze niet bedoeld om te kunnen voorspellen wat het effect is als de TDI tijdelijk wordt overschreden.

Is moedermelk nog gezond?

Dat is natuurlijk de vraag die je in heel deze ingewikkelde materie het meeste bezighoudt, als je borstvoeding wilt geven.

• De Wereld Gezondheids Organisatie (WHO) heeft in een uitvoerig rapport een schatting gemaakt van gezondheidsrisico's. De conclusies zijn dat dibenzofuranen en dioxinen de placenta passeren, zodat een baby ook bij de geboorte helaas al niet 'schoon' is. Door een toename van het lichaamsvet blijkt verder, dat na zes maanden borstvoeding de concentratie van verontreinigingen in het vet ongeveer gelijk is aan die bij de geboorte. Belangrijke organen worden niet extra blootgesteld aan deze stoffen. Zes maanden borstvoeding draagt minder dan 5% bij aan de totale belasting gedurende een heel leven. De WHO concludeert dan ook, dat geen vervangingsmiddel voor moedermelk de voordelen van borstvoeding kan evenaren.

• In de vele onderzoeken die gedaan zijn naar de effecten van borstvoeding op de gezondheid, doen borstkinderen nooit onder voor kinderen die met kunstmatige zuigelingenvoeding zijn grootgebracht. Hoewel veel op een aantal van deze onderzoeken is aan te merken (lang niet altijd wordt borstvoeding goed gedefinieerd), blijkt juist uit de meest actuele studies dat de bescherming door moedermelk tegen infecties een belangrijk voordeel is. Bij borstgevoede kinderen werd zelfs een hoger IQ en een betere motoriek vastgesteld. En ook die kinderen kregen 'verontreinigde' moedermelk.

• Er is ook gezocht naar een mogelijke invloed van schadelijke stoffen in moedermelk op de groei en gezondheid. In de VS is een groep van 860 kinderen gedurende de eerste vijf jaar van hun leven gevolgd. Men vond geen negatieve invloed van de borstvoeding; daarentegen bleek ook hier dat baby's, die geen borstvoeding hadden gekregen, vaker last hadden van maag-darmstoornissen en middenoorontstekingen. Bij hetzelfde onderzoek is gekeken naar blootstelling aan verontreinigende stoffen zowel voor de geboorte als door moedermelk, en naar het effect daarvan op de motorische en psychische ontwikkeling. Kinderen die voor de geboorte via de placenta meer verontreinigende stoffen hadden opgedaan, deden het iets minder goed bij een test met 6 en met 12 maanden. Verschil tussen borst- en fleskinderen werd niet gevonden. Misschien is de invloed van deze stoffen groter als de ongeboren baby zich in een kritische ontwikkelingsfase bevindt.

Hieruit blijkt nog eens duidelijk hoe ernstig het probleem van milieuverontreiniging is. Maar door je kind om deze reden geen borstvoeding te geven, kun je de 'vervuiling' van voor de geboorte niet teniet doen. Het enige wat je doet, is je baby de bescherming van moedermelk onthouden. Het afweersysteem kan zich met borstvoeding optimaal ontwikkelen; juist mogelijke afweerproblemen worden soms met verontreiniging in verband gebracht.

Je weet maar nooit...?

Een gevoel van machteloosheid bekruipt je bij opmerkingen als: 'Wie weet wat de effecten op lange termijn zijn. Moedermelk moest verboden worden. Langer dan twee maanden is gevaarlijk!' Soms is er een directe aanleiding voor dergelijke bemoeienis en hebben mensen een publicatie gelezen over een onderzoek met nogal eenzijdige informatie. Voor de niet-wetenschappelijke pers is dit een buitengewoon ingewikkelde materie, en zoals gezegd is het een onderwerp dat tot de verbeelding spreekt. Vandaar dat je niet moet verwachten, dat je als leek voldoende informatie kunt verzamelen om zo nodig een afweging te maken. Ook artsen zijn in dit opzicht leken. De borstvoedingsorganisaties onderhouden contacten met o.a. het Rijksinstituut voor Volksgezondheid en Milieuhygiëne, met het ministerie van VWS en met de Gezondheidsraad, om zich te laten informeren en op de hoogte te blijven van eventuele ontwikkelingen. Mocht je over dit onderwerp meer actuele informatie nodig hebben, dan kun je daar altijd terecht.

Praktische punten

• Het heeft helemaal geen zin om je eigen moedermelk te laten onderzoeken op verontreinigende stoffen. Het is moeilijk een representatief monster te krijgen. Bovendien kan niemand je vertellen wat de waarde is van de getallen die uit de bepaling komen. Voor dioxine-analyse is een grote hoeveelheid melk nodig, het onderzoek kost duizenden euro's en er is niet voldoende onderzoekscapaciteit. Het gaat natuurlijk om minimale hoeveelheden van deze stoffen, en daardoor kan er eigenlijk alleen nog maar een orde van grootte vastgesteld worden. Hoe moeilijk dit werk is, blijkt wel uit het volgende: in een rondzendonderzoek, waarin hetzelfde monster moedermelk door verschillende laboratoria werd geanalyseerd, kwam men tot heel uiteenlopende uitkomsten.

• PCB's en andere giftige stoffen hebben zich vanaf je eerste levensjaren kunnen opstapelen in je lichaamsvet. Milieuverontreiniging vindt al tientallen jaren plaats; de aandacht ervoor is van recentere datum. PCB-houdende apparatuur (transformatoren en condensatoren) mogen sinds 1985 bijvoorbeeld niet meer worden verkocht. Daarmee zijn we echter nog niet van het afval af.

Op dit moment kun je er wel attent op zijn, dat je de toename van gifstoffen in je lichaam zo veel mogelijk beperkt door de voedselkeuze. Dierlijke vetten zijn een belangrijke bron. Gebruik halfvolle zuivelproducten, mager vlees en niet veel vette vissoorten zoals makreel, haring en schelvis. Ook paling en zoetwatervis kan aanzienlijke hoeveelheden verontreinigingen bevatten. Kies magere soorten: kabeljauw, schol, tong. Het is ook beter niet te vaak orgaanvlees (lever) te eten, omdat gifstoffen zich erin opgehoopt kunnen hebben. Plantaardige producten zijn overigens ook niet helemaal schoon. Door een verandering in eetgewoonten raak je eenmaal opgeslagen giftige stoffen niet kwijt.

- Ga niet rigoureus aan de lijn doen in de tijd dat je borstvoeding geeft. Het is heel normaal dat je wat afvalt. De vetreserve wordt aangesproken, die in de zwangerschap juist met het oog op de melkproductie was aangelegd. Maar men veronderstelt dat bij een vermageringskuur de lichaamsvreemde stoffen uit het vet vrijkomen in het bloed en dus ook in de moedermelk.
- Om verschillende redenen is het beter om met name tijdens de zwangerschap en de zoogperiode niet te roken. Een van die redenen is het feit dat sigarettenrook een relatief grote hoeveelheid dioxine bevat. Roken in de nabijheid van de baby betekent luchtverontreiniging.
- Wees voorzichtig met oplosmiddelen, die bijvoorbeeld voorkomen in lijm, verf en kwastenreiniger. Als je veel met deze stoffen in contact komt, kan je melk er mogelijk door verontreinigd worden. In de praktijk betekent dit dat je er alleen mee moet werken in goed geventileerde ruimten en dat je huidcontact moet vermijden.

7. Problemen met de melkproductie

Wanneer vrouwen eerder stoppen met borstvoeding geven dan ze eigenlijk hadden gewild, komt dat vaak doordat ze ervan overtuigd zijn dat zij te weinig melk hebben voor hun baby. Maar ook te veel melk kan tot problemen leiden. Bovendien bestaat er nogal eens onzekerheid over de kwaliteit van de voeding. Dergelijke moeilijkheden kunnen we niet zonder meer afdoen met een verwijzing naar het principe van vraag en aanbod: vaker aanleggen en je maakt meer melk, minder vaak de borst geven en je voeding loopt terug. Dit is een belangrijk basisprincipe van het proces van borstvoeding geven. Toch is het goed wat dieper in te gaan op de verschillende situaties.

Laten we eerst nog even het volgende vaststellen:

- moedermelk is in principe altijd goed, en beter dan welke wetenschappelijk verantwoorde flesvoeding ook;
- nagenoeg iedere moeder is in staat haar kind volledig te voeden.

Genoeg melk?

Alleen al de vraag 'krijgt je baby wel genoeg?' of 'moet hij nu al weer drinken?' is soms voldoende om je aan het twijfelen te brengen over je melkproductie.

Hoe kun je vaststellen of je baby genoeg drinkt als hij uitsluitend borstvoeding krijgt?

- Als hij goed aankomt, geef je hem genoeg, ook al kan hij soms na een voeding niet tevreden lijken.
- Als een baby tevreden en alert is, geeft het niet dat hij wat minder hard groeit.
- Een baby die veel huilt, komt niet per definitie voeding tekort, hij kan ook om andere redenen huilen.
- Zes tot acht natte luiers per etmaal geven aan dat de baby genoeg krijgt. Bij wegwerpluiers voel je aan het gewicht of je baby veel of weinig geplast heeft.
- De ontlasting is licht van kleur en zacht tot waterig; ontlasting hoeft

na de eerste vier tot zes weken niet elke dag te komen, er kan zelfs een dag of tien tussen zitten.
• Je hoort de baby ritmisch zuigen en slikken tijdens de voeding.
• Je borsten voelen na de voeding soepeler aan dan ervoor.
• Hij drinkt een flink aantal keren per etmaal, afhankelijk van zijn leeftijd en behoefte.
• Hij krijgt de kans om de tijd te nemen voor zijn voeding.

Twijfels

Ook al gaat het voeden helemaal volgens het boekje, toch blijken vrouwen zich nogal eens zorgen te maken over hun melkproductie. Het is een diep gewortelde onzekerheid. De angst niet te kunnen voeden is waarschijnlijk een van de meest voorkomende redenen dát vrouwen niet kunnen voeden! Waarom denk je dat je baby niet genoeg krijgt?
• Na de eerste weken zijn je borsten weer minder gespannen en is het lekken tussen de voedingen door afgenomen. Dit betekent dat er een efficiënte manier van melk produceren tot stand is gekomen. Er is geen sprake van een tekort omdat je geen last hebt van volle borsten!
• Je kind is minder slaperig en vraagt vaker om contact of een voeding. Na het drinken valt hij niet meer meteen in een diepe slaap, maar hij blijft rondkijken of op zijn vuistjes zuigen. Het kan zijn dat hij langer wil drinken; een toetje kan geen kwaad.
• Soms drinkt je baby genoeg, maar groeit hij een of twee weken minder of niet. Dit kan gebeuren als zijn energie wordt gestopt in het bestrijden van een infectie, in de reactie op een ziekte of vaccinatie. Een gezond kind loopt de achterstand wel weer in.
• De nachtvoeding blijkt langer nodig dan je om een of andere reden normaal leek. Dit zegt niets over je capaciteit om zelf te voeden.
• Tegen het eind van de middag is hij niet tevreden te stellen. De eerste maanden zijn veel baby's onrustig, vooral rond een uur of zes. Ook al groeit hij prima, toch zou je gaan twijfelen aan je melkproductie.
• Je baby gedraagt zich heel anders dan je andere kind(eren): je verwacht bijvoorbeeld dat hij ook met een week of zes om de vier uur 'komt'.
• Hij drinkt maar een paar minuten aan elke kant. Dat kan niet goed

zijn, zou je zeggen. Maar een baby die al wat ervaring heeft, kan zijn voeding heel snel en efficiënt naar binnen werken. Rond de drie maanden zie je vaak een periode, waarin drinken minder belangrijk schijnt te zijn dan rondkijken: elk geluidje leidt hem af. Geef desnoods nog eens de borst vlak voor hij weer gaat slapen, om de schade in te halen.

• Als je voor en na de voeding weegt, drinkt hij veel minder dan je op grond van de voorschriften op de blikken poedermelk verwacht. Het heeft geen zin om op deze manier vast te stellen of je baby wel genoeg krijgt, aangezien de hoeveelheid over de dag sterk kan wisselen. Bovendien kan het zijn dat hij wel weinig drinkt, maar dat het vetgehalte van de melk op dat tijdstip van de dag hoger is. Zodoende heeft hij er toch genoeg aan.

• Laat je ook niet in de war brengen door de blauwige kleur van moedermelk.

Zo zie je dat er een aantal redenen voor kan zijn dat je op het spoor wordt gezet van 'te weinig melk'. De bezorgdheid en twijfel op zich maken de situatie er natuurlijk niet eenvoudiger op. Met name het wegen voor en na de voeding 'voor de zekerheid' maakt veel vrouwen zo gespannen, dat zij op het puntje van hun stoel gaan zitten voeden.

Wat is er aan de hand?

Het probleem van te weinig melk is evengoed heel reëel. Iedereen heeft er waarschijnlijk wel eens mee te maken.

Er zijn periodes dat je kind meer voeding nodig heeft dan je op dat moment produceert (Zie blz. 81 'regeldagen'). Gelukkig hoef je nooit zuinig te zijn op je melk, want vlak nadat je gevoed hebt, is de melkproductie al weer in volle gang. Dat betekent dat je na anderhalf à twee uur ongeveer driekwart van de pas gegeven hoeveelheid melk opnieuw hebt aangemaakt. Je borsten lijken misschien nog 'leeg', maar je kunt je baby gerust weer aanleggen voor een extra voeding. Vaker voeden heeft meer zin dan langer voeden.

Bij wat grotere baby's, die al een poosje wakker blijven, is het praktisch om in zo'n regelperiode te voeden zodra de baby wakker wordt. Je geeft hem nog eens een of twee kanten voordat hij weer gaat slapen. Op die manier krijgt hij veel kleine slokjes. De melkproductie wordt extra gestimuleerd, zonder dat je het dagelijks ritme erg hoeft te verstoren. Overigens zal er van enige regelmaat toch al weinig meer te bespeuren zijn, als je baby echt ontevreden is met het aanbod. Gelukkig is dat maar tijdelijk.

Heel uitzonderlijk is de volgende situatie: een flinke baby die goed groeit, steeds volop drinkt en toch niet tevreden is. Op een gegeven moment kun je niet nog meer produceren. Sommige vrouwen hebben ervaren dat eens per dag wat bijvoeding voor hun veeleisende kind een goede oplossing was. Door vaak te blijven voeden komt de melkproductie niet in gevaar.

Het gewone vraag- en aanbodprobleem is echter maar één aspect van de zaak. Er kan ook iets anders aan de hand zijn. Over het algemeen begin je ongerust te worden als je baby ontevreden is, nooit lang slaapt en altijd wil blijven drinken. Het kan ook zo zijn dat je baby juist heel erg zoet is, altijd slaapt, en lusteloos en kort drinkt. Natuurlijk is het in alle gevallen goed om de baby na te laten kijken door een arts. Hij kan immers ook ziek zijn, of slecht drinken vanwege oorpijn, keelpijn of spruw. Wanneer de baby weinig plast, weinig, donkere en soms harde ontlasting heeft en slecht aankomt of afvalt, moet je aannemen dat de borstvoeding niet goed loopt.

Vaak is daar wel een oplossing voor te vinden. Hoe sneller je er iets aan kunt gaan doen, des te gemakkelijker zal het gaan. Dat komt natuurlijk ook doordat je eigen gevoel van spanning en bezorgdheid op zichzelf al nadelig werkt op de borstvoeding. De melk die wel wordt geproduceerd, komt dan niet zo gemakkelijk terecht bij de baby, omdat de toeschietreflex lang op zich laat wachten.

Een probleem om op te lossen

Probeer bewust te ontspannen; eet goed, drink voldoende water, sap, thee, melk, en probeer hier en daar ook nog aan wat extra rust te komen, door bijvoorbeeld liggend te voeden. Het is de moeite waard om hulp bij je andere taken te regelen, zodat je een paar dagen de tijd hebt om de borstvoeding weer op peil te brengen.

• Behalve vaker voeden is het ook van belang dat de baby goed kan drinken: hij moet zorgvuldig worden aangelegd. Bij sommige moeders en baby's maakt de houding van voeden niet zoveel uit. Maar het kan voor anderen van essentieel belang zijn voor het welslagen van de borstvoeding. Kan de baby er goed bij, kan hij slikken en ademhalen tegelijk? Heeft hij voldoende borst in zijn mondje genomen om goed door te kunnen zuigen met het tongetje onder de tepelhof? In hoofdstuk 4 kun je meer over aanleggen lezen.
• Zorg ervoor dat je baby zijn energie niet stopt in het langdurig zuigen op een fopspeen.
• Stop met de vaste bijvoeding. Soms is de melkproductie teruggelopen als reactie op het feit dat de baby al heel jong (voor zes maanden) minder vaak de borst kreeg.
• Laat hem een paar keer extra boeren: misschien wil hij niet meer drinken als de lucht in zijn buikje hem een vol gevoel geeft.
• Om de baby vaker te laten drinken, bijvoorbeeld iedere tweeënhalf uur, kan het nodig zijn hem eerst te verschonen zodat hij wakker wordt. Trek zijn hemdje uit om met huid-op-huid-contact zijn belangstelling te wekken.
• Soms is het ook zinvol om de andere borst aan te bieden, zodra je merkt dat hij niet meer zo vaak slikt en minder intens zuigt. De eerste dag wissel je per voeding misschien wel een paar keer. Blijf letten op het aanleggen.
• Is je baby een slechte drinker, dan kan het prettig zijn om na het voeden te kolven. De melk kun je als toetje geven met een lepeltje, druppelaar of een kopje. Je kunt zelfs overwegen gebruik te maken van het 'Supplemental Nursing System' dat hierna wordt beschreven. Een flesje is voor een lastige drinker zeker niet geschikt.
• Ga na of de melkproductie beïnvloed wordt door hormonen, bijvoorbeeld door de pil, of door andere medicijnen, die je moet gebruiken.
• Wordt het geven van de melk, het toeschieten, afgeremd door bezorgdheid, pijn, oververmoeidheid, spanning om wat voor reden dan ook? Bewust ontspannen, een enkel glas wijn of bier, warmte of hulp van anderen zijn niet altijd voldoende om zo'n situatie te doorbreken.

Je kunt een extra prikkel van het toeschiethormoon, de oxytocine, nodig hebben. Op doktersrecept is het middel Syntocinon verkrijgbaar, dat je net door deze lastige tijd heen kan helpen. Het is een neusspray die ervoor zorgt dat je melk binnen een paar minuten na gebruik toeschiet. Alleen als je (weer) zwanger bent, wordt het ontraden. Meestal heb je het maar een paar dagen nodig en laten je borsten op een gegeven moment de melk al lopen zodra je het spuitbusje wilt pakken.

Nadat je een dag of twee, drie bezig bent geweest de melkproductie op te voeren, merk je meestal al dat je borsten weer wat voller aanvoelen. Toch moet je daar niet teveel van verwachten, omdat het natuurlijk ook zo is dat je borsten heel vaak worden leeggedronken en daardoor steeds vrij soepel blijven. Pas na een dag of vijf zal je baby weer aardig zijn aangekomen. Je blijft zijn gewicht nog een poosje wekelijks in de gaten houden.

Extra melk

Afvallen is natuurlijk een lastiger probleem dan alleen maar matig groeien. In overleg met de arts kun je beslissen dat bijvoeding met kunstmatige zuigelingenvoeding tijdelijk noodzakelijk is.

• Vervang in ieder geval nooit een borstvoeding door een flesvoeding, tenzij je besloten hebt dat je liever geleidelijk wilt gaan afbouwen. Geef de bijvoeding nadat je baby aan beide borsten heeft gedronken.

• De hoeveelheid hangt af van zijn gewicht, hoeveel hij is afgevallen en van de leeftijd. Het is echter niet verstandig zoveel te geven als hij nog neemt. Voor je het weet, heeft hij misschien 150 cc binnen, met het bezwaar dat hij langer slaapt dan goed is voor de stimulans van je eigen productie. Je geeft zoveel dat hij wel voldaan is, maar ook zo weinig dat hij toch na tweeënhalf à drie uur weer geïnteresseerd is in een voeding.

• Geleidelijk minder je de bijvoeding weer. 's Ochtends en eventueel 's nachts zul je weer alleen de borst kunnen geven. Daarna vervalt de bijvoeding ook op andere uren van de dag. Zorg voor goede controle van de baby. Zijn gezondheid is het allerbelangrijkste.

Het 'Supplemental Nursing System': bijvoeden aan de borst.

Het 'Supplemental Nursing System'
Bijvoeden met een flesje gaat het vlotste, maar in sommige situaties kan dat tot nieuwe problemen leiden.
• Als je baby nog niet zo'n enthousiaste zuiger is, de borst met moeite pakt, lusteloos drinkt en vaak loslaat, brengt de speen hem misschien in de war. Hij hoeft immers minder actief te zijn met zijn tong en kaakjes als hij de fles krijgt.
• Ook bij relactatie (zie blz. 129) wil je de fles misschien zo snel mogelijk achterwege laten.
• Adoptiebaby's kunnen gestimuleerd worden aan de borst te zuigen om zo de melkproductie op gang te brengen (zie blz. 203). Om te voorkomen dat een baby zijn belangstelling voor de borst verliest, is een systeem ontworpen om kunstvoeding, of tevoren afgekolfde melk, bij te voeden aan de borst. De bijvoeding zit in een plastic flesje dat je met een koordje om je hals kunt hangen. Uit de dop komt een dun slangetje, als van sondevoeding, dat je baby tegelijk met de tepel in zijn mondje neemt. Je moet ervoor zorgen, dat dit slangetje onder het bo-

venlipje van de baby komt als je hem aanlegt. Je plakt het slangetje op je borst; het moet net iets voorbij de tepel uitsteken. De baby maakt de tepel en tepelhof immers een stuk langer als hij gaat zuigen. Hij moet echter ook weer niet de kans krijgen alleen op een rietje te zuigen.

Er is wat doorzettingsvermogen voor nodig om het probleem op deze manier op te lossen. Je bent waarschijnlijk wel een beetje aan het knoeien voordat je met je kind de slag te pakken hebt. Daar komt nog bij, dat men in de gezondheidszorg vaak niet van deze mogelijkheid op de hoogte is en er misschien sceptisch tegenover staat. Als je meer wilt weten over de aanschaf en het gebruik van dit Supplemental Nursing System (ook wel Borstvoedingshulpset genoemd), kun je contact opnemen met de borstvoedingsorganisaties of een lactatiekundige.

Al met al...

Het opvoeren van je melkproductie is altijd mogelijk, ook als je baby ouder is dan een paar weken. Behalve de zorg voor rust en een goede conditie is een aantal punten belangrijk.

In elk geval:

- leg zorgvuldig aan;
- vermijd een fopspeen;
- laat vaste voeding achterwege;
- laat je baby goed boeren;
- voed vaak, maar niet urenlang;
- wissel meerdere keren van borst;
- sluit de invloed van medicijnen uit;

En eventueel:

- bevorder het toeschieten met Syntocinon;
- geef extra melkvoeding, maar pas na de borstvoeding;
- overweeg de mogelijkheid om aan de borst bij te voeden, om verwarring door de speen te voorkomen.

De ervaring is dat de meeste vrouwen met enige moeite en inspanning weer goed borstvoeding kunnen gaan geven. Toch zijn er natuurlijk ook uitzonderingen. Je hebt je leven niet in de hand en soms moet je een afweging maken tussen allerlei tegenstrijdige belangen. Het kan je moeilijk vallen datgene te doen, wat je met het oog op de borstvoeding het beste zou vinden. Soms lukt het ook niet de baby te leren om goed te drinken, omdat het te lang heeft geduurd voordat het probleem werd gesignaleerd.

Er bestaan verschillen in aanleg: sommige vrouwen hebben meer moeite genoeg melk te produceren dan andere, en hebben daardoor meer last van nadelige omstandigheden. We weten niet precies welke rol aanleg speelt, en hoeveel, of liever hoe weinig, vrouwen lichamelijk niet in staat zijn om voldoende borstvoeding te geven. Het gaat waarchijnlijk om slechts een enkel procent.

Als je je op borstvoeding hebt ingesteld, is een teleurstelling moeilijk te accepteren. Je kunt echter niet meer doen dan binnen je vermogen ligt. Gelukkig zijn we als mensen niet afhankelijk van het zogen, om een waardevolle relatie met onze kinderen te krijgen.

Relactatie

Relactatie betekent: de borstvoeding opnieuw op gang brengen. Het gaat er dan niet om dat de voeding wat is teruggelopen, of dat de baby meer nodig heeft dan je op dat moment produceert. Er is iets anders aan de hand: je realiseert je dat je baby (bijna) uitsluitend flesvoeding krijgt en dat je toch liever weer borstvoeding wilt gaan geven. Misschien heb je in de drukke en emotionele tijd vlak na de bevalling een verkeerde beslissing genomen. Misschien ben je in de eerste weken met borstvoeding opgehouden en heb je daar nu spijt van, hetzij omdat je kind de flesvoeding niet goed verdraagt, hetzij omdat je het contact mist. Het is goed mogelijk om in zulke situaties weer zelf te gaan voeden, al zul je er wel geduld en tijd in moeten investeren. Wat je hebt kunnen lezen in het vorige stuk 'genoeg melk?' is in principe ook op relactatie van toepassing.

Zuigen

Je kunt je voorstellen dat relactatie minder moeite zal kosten met een baby die al enige ervaring heeft opgedaan met het drinken aan de borst. Zeker als dat nog maar kort geleden is, een week of minder, zal hij beter happen. Het geeft je al snel vertrouwen in de hele onderneming, als je ziet dat hij de borst neemt alsof er niets aan de hand is. Het zuigen werkt stimulerend op de melkproductie en vaak aanleggen betekent een signaal voor je lichaam dat er weer meer voeding nodig is.

Een andere belangrijke factor is tijd. Gedurende de eerste tien dagen na de bevalling reageren de borsten nog vrij gemakkelijk op de prikkel van het zuigen van een baby. Zelfs als je een hormoonpreparaat hebt gekregen om de melkproductie af te remmen, kun je weer gaan voeden. Natuurlijk stop je met het middel, hoewel er voor de baby geen schadelijke gevolgen van bekend zijn. Ga bij het aanleggen van een 'onervaren' baby heel zorgvuldig te werk (zie blz. 62).

Bijvoeding

Ook als de baby goed wil zuigen, is het belangrijk de kunstmatige voeding die hij kreeg, niet van de ene dag op de andere helemaal achterwege te laten. Gewoonlijk merk je na een paar dagen wel dat je borsten reageren. Misschien voel je de toeschietreflex en hoor en zie je je baby slikken. Dan wordt het tijd de bijvoeding te minderen, zoals in het vorige stukje is beschreven.

Zeker bij relactatie is het van groot belang de conditie en het gewicht van de baby goed in de gaten te houden. Hij mag niet gaan afvallen. Liefst ga je te werk in overleg met de verloskundige of het consultatiebureau. Hoe emotioneel je ook bij het proces bent betrokken, blijf rationeel denken; de gezondheid van je kind staat voorop.

Je moet erop voorbereid zijn, dat weer volledig borstvoeding gaan geven meer tijd zal nemen naarmate de baby ouder is en naarmate het langer geleden is dat hij aan de borst gevoed werd. Je borsten hebben heel wat achterstand in te halen. Je kind heeft nog een tijd bijvoeding nodig. Hoe lang is moeilijk te zeggen.

We hebben het al eerder gehad over het nadeel afwisselend fles en borst te geven aan een baby, die nog niet echt goed de borst pakt. Het verschil in zuigtechniek leidt er vaak toe, dat hij niet meer weet hoe hij de borst ver genoeg in zijn mondje moet nemen. Daardoor gaat hij inefficiënt drinken en wordt de kans op gevoelige tepels vergroot.

Met behulp van het boven beschreven Supplemental Nursing System leert je baby dat hij aan de borst gevoed wordt, al is het ook voor een deel met bijvoeding. Terwijl hij zijn bijvoeding krijgt, wordt de moedermelkproductie gestimuleerd. Geleidelijk vormt de borst zijn voornaamste voedingsbron. Nogmaals: houd het gewicht goed in de gaten. De baby merkt zo weinig van dat slangetje, dat hij er geen bezwaar tegen maakt, als je de bijvoeding op een gegeven moment helemaal achterwege laat. Het is eerder de kunst om inmiddels voldoende vertrouwen te hebben in je eigen capaciteit om melk te geven, zodat je ook zonder bijvoeding door kunt gaan. Je moet zelf ontwennen!

Tot slot nog even over het minderen van de bijvoeding: op de eerste plaats begin je daarmee pas wanneer je merkt dat je baby ook drinkt uit de borst. Je borsten voelen na de voeding soepeler aan dan daarvoor. Je geeft geleidelijk minder tot geen bijvoeding op die tijden van de dag, dat je voelt dat je zelf de meeste melk kunt geven. Dat zal over het algemeen eerst in de ochtend zijn. Na een poosje krijgt je baby alleen voor de nacht een slokje toe – of bij.

Er is echter ook nog een andere methode om een baby steeds minder afhankelijk te maken van de bijvoeding. Je zorgt dan dat de bijvoeding geleidelijk minder voedingswaarde heeft door deze meer te verdunnen. Ook daarmee begin je natuurlijk pas als je eigen melkproductie weer op gang is gekomen, en uitsluitend in overleg met iemand uit de gezondheidszorg. De eerste periode van vijf tot zeven dagen maak je driekwart van de benodigde voeding klaar en die leng je aan met een kwart gekookt water. De baby krijgt dan voldoende vocht en is in eerste instantie ook wel tevreden, maar zal na niet al te lange tijd weer wakker worden voor de volgende voeding. Let goed op of hij voldoende aan blijft komen. Het aantal natte luiers geeft nu geen betrouwbare informatie. In een latere fase geef je een derde water en twee derde voeding. Bij een baby die te vroeg geboren was, of ziek is geweest, moet je deze methode niet toepassen.

Te veel melk

Onzekerheid over te weinig melk ligt meer voor de hand dan zorgen om te veel melk. Je kind komt in ieder geval niets tekort, beter te veel dan te weinig! Toch is het zo dat een overvloed aan moedermelk je wanhopig kan maken. Je borsten blijven altijd vol en gespannen aanvoelen, elke voeding verloopt even onrustig omdat je baby zich verslikt, proest, hikt en huilt, en aan rustig zuigen niet toekomt. Als je borsten veel meer melk maken dan voor je baby nodig is, komt het ook vaak voor dat hij na de voeding krampjes heeft en erg veel spuugt. Hij zal gemiddeld meer dan 300 gram per week aankomen en vaak veel groenig gekleurde ontlasting hebben.

Gedurende de eerste paar weken kun je er nog van uitgaan dat een evenwicht tot stand zal komen tussen aanbod en vraag. Je lichaam moet ingespeeld raken op de behoefte van de baby, die van zijn kant ook steeds meer melk nodig heeft, omdat hij groter wordt. Maar als dat evenwicht op zich laat wachten, wil je er waarschijnlijk wel iets aan doen. Je wilt voorkomen dat de borstvoedingsperiode bepaald wordt door voortdurende zorgen over een huilende baby en gespannen, lekkende borsten.

Toch rustig voeden

Enerzijds probeer je het de baby mogelijk te maken om toch min of meer rustig te drinken; anderzijds zorg je ervoor dat je zo weinig mogelijk last hebt van gespannen borsten.

• Bij het onderwerp stuwing (zie blz. 54) heb je al kunnen lezen hoe belangrijk het is, dat je baby niet alleen aan de tepel van je overvolle borst gaat zuigen. Misschien is het nodig wat melk uit te drukken of te kolven, voordat je hem aanlegt; het zal hem dan beter lukken de borst ver genoeg in de mond te houden.

• Bij een overvloedige productie gebeurt het ook vaak dat de melk erg krachtig toeschiet: de baby verslikt zich en laat steeds los, hoewel hij graag wil drinken. Op die manier is de kans groot dat hij veel lucht binnen krijgt en na de voeding last heeft van hikken, boertjes en krampjes. Ook zie je de volgende reactie wel eens: de baby sluit zich af voor het probleem en valt aan de borst in slaap voor hij iets gedronken heeft. Om dergelijke zaken te voorkomen probeer je van tevoren de melk te laten toeschieten door je borst te masseren of te kolven. Soms lukt het toeschieten alleen maar als de baby is gaan zuigen. Neem hem dan van de borst af – waarschijnlijk heeft hij zelf al losgelaten – en tracht hem weer tot rust te brengen. Intussen spuit de toegeschoten melk in straaltjes uit je borst, tot hilariteit van je andere kind(eren). Houd een handdoek bij de hand en als de melk nog maar druppelsgewijs komt, leg je je baby opnieuw rustig aan.

• De houding waarin je voedt kan van invloed zijn op de kracht waarmee de melk in het mondje spuit. Als je zit met de baby 'onder je arm' (zie blz. 77) is het mogelijk om wat verder achterover te leunen zodat de baby omhoogkomt. Houd hem wel heel goed tegen je aan om te voorkomen dat hij aan de tepel gaat 'hangen' of de borst uit het mondje laat glijden.

Als je hem liever op schoot houdt, zorg er dan voor dat hij helemaal horizontaal op zijn zij tegen je aan ligt. Je zult zien dat hij dan de overmaat aan melk uit zijn onderste mondhoek weg kan laten lopen.

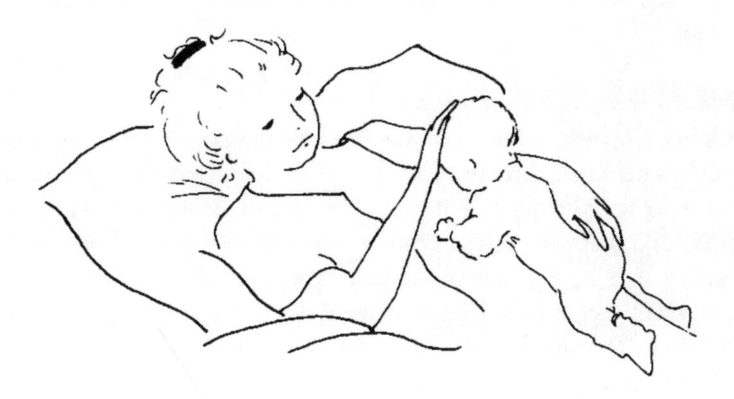

Een praktische houding om in te voeden bij een overvloedige melkproductie.

Heel effectief is ook de volgende houding: je ligt op je rug met kussens onder je schouders en hoofd en onder je arm aan de kant die je gaat geven. Zorg voor een handdoek onder je rug om eventueel lekkende melk op te vangen. De baby ligt op zijn buikje in je arm, op jouw buik of op het kussen. Laat zijn voorhoofdje tegen je andere hand leunen, zodat hij niet voorover zakt. Hij zou met het kinnetje te ver van je borst afraken en niet meer met zijn tong onder de tepelhof kunnen komen. Bovendien moet zijn neusje niet in je borst verdwijnen! Hij drinkt nu als het ware tegen de zwaartekracht in. Dit is een houding die heel ingewikkeld klinkt, maar waar talloze vrouwen met te veel melk baat bij hebben gehad. Misschien heb je de indruk dat de baby beter alle melkkanaaltjes van de borst bereikt, als je in zittende houding voedt. Doe dat dan in ieder geval elke dag een keer.

• Een overvloed aan melk betekent ook nogal eens dat de toeschietreflex meerdere keren tijdens een voeding optreedt. Probeer de baby na de eerste (vier, vijf?) minuten van de borst te nemen, ga hem verschonen, met hem rondlopen en spelen, en leg hem pas na een kwartier tot 20 minuten weer aan, aan dezelfde borst. Als de melk dan nog een keer toeschiet, zal het minder krachtig zijn.

• Laat je borsten niet overvol worden, probeer regelmatig te voeden.

• Laat de baby eventueel al halverwege de voeding boeren, en nogmaals na afloop.

Minder vraag, minder aanbod

• Voeden op verzoek betekent dat je soepel omgaat met voedingstijden. Toch is het raadzaam om niet vaker te voeden dan eens in de drie uur, wanneer je te kampen hebt met te veel melk. Mocht je je kind in de tussentijd willen troosten, probeer hem dan te wiegen of met hem te lopen. Als je hem toch even aan wilt leggen, geef dan de borst die je het laatst had gegeven. Bedenk echter wel dat de kans minimaal is dat hij huilt van de honger met een moeder die overloopt van de melk!

• Drink naar behoefte, het heeft geen zin jezelf in dit opzicht beperkingen op te leggen. Maar volg ook niet een voorschrift van zoveel liter per dag.

• Je kunt proberen de melkproductie te matigen door één borst per voeding te geven. Je baby zal dat waarschijnlijk wel waarderen, zeker als je de voeding toch in twee gedeeltes geeft. Eerst een flinke hoeveelheid melk en na een pauze nog de kans om rustiger te zuigen. Want baby's die volop voeding krijgen zijn lang niet altijd voldaan, omdat ze aan dat ontspannen zuigen niet toekomen. Minder stimulans leidt tot minder productie, maar je moet daar heel voorzichtig mee zijn. In eerste instantie zal de borst die je niet gegeven hebt, erg gespannen aanvoelen en je doet er goed aan toch een beetje melk weg te laten lopen. Je kolft natuurlijk niet alles af, maar je zorgt ervoor dat er geen harde plekken ontstaan. Warme compressen of een dompelbad helpen.

De praktijk

Het toeschieten van de melk is soms niet alleen een probleem voor de baby. Het gebeurt ook wel eens dat het gepaard gaat met pijn. De tranen kunnen je in de ogen schieten. Probeer met behulp van warme compressen te bereiken dat de melkkanaaltjes zich al ontspannen voor je gaat voeden. Tel rustig tot tien, haal een paar keer diep adem. De pijn wordt in de loop van de weken geleidelijk minder.

• Als je merkt dat je met name uit één borst erg veel melk geeft, kun je naast alle bovengenoemde maatregelen ook nog overwegen, de baby eerst te laten drinken aan de 'rustige' kant. Door het toeschieten begint de overvolle borst te lopen. Je geeft hem die kant pas wanneer de grootste spanning eraf is.

• Warmte helpt om de melkstroom op gang te krijgen. Als je borsten erg gespannen zijn, kun je voorover leunen boven de wastafel met warm water en je borsten een dompelbad geven van een minuut of drie. De baby kan dan beter worden aangelegd.

• Koude vertraagt de bloedsomloop en zorgt ervoor dat de melkproductie enigszins wordt afgeremd. Na de voeding leg je ijskoude washandjes op je borsten om dat remmend effect te bereiken.

• Draag een bh die je een prettige ondersteuning geeft. Zorg ervoor dat er geen melkkanaaltjes worden afgekneld, met name onder je oksel en aan de onderkant van je borsten. Gebruik eventueel nog een poosje de luier-bh (zie blz. 58).

• Te veel melk en lekkende borsten gaan vaak samen. Goede hygiëne is belangrijk. Op blz. 82 vind je meer informatie.

• Als je meer produceert dan je baby verwerken kan, is het zaak heel alert te zijn op verstopte melkkanaaltjes die harde plekken veroorzaken in je borst. Problemen die daarmee samenhangen, komen in het volgende hoofdstuk uitvoerig aan de orde.

• Raadpleeg je arts over de mogelijkheid om met een geneesmiddel de

melkproductie af te remmen, als het je echt allemaal te veel wordt.
• Het evenwicht tussen vraag en aanbod moet worden bijgesteld, naarmate de baby groeit en meer nodig heeft. Je zult aan die extra behoefte zonder problemen kunnen voldoen. Maar zodra je begint met fruit- en groentehapjes moet opnieuw een evenwicht ontstaan. Geef daarom niet te snel bijvoeding; met zes maanden is vroeg genoeg.
• Maak je er geen zorgen over dat je kind veel zwaarder is dan al de andere baby's die je kent. Moedermelk is zo goed aangepast aan de eisen van groei en ontwikkeling, dat je daarmee niet de basis zult leggen voor een blijvend overgewicht. Je zult zien dat je kind op zijn 'eigen groeilijntje' terugkomt, tegen de tijd dat hij gaat kruipen en lopen.

Gelukkig zijn er dus wel een aantal ideeën, die je het leven met te veel melk wat eenvoudiger kunnen maken. In het kort komen ze hierop neer:
• druk wat melk uit, zodat je baby de borst goed kan pakken;
• laat de melk eerst toeschieten en weglopen, zodat hij rustiger kan drinken;
• kies een goede houding: bijvoorbeeld met de baby 'onder-je-arm', of op zijn buikje op je liggend;
• neem de baby van de borst voor de tweede toeschietreflex optreedt;
• voed regelmatig;
• laat de baby extra boeren, eventueel halverwege de voeding;
• voed niet vaker dan eens in de drie uur;
• drink zelf naar behoefte, maar overdrijf niet;
• geef een borst per voeding, in twee etappes;
• gebruik warme compressen bij een pijnlijke toeschietreflex;
• geef eerst de minder producerende kant, indien mogelijk;
• pas warmte toe voor de voeding;
• pas koude toe na de voeding;
• draag een goed steunende bh;
• lekken vraagt om goede hygiëne;
• reageer snel op een verstopt melkkanaaltje;
• vraag je arts desnoods of medicijnen kunnen helpen;

- doe kalm aan met vaste voeding;
- maak je geen zorgen over baby's 'overgewicht'.

Veel drinken, maar weinig aankomen

De samenstelling van moedermelk verandert in de loop van de voeding. De baby drinkt eerst om zijn dorst te lessen en pas daarna krijgt hij de iets vettere 'achtermelk'. Dit gegeven speelt een rol in de situatie waarin een moeder volop melk produceert, maar de baby niet tevreden is en bovendien niet goed groeit. Je hoort nogal eens dat de voeding dan te waterig zou zijn en dat je jammer genoeg niet geschikt bent voor het geven van borstvoeding. Het is een fabeltje gebleken dat de kwaliteit van moedermelk niet goed zou kunnen zijn.

Toch is er in bovengenoemde situatie iets niet in orde. De baby drinkt genoeg, huilt veel, groeit niet (voldoende) en heeft veel groenige waterdunne ontlasting. Luieruitslag hoort er ook vaak bij. Wat is er aan de hand?

Door de regel dat je aan beide borsten een vastgestelde tijd (zeven, tien minuten) moet voeden, kan het gebeuren dat je baby nog voornamelijk de minder vette 'voormelk' heeft gekregen, als je hem al van de borst afhaalt. Zeker als je volop melk produceert, komt hij er dan niet aan toe ook de calorierijke 'achtermelk' te drinken. De baby begint weer vol goede moed aan de tweede borst, maar ook daar krijgt hij in die tien minuten vooral de eerste melk voor de dorst. In hoeveelheid is het meer dan genoeg, de samenstelling is echter niet ideaal: te weinig vetten en in verhouding erg veel melksuiker. Melksuiker of lactose blijft constant op hetzelfde niveau en veel voeding betekent dus ook veel melksuiker.

Toch is de baby niet voldaan: al met al heeft hij weinig calorieën binnen gekregen. Er is niet veel vet in het maagje, waardoor de spijsvertering in hoog tempo haar werk kan doen. De baby is snel weer hongerig. Bovendien kan hij problemen hebben met het afbreken van al die lactose; hierdoor kan gisting ontstaan en dus gasvorming, krampjes en huilen.

Het wordt misschien een technisch verhaal. Maar toch is het daardoor beter te begrijpen, hoe het komt dat je, ondanks volop voeding, te maken kunt krijgen met een baby die nauwelijks aankomt. Want dat is een belangrijk deel van het probleem. (Huilen op zich kan ook wijzen op andere oorzaken, zoals bijvoorbeeld een niet bevredigde zuigbehoefte vanwege de aanhoudende melkstroom.)

De oplossing is eigenlijk heel eenvoudig en leidt vaak snel tot een verbetering van de situatie. Je kunt het beste per voeding één borst gaan geven en dan zo lang als je baby zelf wil drinken. Hij komt op deze manier ook aan de 'achtermelk' toe en krijgt een beter uitgebalanceerde voeding. Eventueel kun je ook van te voren even de spanning eraf kolven, zodat de baby rustiger drinkt.

8. Borstvoeding met pijn en moeite

Als vrouwen hun ervaringen met borstvoeding vertellen, sta je soms versteld van het doorzettingsvermogen dat ze aan de dag leggen. Ze hebben te kampen gehad met pijn en teleurstelling en met negatieve reacties van hun omgeving, maar ze hebben desondanks de moed niet opgegeven. Ook hoor je regelmatig dat iemand na een 'mislukte' borstvoeding het een volgende keer ontzettend graag echt goed over wil doen. Je zou je toch kunnen voorstellen, dat ze dan met dat borstvoedingsgedoe niets meer te maken wil hebben.

Er zijn problemen geweest, maar daar staat blijkbaar een onberedeneerd gevoel van voldoening tegenover. Borstvoeding geven is voor veel mensen heel veel moeite waard.

Gelukkig zijn de meeste problemen te voorkomen en als ze zich toch voordoen, zijn ze meestal ook weer op te lossen. Door onvoldoende hulp en inzicht duurt het vaak veel langer dan nodig is, voordat een moeilijkheid wordt herkend en aangepakt. En de moeders houden de moed er maar in. Of niet en dat is heel begrijpelijk.

Een baby is volledig afhankelijk van de zorg van een volwassene. Alleen al zijn uiterlijk roept de behoefte op om te zorgen. Dat het bieden van voeding en bescherming ook de volwassene bevrediging geeft, heeft ertoe bijgedragen dat de overleving van de soort niet in gevaar kwam: in zekere zin 'hoort' borstvoeding geven een prettige ervaring te zijn.

Inmiddels is een mensenkind om te overleven niet meer uitsluitend van de voedende moeder afhankelijk. Maar het gevoel dat zelf voeden voldoening geeft, is niet ingehaald door welke technologische ontwikkeling dan ook. De belangrijkste reden om borstvoeding te geven is misschien wel domweg dat je het graag wilt doen. Het is prettig.

In dit hoofdstuk gaan we na waarom borstvoeding geven soms pijn doet en wat er zo snel mogelijk aan te doen is om de pijn te verhelpen.

Pijnlijke tepels
Gedurende de eerste week dat je borstvoeding geeft, heb je last van een licht stekende pijn in de tepel, terwijl je baby de borst in zijn mondje trekt. Onze borsten zijn overbeschermd door kleding en misschien te weinig aanraking gewend. Vooral de rekbaarheid van de tepel kun je tijdens de zwangerschap wel enigszins bevorderen (zie blz. 39). De 'aanzuig'pijn is voorbij, zodra de melk gaat lopen.

Als je daarentegen, ook de eerste week, tijdens de hele voeding een vervelend gevoel blijft houden, dan komt dat door het feit dat je baby de borst niet goed heeft gepakt. Je doet er beter aan hem voorzichtig van de borst af te halen, en niet manmoedig af te wachten tot het overgaat. Verbreek eerst het vacuüm. Troost hem zo nodig, leg hem dan opnieuw aan en let daarbij op de punten die in hoofdstuk 4 uitgebreid aan de orde zijn gekomen. Als je tepels toch al gevoelig zijn geworden, kun je een heleboel doen om de situatie te verbeteren. Er is een aantal maatregelen mogelijk die verlichting geven, ongeacht de oorzaak van de problemen. Daarnaast is het natuurlijk belangrijk te achterhalen wat er precies aan de hand is, zodat je niet aan de gang blijft. In principe bestaan er twee vormen van pijnlijke tepels:
- je hebt een wondje (met of zonder korstje), een kloofje, of een blaar.
- de huid is geïrriteerd en ziet vurig rood.

Een combinatie kan ook.

Eerst een algemene opsomming van wat je kunt doen om de voedingen weer aangenamer te laten verlopen:
- Was je handen vóór je gaat voeden.
- Leg de baby heel zorgvuldig aan.
- Geef eerst de borst waar je het minste last van hebt. De melk is al toegeschoten als de baby aan de pijnlijke kant begint en bovendien zal hij dan minder hongerig aanvallen.
- Breng de melkstroom met de hand op gang voor je hem aanlegt, gebruik warme compressen, de jampotpomp (zie blz. 56).
- Ontspan je bewust.
- Houd vóór de voeding even een ijsklontje tegen de pijnlijke tepel; dat verdooft een beetje.

- Beperk de duur van de voeding; laat de baby niet meer zuigen als hij nauwelijks meer slikt.
- Voed vaak, zodat je borsten niet gespannen raken en je baby niet fanatiek hongerig wordt.
- Voed niet altijd in dezelfde houding, afwisseling zorgt voor een steeds andere druk van het mondje en de kaken van de baby. Houd hem ondanks je angst voor pijn dicht tegen je aan, zodat hij niet aan de borst of zelfs aan de tepel gaat 'hangen'.
- Neem hem voorzichtig van de borst af, met een vinger tussen zijn kaakjes. Druk op de borst kan ertoe leiden dat hij juist des te gretiger vasthoudt.
- Laat je borsten goed opdrogen na de voeding. Ga bijvoorbeeld een poosje voor een lamp van 60 Watt zitten op een afstand van ca. 45 cm.
- Vervang eventuele lekdoekjes regelmatig. Vermijd zoogcompressen met een laagje plastic.
- Draag een bh van katoen.
- Topless zonnen is ook lekker.
- Probeer je tepels aan de lucht bloot te stellen; draag theezeefjes, die niet indeuken in je bh! Of loop regelmatig zonder bh in een zacht katoenen T-shirt. Slaap zonder bh.
- Was je borsten dagelijks, zonder zeep, maar niet voor en na iedere voeding.
- Laat wat druppels moedermelk op de tepels opdrogen, vanwege de genezende werking. (Er zijn culturen waar moedermelk een beproefd middel is bij oogontstekingen!) Let op: laat dit achterwege als spruw de oorzaak van de problemen is.
- Gebruik een vette crème – met mate! – als de tepels droog zijn. Overtuig je ervan dat het product geen kwaad kan voor de baby en dus niet afgepoetst hoeft te worden, bijvoorbeeld ongeparfumeerde lanoline (wolvet), kamillosan, eucerine. Maar gebruik in geen geval iets waar je overgevoelig voor bent. Smeer niet de top van de tepel dicht. Gebruik geen A-D druppeltjes (met het risico dat de baby er steeds wat van binnenkrijgt), of uierzalf.
- Peuter niet aan korstjes of blaren.
- Neem zo nodig een pijnstiller, maar niet bij elke voeding.

Mocht de pijn je te erg worden om te voeden, dan kun je overwegen tijdelijk je melk af te kolven. Over het algemeen is kolven met de hand in deze situatie het prettigst, omdat de zuigkracht van een kolf de huid van de tepel of het kloofje mogelijk nog verder zal irriteren. Geef je de voorkeur aan een kolf, let er dan bijzonder goed op dat deze precies past op je borst. Over afkolven vind je uitgebreide informatie in het volgende hoofdstuk.

Wondjes

De huid van de tepel is eerst gevoelig en kan dan stukgaan. De oorzaak van kloven of blaren ligt praktisch altijd in de manier waarop de baby is gaan drinken. De pijn neemt soms af tijdens de voeding. Wat er met het aanleggen niet goed is gegaan, kun je wel enigszins afleiden uit de plek waar het wondje is ontstaan: op het topje van de tepel, op de grens tussen tepel en tepelhof, of alleen aan de onderkant van de tepel. Verloopt het aanleggen eenmaal goed, dan zijn deze tepelproblemen vaak heel snel achter de rug.

Het kan gebeuren dat de baby wat bloed of wondvocht binnenkrijgt. Waarschijnlijk schrik je ervan als hij met een boertje roze melk teruggeeft. Het kan voor de baby helemaal geen kwaad, maar het is voor jezelf wel hoog tijd om het probleem aan te pakken. Hoe?

Als de gevoelige plaats zich juist op het topje van de tepel bevindt, komt dat door wrijving van je tepel tegen het gehemelte van de baby. Hij krijgt de borst naar boven gericht in de mond, hetzij doordat je de borst aan de bovenkant indrukt, hetzij doordat je onderuitgezakt (in bed?) zit te voeden. De tepel wijst dan naar boven. Misschien ben je ook gewoon zo gebouwd!

- Zorgvuldig aanleggen is de belangrijkste oplossing voor dit probleem.
- Neem de baby in de onder-je-arm houding (zie blz. 77), zodat je meer controle hebt over de situatie.
- Steun je borst aan de onderkant met je hand tegen je ribben, zodat de tepel meer naar beneden wijst.
- Ga goed rechtop zitten met voldoende steun in je rug.

• Druk eventueel wat melk uit, zodat de baby goed kan pakken en meteen wat proeft.

Heb je een kloofje op de plaats waar tepel en tepelhof in elkaar overgaan, dan wordt dat meestal ook veroorzaakt door een verkeerde wijze van aanleggen. De baby is alleen op de tepel gaan zuigen: je ziet een klein pruimemondje tijdens de voeding, of kuiltjes in de wangetjes, die hij naar binnen heeft gezogen. Hij heeft het mondje niet ver genoeg opengedaan om goed te happen. Soms is stuwing ook de reden dat de baby geen greep krijgt of kan houden op de tepelhof.

• Probeer zo nodig de tepelhof leeg te drukken en leg heel zorgvuldig aan.
• Wacht rustig af tot hij het mondje wijd genoeg opent, alsof hij geeuwt. Kietel het onderlipje, druk zachtjes tegen het kinnetje.
• Trek hem op dat moment heel dicht tegen je aan.
• Bedenk dat de pijn minder zal zijn als hij ook de tepelhof kan pakken. Vraag aan degene die helpt om je arm te sturen: de baby moet met de kin tegen de borst aan drukken. Ook zijn neusje ligt er tegenaan.
• Neem hem van de borst af, zodra je merkt dat hij nog niet goed heeft gehapt, of als hij voortdurend kort en oppervlakkig blijft zuigen. Misschien moet je een paar keer opnieuw beginnen, maar laat hem niet op je tepel kauwen.

Pijn of een wondje alleen aan de onderkant van de tepel wijst er op, dat de baby ook op zijn eigen onderlipje zuigt tijdens de voeding. De onderlip hoort naar buiten gekruld te zijn. De extra wrijving veroorzaakt pijn.

• Terwijl de baby drinkt, kun je de onderlip naar buiten trekken. Misschien moet je dat zelfs een paar keer herhalen. Deze maatregel geeft meteen verlichting.
• Een klein beetje vette crème zal ook verzachtend werken.
• Voed in wisselende houdingen.

Een geïrriteerde huid

Als verkeerd drinken van de baby de oorzaak is van de problemen, hebben de meeste vrouwen er praktisch alleen last van tijdens de voeding. Bij een irritatie van de tepels blijft de pijn echter voortduren, ook na de voeding. De huid ziet licht- tot vurig rood en je zou er het liefst helemaal niet meer aankomen. Het kan gaan om een overgevoeligheidsreactie op een bepaalde crème, (die je bent gaan gebruiken omdat de baby je pijn doet bij het voeden), op een wasmiddel of wasverzachter. Ook kan de huid schraal geworden zijn door desinfecterende sprays of door een andere vorm van overdreven hygiëne of tepelvoorbereiding. Daarnaast is spruw vaak de boosdoener.

Overgevoeligheid

Dit probleem kan zich voordoen, ook al ben je allang gewend aan het voeden. De branderigheid strekt zich soms uit tot over de hele tepelhof. Bij een overgevoeligheidsreactie ligt het voor de hand dat je zo snel mogelijk het verdachte product uitbant. Het kan wel een dag of tien duren voor je huid weer helemaal hersteld is.

- Na de voeding geven koude, natte compressen misschien verlichting.
- Ben je met een bepaald smeerseltje begonnen omdat je pijn had tijdens het voeden, wees er dan op bedacht dat die pijn veroorzaakt kan worden doordat je baby nog niet goed heeft leren drinken. Oefen geduldig samen het aanleggen.
- Gebruik elk middel kritisch; wat een vriendin hielp, helpt jou misschien van de wal in de sloot.
- Raadpleeg de huisarts of een huidarts; als er sprake is van een vorm van dermatitis of van eczeem is een gerichte behandeling op zijn plaats.
- Als je een speciale crème krijgt voorgeschreven, gebruik die dan met mate, nadat je de borsten eerst heel goed hebt laten opdrogen. Smeer de melkuitgangen niet dicht. Het middel moet in principe voor de volgende voeding helemaal in de huid zijn opgenomen. Vraag na hoe lang je ermee door moet gaan.

Spruw

Spruw wordt veroorzaakt door een op zich onschuldige schimmelinfectie en kan zorgen voor langdurige moeilijkheden. Hoe zorgvuldig je de baby ook aanlegt, de tepels blijven in dit geval pijnlijk, zowel tijdens als na de voeding.

Tepel en tepelhof zijn vaak rood of licht gezwollen, soms ontdek je ook kleine witte plekjes of schilfertjes. Kloofjes kunnen de zaak compliceren. Je kunt last hebben van jeuk en een stekend gevoel door de hele borst.

Mocht je dit soort problemen krijgen na weken voeden zonder zorgen, dan is spruw gewoonlijk de oorzaak. Maar deze infectie kan zich ook in de eerste week voordoen. De kans bestaat dat er dan niet aan spruw wordt gedacht.

De baby kan tijdens de geboorte besmet zijn geraakt; het gaat hier namelijk om de schimmel Candida albicans die ook de zogenaamde witte vloed veroorzaakt. Vrouwen met diabetes hebben er sneller last van. Ook gebruik van antibiotica kan een aanleiding zijn voor spruw op de tepels. Bij de baby openbaart de infectie zich meestal als spruw in het mondje: je ziet witte plekjes op de tong, op de kaakjes en in de keelholte. Gelukkig levert dat maar zelden problemen op bij het drinken. Soms lijkt de mond schoon, maar ontwikkelt de baby een hardnekkige, branderige luieruitslag, waarbij de huid kan vervellen.

Al met al een heel vervelende situatie, die je snel te lijf moet gaan, want de schimmel gedijt uitstekend op moedermelk.

Wat kun je doen?

- Het heeft geen zin alleen de borsten of alleen de baby te behandelen: je besmet elkaar over en weer.

Dring er dus bij je behandelend arts op aan (dat is helaas wel eens nodig), dat je zowel voor het mondje van de baby als voor je tepels een geneesmiddel krijgt. Meestal is dat nystatine of miconazol orale gel.

- Breng na elke voeding de orale gel met een schone vinger of een wattenstaafje aan in de wangholtes; niet in het keeltje om verslikken te voorkomen.
- Voor de tepels en tepelhof gebruik je nystatinezalf of miconazolzalf of -crème in een dun laagje na elke voeding. Zorg ervoor dat de voorgeschreven dagelijkse dosering niet overschreden wordt.
- Soms is het nodig de luieruitslag ook gericht te behandelen, evenals een mogelijke vaginale infectie. Overleg daarover met je arts.
- Houd de behandeling vol (gewoonlijk 14 dagen), ook al zie je eerder

resultaat. Anders kun je weer van voren af aan beginnen.

- Een andere mogelijkheid is het gebruik van gentiaan-violet, 0,25 tot 0,5% in waterige oplossing, niet langer dan twee, hoogstens drie dagen. Je kunt het zonder recept krijgen. Smeer het mondje van de baby en de tepels een keer per dag na de voeding zorgvuldig in met dit paarse spul. Pas op voor vlekken. Veel vrouwen hebben bij dit middel erg veel baat gehad. Stop ermee als je na drie dagen geen verbetering ziet. Langdurig gebruik van gentiaan-violet kan leiden tot ernstige irritatie van de slijmvliezen.
- Wees extra attent op goede hygiëne. Was je handen, vervang zoog-compressen bij elke voeding of vaker.
- (Fop)spenen moeten dagelijks worden uitgekookt en na een week worden vervangen.
- Ook een kolf moet nog nauwkeuriger dan anders worden schoon-gemaakt en gesteriliseerd. Bewaar nu gekolfde voeding niet voor later, ook niet ingevroren.
- Houd ook speeltjes die de baby in het mondje stopt goed schoon.
- Een enkele keer reageer je pas goed op de behandeling, als deze wordt gegeven in de vorm van een geneesmiddel dat je inneemt. Dit kan no-dig zijn als stekende pijn door de borst heen, een van je klachten is. Zie ook blz. 155.

Je ziet dat de juiste aanpak van tepelproblemen nauw samenhangt met de oorzaak ervan. Een gerichte behandeling kan heel snel tot resultaat lei-den. En dat moet ook wel, want voeden met zoveel pijn houdt niemand lang vol. Vergeet niet dat we dit hoofdstuk begonnen zijn met een op-somming van maatregelen, die in ieder geval verlichting kunnen geven.

Andere tepelproblemen

Tot slot nog een paar verschijnselen die zich minder vaak voordoen:

- Soms overkomt het je dat je tepels er steeds na de voeding heel wit uitzien. Waarschijnlijk heb je dan tijdens de voeding ook voortdurend pijn gehad, en wijst die witte kleur erop dat de tepel op een of andere manier in de knel is gekomen. De bloedtoevoer is daardoor vermin-derd. Voorzichtige massage helpt. Door goed aanleggen kun je dit pro-bleem voorkomen. Bij pijn niet doorvoeden.

• Ook kan het gebeuren dat zulke witte tepels het gevoel van winterhanden oproepen. Je hebt er vooral na het voeden veel last van: van wit worden ze rood en gaan jeuken. Een mogelijke oplossing is, ervoor zorgen dat de melk voor het aanleggen al is toegeschoten, bij voorbeeld met behulp van warme, vochtige compressen. Voed in een warme ruimte en zorg ook na de voeding voor voldoende warmte.
• Witte plekjes op de tepel, veroorzaakt door een beetje opgedroogde melk, komen in het volgende gedeelte aan de orde. Dit verschijnsel hangt namelijk vaak samen met een verstopt melkkanaaltje.
• Psoriasis is een chronische huidaandoening die, juist door de voortdurende huidbelasting van het zogen, ook aan de tepels problemen kan veroorzaken. Er is een gerichte behandeling mogelijk, zodat je toch borstvoeding kunt blijven geven. Raadpleeg de specialist.
• Een nieuwe zwangerschap terwijl je borstvoeding geeft, merk je niet zozeer aan het feit dat je borsten zwaarder worden. Deze keer zijn het vooral je tepels die ineens gevoeliger zijn. De oorzaak ervan is hormonaal. Afhankelijk van de leeftijd van je baby zul je een keuze maken: nog even doorgaan of niet (zie ook hoofdstuk 12). Hoeveel last je van deze gevoeligheid hebt en hoe snel het weer overgaat, is heel persoonlijk. Ontspannen en wat korter voeden geeft misschien al verlichting.

Tepelhoedjes; tepelbeschermers; speen op de borst: wat moeten we ermee?
De vorm van de tepels maakt het voor de baby wellicht moeilijk om goed te 'pakken'. Heel vaak komen dan al snel tepelhoedjes of zelfs flessenspenen te voorschijn om het de baby gemakkelijker te maken. Een andere reden voor het gebruik ervan is pijn bij het voeden.

Zowel bij 'lastige' als bij pijnlijke tepels biedt het gebruik van een van deze hulpmiddelen meestal geen oplossing; integendeel, vaak wordt het van kwaad tot erger.

Bij kleine, vlakke of ingetrokken tepels is het vooral tijdens de eerste week soms heel moeilijk om de baby goed aan te leggen. De stuwing maakt het er niet eenvoudiger op. Probeer de eerder beschreven suggesties (blz. 54 'stuwing', en blz. 99 'mijn baby wil niet happen').

Ook is al aan de orde gekomen hoe je tijdens de zwangerschap de vorm van de tepels kunt verbeteren, door dagelijks enige uren borstschelpen in je bh te dragen (zie blz. 41). Gebruik de borstschelpen zo nodig ook nog steeds een half uurtje voor de voeding, of kolf wat melk af vlak voor je de baby aanlegt.

Steun je borst goed bij het aanleggen; knijp de tepelhof zeker niet samen. Een moeilijke tepel verbeter je daarmee niet. Druk eventueel de hele borst tegen de ribben.

Regelmatig komt het voor dat de baby met slechts één tepel grote moeite heeft. Desnoods kun je die kant dan tijdelijk afkolven en af en toe eens rustig met hem oefenen. De kans is groot dat hij het toch doorkrijgt, als hij wat meer ervaring heeft opgedaan. De baby leren de borst pakken met behulp van een speen over de tepel, of met een tepelhoedje, is echt een noodmaatregel.

Ook voor gevoelige tepels zijn tal van andere oplossingen mogelijk.

Wat zijn de bezwaren?

• De huid van de tepel en tepelhof wordt niet genoeg gestimuleerd. Prikkeling is nodig voor het op gang komen van de melkstroom: het toeschieten.

• De kaakjes van de baby oefenen in de meeste gevallen onvoldoende druk uit op de voorraadholtes onder de tepelhof, waardoor de baby ook niet genoeg binnen krijgt. Alleen bij tepelbeschermers die helemaal van siliconenmateriaal zijn gemaakt, heeft de baby wat meer houvast.

• De baby zuigt hard zonder veel resultaat.

• De melkproductie is afhankelijk van de vraag. Tepelhoedjes leiden daarom vaak tot minder melk.

• Een ander belangrijk bezwaar is dat de baby het hulpmiddel ook weer moet ontwennen en dat zijn vaardigheid om goed te zuigen er danig door in de war gebracht kan worden.

• De voedingen verlopen minder rustig. Zodra de baby de tepel naar buiten heeft getrokken, moet je het tepelhoedje proberen te verwijderen en hem snel opnieuw aanleggen.

• De tepel komt niet ver genoeg in het mondje van de baby. Er ontstaat druk van de kaakjes op de tepel in plaats van op de tepelhof, of wrijving tegen de binnenkant van het tepelhoedje. Daardoor kunnen (nieuwe) tepelkloofjes ontstaan.

• Voed je met een speen of tepelhoedje, dan zul je in de meeste situaties niet erg op je gemak kunnen zitten: discreet voeden is lastig geworden.

Heb je het idee dat het gebruik van een tepelhoedje toch een goede oplossing is, zorg er dan in ieder geval voor dat de gaatjes in het speentje groot zijn. Meestal wordt het topje van een flessespeen afgeknipt. De baby moet anders te veel moeite doen en raakt ook gewend aan de lange speen. Kies een speen die van onderen ruim genoeg is. Als ontwenning kun je elke dag een stukje meer van het tepelhoedje afknippen.

Het tepelhoedje wordt beter vastgezogen, als je het eerst nat maakt met warm water. Ga hygiënisch te werk: goed uitwassen met heet water na elk gebruik, en in geval van wondjes aan de tepel of spruw, eenmaal per dag uitkoken.

Pijnlijke borsten

Bij pijn in de borst, harde plekken of een borstontsteking, is er praktisch altijd sprake van een probleem met het doorstromen van de melk. Het is belangrijk er snel wat tegen te ondernemen, omdat vaak van het een het ander komt. Soms treden de klachten op in de eerste weken, als vraag en aanbod nog op elkaar afgestemd moeten raken. Maar ook maanden later kun je ermee te maken krijgen.

Pijn in de borst kan van vrij onschuldige aard zijn, en vanzelf weer overgaan:

• Het tintelend gevoel dat samengaat met het toeschieten van de melk wordt door sommige vrouwen echt als pijn ervaren (andere voelen helemaal niets). Zoals gezegd bieden bewuste ontspanning en warmte verlichting. Gelukkig neemt deze pijn af, als je lichaam zich wat meer op het voeden heeft ingesteld.

• Je borsten kunnen ook gespannen en overvol zijn geraakt, omdat je langere tijd niet gevoed hebt. Als je baby dan een of twee keer goed en lang genoeg drinkt, is het probleem weer opgelost.

• Vooral de eerste weken voel je vaak, vlak voor de voeding, door de hele borst de melkkliertjes zitten. Het zijn duidelijke knobbeltjes. Maar ook later hebben sommige vrouwen regelmatig, voor ze gaan voeden, een of twee harde plekjes in de borst, zonder dat ze er veel last van hebben. Zolang de borst na de voeding maar weer soepel aanvoelt, is er geen reden om speciale maatregelen te nemen.

Verstopt melkkanaaltje

Als je ook na de voeding een harde plek in je borst blijft voelen, wijst dat erop dat de melk niet goed is doorgestroomd. De plek is pijnlijk bij aanraking en de huid wordt wat roder. Het kan ook zijn dat een groter gedeelte van de borst gevoelig is en dat je er bijvoorbeeld last van hebt als je je bukt, of als je een kind op schoot neemt. In eerste instantie heb je vaak een grieperig gevoel: spierpijn, stijve nek, hoofdpijn. Als je als voedende moeder denkt dat je een griepje aan voelt komen, houd er dan rekening mee dat het kan gaan om een verstopt melkkanaaltje of een beginnende borstontsteking. Je kunt je voorstellen dat oververmoeidheid (ijzertekort?) hierbij op de achtergrond ook een rol speelt.

Vrouwen met een overvloedige melkproductie hebben een grotere kans dat ze met dit probleem te maken krijgen.

Je vraagt je om te beginnen af, of je een bepaalde reden kunt vinden voor zo'n verstopt melkkanaaltje.

- Ben je minder voedingen gaan geven? Sliep de baby voor het eerst de nacht door?
- Zijn de laatste voedingen onrustig of gehaast verlopen (veel bezoek, feestdagen, spanning), zodat de melk niet goed kon toeschieten?
- Heb je last van pijnlijke tepels? Tengevolge van pijn schiet de melk soms niet goed toe. Mogelijk komt daarbij een verhoogd risico van infectie, wanneer de huid van de tepel beschadigd is.
- Draag je een bh, die eigenlijk niet lekker zit en de boel afknelt, met name 's nachts? Of schuif je je bh omhoog om te voeden?
- Zouden de banden van een babydraagzak een dergelijke druk kunnen veroorzaken?
- Voed je steeds in dezelfde houding?
- Duw je tijdens de voeding op je borst om het 'neusje vrij te houden'?
- Soms wordt een melkuitgang afgesloten door een kleine hoeveelheid

opgedroogde melk. Vlak onder de tepelhof ontstaat dan een verstopping.

Herken je een of meerdere van bovengenoemde oorzaken, dan kun je daar in ieder geval wat aan doen; ook om herhaling in de toekomst te voorkomen. Dus: niet overhaast voedingen minderen, bewust ontspannen en de tijd nemen voor de borstvoeding, goed aanleggen, knellende banden vermijden en geen druk op de borst uitoefenen.

Daarnaast moet de doorstroming van de pijnlijke borst zo snel mogelijk weer normaal worden. Dat kun je bevorderen door de volgende aanpak:

• Voed vaker dan je gewend was en geef de pijnlijke kant als eerste. Eventueel begin je kort aan de goede kant, totdat de melk is toegeschoten. Wil je baby niet vaker drinken, dan kun je de pijnlijke borst proberen af te kolven, totdat de spanning wat minder is. Warmte helpt daarbij.

• Probeer een houding te kiezen, waarbij de melk vanuit de pijnlijke plek van boven naar beneden naar de baby loopt. Of voed zo dat het kinnetje van de baby dicht in de buurt van het verstopte kanaaltje is.

• Masseer de borst voorzichtig tijdens het voeden in de richting van de tepel. Je kunt dat ook doen met behulp van een fijn (baby)kammetje en wat olie.

• Drink voldoende.

• Doe rustig aan.

• Gebruik warme of koude compressen. Warmte bevordert de doorstroming en ontspant. Leg elk half uur een heet vochtig washandje op de pijnlijke plek. Als je gaat slapen of rusten, kun je een ouderwetse rubberkruik in je armen nemen!

Koude vertraagt de bloedsomloop en vermindert mogelijk de kans op een ontsteking. Bij een gloeierig gevoel kan kou ook verlichting geven. Het is heel persoonlijk. Laat in ieder geval de borst voor de voeding goed warm worden, ook om het toeschieten te bevorderen; een warm compres tijdens de voeding helpt ook.

• Vul de wastafel met heel warm water en hang daar een poosje voorover met je borsten in. Herhaal dit een paar keer per dag.

• Als de pijnlijke plek zich dicht bij de tepelhof bevindt, kan het zijn dat je te maken hebt met een verstopte melkuitgang. Je ziet soms een klein wit plekje op de tepel, waar zich onder de huid wat melk verzameld heeft: een melkblaar. Je kunt zo'n blaar voorzichtig doorprikken met een gesteriliseerde naald. Het doet geen pijn en de melk stroomt weg.
• Ook kan een propje vette, melkachtige substantie de doorgang versperren. Probeer voor de voeding het kanaaltje weer vrij te maken door met de hand te masseren. Gebruik warme compressen, neem een douche of ga in bad. Ook in dit geval lukt het soms om met een steriele naald een propje of korreltje uit de melkopening te verwijderen.
• Veel vrouwen vinden baat bij een kwarkcompres. Je doet wat kwark in een dun washandje en legt dat maximaal tien minuten op de gevoelige plek.
• Als je een crème voor de tepels gebruikt, doe dat dan met mate en ontzie met name de melkuitgangen. Deze zitten niet per definitie alleen op het topje van de tepel!
• Misschien wil je nog even nakolven, tot je borsten soepeler aanvoelen. Maar bedenk dat ze nooit echt leeg zijn.

Meestal merk je een duidelijke verbetering binnen een à twee etmalen. Als je op de hoogte bent van de verschijnselen die bij een verstopt melkkanaaltje horen, zul je er snel op kunnen reageren. Door een juiste aanpak is in veel gevallen het ontstaan van een borstontsteking te voorkomen.

Borstontsteking

Het verschil tussen een verstopt melkkanaaltje en een borstontsteking wordt bepaald door de vraag, of je er wel of geen koorts bij hebt. De klachten lijken verder heel sterk op elkaar; je hebt er alleen nog meer last van. De oorzaak ligt meestal eveneens in het niet goed doorstromen van de borst. Resten melk roepen van het lichaam een reactie op: de borst wordt rood, hard en pijnlijk. Er hoeft geen infectie van buitenaf aan te pas te komen. Soms hangt een borstontsteking wel samen met een bacteriële infectie. De kans daarop wordt groter wanneer je tepels beschadigd zijn, lekdoekjes niet vaak genoeg vervangen worden, de natuurlijke weerstand van de huid verminderd is, of je eigen conditie te wensen overlaat. Borstontsteking ontstaat meestal aan één kant. Wanneer beide borsten tegelijk ontstoken raken, kan dat wijzen op een oorzaak van buiten af. Raadpleeg dan in ieder geval een arts; het is mogelijk dat je baby ook een infectie heeft.

De minder ernstige klachten van een verstopt melkkanaaltje vormen meestal een waarschuwing voor een borstontsteking. Maar zo gaat het niet altijd. Je kunt er ook enorm door overvallen worden: binnen een paar uur heb je flinke koorts. Je bent echt ziek. Hoe beroerd je je ook voelt, dit is niet het moment om met de borstvoeding te stoppen. Eerst moet in ieder geval de doorstroming weer optimaal zijn.

Alle adviezen die je hierboven hebt kunnen lezen, zijn ook in deze situatie van toepassing: vaker voeden, goede houding, ontspanning, meemasseren, drinken, compressen. Daarnaast let je op het volgende:

- Ga naar bed. Dat zal vaak niet eenvoudig te realiseren zijn, het is wel heel belangrijk.
- Zie je vanwege de pijn echt tegen de voeding op, gebruik dan een pijnstiller. Overleg eventueel met arts of apotheker.
- Houd je temperatuur in de gaten. Is deze na 24 uur niet gedaald, raadpleeg dan zeker de huisarts.
- Je kunt een antibioticum voorgeschreven krijgen, waarbij je doorgaat met voeden. Maak de kuur af, ook al knap je snel weer op. En blijf desondanks kalm aan doen!
- De melkproductie kan wat teruglopen (hoewel bedrust voor sommige vrouwen leidt tot een toename); de baby drinkt vaker en zal dus niet gauw tekort komen.
- Een antibioticum kan invloed hebben op de ontlasting van de baby, en kan ook je eigen weerstand verminderen. Zorg goed voor jezelf; sommige mensen slikken extra vitamine C. Spruw kan nu wellicht gemakkelijker optreden: let op luieruitslag, onverwacht gevoelige tepels.
- Om tijdelijk het toeschieten van de melk te bevorderen, kun je eventueel Syntocinon gebruiken. Het is alleen op recept verkrijgbaar.

Hoewel een borstontsteking op het moment zelf ontzettend vervelend en pijnlijk is, valt het vaak mee hoe snel alles ook weer achter de rug is. Je zult in de toekomst misschien alerter reageren op de eerste aanwijzingen dat de melk niet goed door kan stromen. Rustig aan, vaker voeden en warmte toepassen zijn dan de eerste maatregelen.

Terugkerende borstontstekingen

Na meer dan één borstontsteking wordt het moeilijker om de moed erin te houden. Soms krijg je er opnieuw last van, als je medicijnen nog maar amper op zijn. Je krijgt de indruk dat ze helemaal niet werken. Reden daarvoor kan zijn dat de kuur te kort is geweest, bijvoorbeeld maar vijf of zeven dagen. Of misschien helpt een ander type antibioticum beter.

Het is heel moeilijk vast te stellen of, en welke, bacteriën verantwoordelijk zijn voor de ontsteking. Ook als er niets aan de hand is, zullen in moedermelk bacteriën gekweekt kunnen worden. Borstvoeding geven is nu eenmaal geen steriele aangelegenheid. Toch is goede hygiëne belangrijk, zeker als de hele familie grieperig is. Als je al wat langer voedt, word je vaak steeds nonchalanter. Let op regelmatig vervangen van lekdoekjes, was je handen. Behandel spruw zorgvuldig, zoals in het stukje over gevoelige tepels staat aangegeven, om een chronische infectie van tepels en borsten te voorkomen.

Waar moet je dus op letten?

- Maak je kuur af; vraag om een langere kuur of om een ander middel.
- Ga hygiënisch te werk, maar vermijd overdreven gepoets, waardoor de natuurlijke weerstand van de huid juist vermindert.
- Neem er de tijd voor uit te zieken.
- Probeer ook daarna af en toe extra te rusten.
- Eet gezond. Als je herhaaldelijk last hebt van propjes melk die de uitgangen afsluiten, zou je volgens sommige onderzoekers gebaat kunnen zijn bij een aanpassing van je dieet: meer meervoudig onverzadigde vetzuren.
- Laat je ijzergehalte controleren.
- Voorkom dat je borsten overvol worden.

In drukke tijden is de kans groter dat je regelmatig last hebt van een beginnende borstontsteking. Het probleem is alleen dat de zorg voor kleine kinderen onvermijdelijk veel werk, en vermoeidheid, met zich meebrengt. Misschien bestaat de mogelijkheid je minder druk te maken.

Veel vrouwen hebben de ervaring dat ze vaak kort voor de menstruatie een borstontsteking krijgen. Soms lijkt de baby de melk dan ook minder lekker te vinden, of meer last te hebben van krampjes. De verklaring voor dit alles is nog niet gevonden. Veel zout in je voeding kan samenhangen met een toegenomen vatbaarheid voor infecties. Een paar dagen voor de menstruatie houd je ook meer vocht vast. Probeer deze dagen dus wat minder zout te gebruiken. Ook in melk zit veel zout. Anderen vinden dat de situatie verbetert door minder koffie te drinken.

Een abces

Het komt tegenwoordig nog maar heel zelden voor dat een borstontsteking zich ontwikkelt tot een abces: een opeenhoping van pus. Het kan ontstaan wanneer je tijdens een borstontsteking stopt met voeden, of wanneer de ontsteking niet (op tijd) behandeld wordt. Er blijft een harde plek zitten, ook na de voeding en de koorts is dagenlang hoog.

Meestal zal een arts onder plaatselijke verdoving een kleine incisie (sneetje) maken om het abces leeg te laten lopen. Soms is tijdelijk een drain nodig. Al met al ben je in een heel vervelende situatie verzeild geraakt. Of je de zieke borst kunt geven, hangt af van de grootte van het abces; met een drain moet je waarschijnlijk tijdelijk afkolven. Ook als de bewuste plek vlak bij het mondje van de baby komt, is dat natuurlijk beter. Het kan zijn dat er nog wat voeding uit de wond lekt. Over het algemeen geneest het goed.

Het is niet nodig de borstvoeding op te geven, al is het goed voor te stellen dat je daar zelf wel aan toe bent. Laat je niet ontmoedigen door een teruglopende melkproductie. Daar is wel een oplossing voor te vinden.

Stekende pijn in de borst

Wie een borstontsteking achter de rug heeft, zal beamen dat dat een pijnlijke geschiedenis is. Gelukkig duurt zoiets niet lang en is er heel wat aan te doen. Veel minder duidelijk is, wat we moeten denken van de klachten over een stekende pijn in de borst. Het komt niet vaak voor, maar wordt als een ernstig probleem ervaren.

Meestal gaat het om een brandende of vlammende pijn door de hele borst, gedurende korte of langere tijd na de voeding. De pijn treedt vooral op gedurende de eerste weken en blijkt heel geleidelijk over te gaan. Bovendien komt deze klacht waarschijnlijk wat meer voor bij vrouwen die voor de eerste keer een kind aan de borst hebben. Deze twee factoren leiden tot de volgende veronderstelling:

Het melkproductiesysteem in de borst is nog onwennig. Meteen na de voeding wordt het klierweefsel geprikkeld tot melkaanmaak, en dat veroorzaakt spanning en misschien kramp in de kanaaltjes.

Als je ervan uitgaat dat deze verklaring een grond van waarheid bevat, dan is behalve geduld oefenen, de toepassing van warmte een mogelijke 'oplossing'. Door de borsten steeds goed warm te houden bevorder je de bloedsomloop en de algehele ontspanning. Leg vast handdoeken klaar op de verwarming als je gaat voeden; je kunt ze ook heet maken met het strijkijzer, of compressen met warm water gebruiken. Uit Engeland komt de tip een kop hete thee te drinken. Wie weet kunnen wisselbaden helpen.

Maar het kan ook zijn dat er iets anders meespeelt. Een schimmelinfectie met 'Candida albicans' leidt mogelijk ook tot die stekende pijn in de borsten. De kans dat spruw inderdaad de boosdoener is, neemt toe naarmate er ook andere klachten zijn, zoals pijnlijke, rode tepels, witte plekjes in de mond van de baby, een lastige luieruitslag, of vaginale afscheiding (witte vloed). Maar ook zonder deze andere verschijnselen moet spruw als oorzaak niet worden uitgesloten. Behandeling als was het spruw kan de pijn verminderen. Je kunt daarover meer vinden op blz. 144.

Tenslotte nog een minder ingewikkelde verklaring voor borstpijn.

Misschien zit je in een slechte houding, niet goed gesteund, onderuit gezakt of voorover geleund, krampachtig. Let bij het aanleggen niet alleen goed op je baby, zorg ook voor jezelf.

Mastopathie

Sommige vrouwen hebben erg veel last van hun borsten, ook als deze niet 'in functie' zijn. De klachten worden samengevat met de term 'mastopathie', letterlijk: borstlijden. Je hebt dan regelmatig knobbeltjes in je borsten. Het kan gaan om cystes, met vocht gevulde blaasjes, of om verdikkingen van het bindweefsel en het klierweefsel (fibro-adenomen). Deze knobbeltjes zijn wel goedaardig, maar zorgen steeds voor de nodige schrik en veroorzaken bovendien vaak behoorlijk veel pijn. Het kan ook om één knobbel gaan. Dit is heel wat anders dan de harde plek bij een borstontsteking, die immers gepaard gaat met koorts, roodheid van de huid en een grieperig gevoel.

Tijdens een zwangerschap heb je misschien in het begin meer last van mastopathie, maar later kunnen de problemen juist wat minder worden. Dat komt door de invloed van de progestagenen, de zwangerschapshormonen. Helaas ervaart niet iedereen dat zwanger zijn een gunstig effect heeft op de mastopathie, integendeel. Hetzelfde geldt eigenlijk voor borstvoeding geven. Er zijn vrouwen die stoppen met voeden omdat zij het te pijnlijk vinden. Anderen vinden het een verademing een tijdlang minder of zelfs geen klachten te hebben. Er is nog veel te weinig onderzoek gedaan naar het verschijnsel mastopathie om te kunnen voorspellen, wat voor invloed zwangerschap en zogen hebben op de verschillende vormen ervan.

Bij de Stichting Mastopathie kun je terecht voor vragen, steun en advies. Zie de adreslijst achter in dit boek.

Bloed in de moedermelk

Dit is een zeldzaam verschijnsel. Je merkt pas dat je baby met de voeding ook wat bloed binnen heeft gekregen, als hij bij het boeren een beetje teruggeeft. Tot je schrik spuugt hij roze melk. Het kan ook zijn dat je kolft en dan tot de ontdekking komt dat er bloed met de melk meekomt. Er zit geen wondje aan de tepel, en je hebt er ook geen last van. Op zich kan het voor de baby geen kwaad, al wordt hij er misschien misselijk van als de hoeveelheid wat groter is. Kolven is dan beter. Je moet er wel zeker van zijn, dat het inderdaad om bloed uit de borst gaat, en dat het niet van de baby afkomstig is. In het laatste geval moet een arts de baby zeker nakijken.

Soms merk je al in het laatste trimester van de zwangerschap dat er af en toe wat bloed uit je borsten komt. In de meeste gevallen gaat het om een gesprongen bloedvaatje of om een pukkeltje in een melkgang (papilloma), dat is gaan bloeden door de veranderingen in de borst. Dit verschijnsel kan zich nog voordoen gedurende de eerste twee weken na de bevalling, aan een of aan beide kanten. Je ziet vaak dat het bij een volgend kind weer optreedt, of dat het in de familie voorkomt. Het gaat vanzelf binnen een paar weken weer over. Toch is het verstandig je verloskundige of arts te vertellen wat er aan de hand is. Blijft het bloeden langer aanhouden, dan zal naar een andere oorzaak gezocht moeten worden.

9. Afkolven en de combinatie van borstvoeding en een baan

Waarom afkolven?

Kolven verruimt je mogelijkheden. De vraag of je borstvoeding wilt gaan geven, wordt misschien eenvoudiger te beantwoorden als je weet dat je moedermelk ook kunt afkolven. Moeder en kind zijn wel aan elkaar gehecht en lichamelijk op elkaar aangewezen, maar het is toch heel praktisch als je niet dag in, dag uit, alle maanden met dezelfde grote regelmaat bij elkaar hoeft te zijn. Het is in onze samenleving nu eenmaal niet meer zo dat baby's overal mee naar toe kunnen.

Het kan gaan om een feest of een begrafenis, of om een vaste verplichting buitenshuis van werk of studie. Een ziekenhuisopname in het gezin kan voor een onverwachte ontwikkeling zorgen. Als je langer dan vier tot vijf uur niet bij je baby zult zijn, kun je het beste je melk afkolven. Je voorkomt daarmee dat je borsten overvol worden, en dat je lichaam als reactie op die spanning de melkproductie gaat matigen. Bovendien kun je moedermelk achterlaten, die je al eerder had afgekolfd. Degene die voor de baby zorgt, kan hem jouw voeding geven. Het is ook mogelijk dat hij tijdens je afwezigheid kunstmatige zuigelingenvoeding krijgt.

Heel anders is de situatie, wanneer je alleen door kolven de borsten moet stimuleren om melk te gaan produceren voor je pasgeboren kind. In het volgende hoofdstuk gaan we dieper in op de problemen die je kunt ervaren als je baby te vroeg geboren wordt, of om een andere reden in het ziekenhuis moet blijven. Kolven komt je bijvoorbeeld ook van pas:

- als je borsten gespannen zijn door stuwing;
- als je extra wilt stimuleren bij te weinig melk;
- als je wat voeding weg wilt laten lopen bij een overvloedige productie;
- als je de vorm van je tepels vlak voor de voeding wilt verbeteren, zodat de baby gemakkelijker kan happen;

• of als je zo'n last hebt van je tepels dat je het voeden even niet kunt verdragen.

De omstandigheden

De redenen waarom je gaat kolven kunnen erg uiteenlopen. De gevoelens waarmee je eraan begint worden daardoor beïnvloed: is het een keuze of bittere noodzaak? Net als bij gewoon borstvoeding geven, hebben emoties invloed op het succes van deze onderneming.

We hebben eerder het onderscheid gemaakt tussen melk maken en melk geven. Dat laatste proces kan gemakkelijk worden verstoord door onwennigheid, verlegenheid, spanning, pijn, ongerustheid en verdriet. Je hebt de omstandigheden niet altijd in de hand: als je baby ziek is, brengt dat allerlei zorgen met zich mee. Maar ook als je geheel volgens plan je baan weer oppakt, kan dat even tegenvallen wanneer het (zo snel al) zover is. Bovendien is het belangrijk dat je van het kolven geen hooggespannen verwachtingen hebt. De eerste paar keer gaat het misschien helemaal niet. Oefening baart kunst.

Probeer er in ieder geval voor te zorgen dat de praktische omstandigheden gunstig zijn.

• De plek waar je zit is van belang. Je moet niet gestoord worden en je er zo veel mogelijk op je gemak kunnen voelen.
• De ruimte moet lekker warm zijn. Hang een trui over je schouders.
• Als je hulp nodig hebt, vraag er dan om. Vertel ook gerust dat je tegen het kolven opziet, er geen zin in hebt, of wat dan ook.
• Bedenk wat op jou een ontspannende invloed heeft: muziek, ademhalingsoefeningen, iets te drinken, zingen.
• Ga lekker zitten, met ontspannen schouders, iets voorover geleund.
• Zorg dat je alles bij de hand hebt: kolf, schaaltje of kopje, een handdoek, en zeker ook een glas drinken.
• Masseer je borsten en tepels met warme handen, op een manier die je lekker vindt.
• Misschien kan bijvoorbeeld je partner je schouders en nek masseren, terwijl je gaat kolven.
• Je kunt de sessie ook beginnen met een warm dompelbad voor je borsten, of met warme, vochtige compressen.

• Soms geef je je melk gemakkelijker als je naar een foto van je baby kijkt. Of stel je voor hoe hij ontspannen tegen je aan ligt.
• Het toeschieten van de melk kan eventueel op gang gebracht worden met behulp van Syntocinon. Deze neusspray helpt je misschien net over de drempel. Meestal heb je Syntocinon maar kort nodig. Het is alleen op recept te krijgen.
• Neem de tijd om te oefenen met een volle borst, als dat mogelijk is. Zo kun je 's ochtends één kant geven en de andere kant afkolven.
Al deze suggesties zijn vooral bedoeld voor de periode dat je het kolven nog onder de knie moet krijgen. Later doe je het zonder problemen tussen de bedrijven door, zeker als je in verband met je werk heel regelmatig gaat afkolven.

Welke methode?

Er zijn heel wat verschillende mogelijkheden om je melk af te kolven. Welke de beste is, hangt samen met de reden waarom je kolft, hoe vaak en waar. Daar komt nog bij dat iedereen een persoonlijke voorkeur heeft, om wat voor reden dan ook. Het kan prima gaan met de ene kolf, maar veel minder goed met de andere. Meestal komt dat gewoon doordat je vertrouwd bent geraakt met een bepaalde manier van afkolven.

Welke methode je ook toepast, neem er altijd even de tijd voor je borsten te masseren. Daardoor kan de melk van achter in de borst naar de voorraadholtes onder de tepelhof gaan stromen. Neem je borst tussen je beide handen, hetzij met de duimen bovenop en de vingers eronder, of met een hand boven en de andere onder de borst. Laat je handen stevig over de borst glijden, van achter naar voren, maar zorg ervoor dat je jezelf geen pijn doet. Maak een regelmatige masserende beweging en ga de hele borst rond. Als je wat olie op je handen doet, moet je er goed op letten dat er niets van op de tepelhof en tepel terecht komt, en daardoor mogelijk in de melk. Voor de afwisseling kun je met je vingertoppen ritmisch je borst masseren, in kleine cirkels, van achter tot aan de tepelhof. Leun voorover en schud je borsten; het is geen gezicht, maar het helpt. Masseer ook de tepels.

Je kunt kiezen tussen: kolven met de hand (dus zonder apparaat), een van de vele handkolven, een batterijkolf, of een elektrische kolf.

Met de hand

Het is erg praktisch als je goed met de hand kunt kolven. Je bent dan nergens van afhankelijk. Hoe gaat het?

- Was eerst goed je handen, zorg voor korte nagels.
- Gebruik een wijd kopje om de melk in op te vangen, aangezien de straaltjes soms alle kanten uit gaan. Was het van tevoren met heet water uit. Als je baby in het ziekenhuis ligt, moet je bespreken hoe steriel je te werk moet gaan.
- Laat nu je borst in je hand rusten, vingers eronder, duim erop, net aan de rand van de tepelhof.
- Duw de borst tegen je ribben aan.
- Knijp duim en vingers ritmisch in een schaarbeweging samen en naar voren, vlak achter de tepelhof. De voorraadholtes die eronder liggen worden zo leeggedrukt.
- Je kunt ook een golvende beweging maken, door achtereenvolgens met je pink, ringvinger, middelvinger en wijsvinger druk uit te oefenen.
- Je vingers moeten niet over de huid glijden; ze blijven op dezelfde plek, maar rollen op en neer over de huid alsof je een goede vingerafdruk achter wilt laten.
- Het duurt even voor de eerste druppels of straaltjes komen.
- Verplaats je hand regelmatig, zodat je alle melkkanaaltjes bereikt.
- Pauzeer even om je borst opnieuw te masseren, zodat er weer melk toe kan stromen.
- Komt er niet veel meer, rust dan even, drink wat, masseer de andere borst en kolf die af.
- Zo kun je een aantal keren afwisselen. Droog af en toe je handen af.
- Kolf tot er geen melk meer komt; het heeft geen zin om langer door te gaan. De eerste keren ben je niet erg lang bezig.
- Welke hand je voor welke borst gebruikt is niet belangrijk; en hoe hard je moet drukken, is heel persoonlijk.

Als je eenmaal geleerd hebt hoe je moet kolven, ben je er waarschijnlijk in 15 tot 20 minuten mee klaar. In het begin is het misschien handig om de ene borst te kolven, terwijl de baby aan de andere kant drinkt. De melk is dan al toegeschoten. Ook in bad of onder de douche kun je de handbewegingen goed oefenen.

Handkolven

Er zijn tegenwoordig veel verschillende typen kolven te koop, die met de hand bediend worden. Het is lastig een keuze te maken. Informeer bij de borstvoedingorganisaties of er een contactpersoon bij je in de buurt is, bij wie je de meeste kolven kunt bekijken.

• Als je een kolf wilt aanschaffen, moet je rekening houden met de hygiëne: kunnen alle onderdelen die met melk in aanraking komen worden gesteriliseerd? Kijk ook of er meteen een flesje aan de kolf kan worden geschroefd. Een nadeel van een handkolf is dat dubbelzijdig afkolven niet mogelijk is.

• Een cylinderkolf ontleent de zuigkracht aan het op en neer schuiven van twee cylinders, vergelijkbaar met het systeem van de fietspomp. Er ontstaat een vacuüm, waardoor de melk uit de tepelhof wordt getrokken en in de buitenste cylinder terecht komt. De zuigkracht is goed te regelen door de kolf meer of minder uitgetrokken op de borst te zetten en hem met een bepaalde snelheid, over een bepaalde afstand, heen en weer te bewegen. Sommige merken hebben losse opzetstukken, waarmee je de trechtermond goed passend kunt maken. Het is belangrijk dat de kolf nauwkeurig aansluit, en dat de tepelhof er ook in valt. Voel ook of de trechtermond geen scherpe rand heeft. Het vacuüm en dus het functioneren van de kolf hangt af van de rubberring aan de binnenste cylinder. Let erop of deze los verkrijgbaar is. Dit type kolven is goed schoon te maken.

• Er zijn trekkolven die een begrensde en regelbare zuigkracht hebben. Je hebt ook bij deze kolf beide handen nodig.

• Dan heb je nog een kolf waarbij je door het indrukken van een handgreep het pompen tot stand brengt. Je kunt de kracht regelen door hard of minder hard te knijpen. Vrouwen met kleine handen raken misschien sneller vermoeid. Let weer op de verkrijgbaarheid van passtukken voor de trechtermond en op scherpe randjes. Over het algemeen zijn de onderdelen minder gemakkelijk schoon te maken dan bij een cylinderkolf.

Batterijkolf

De batterijkolf is klein en gemakkelijk met één hand te bedienen. Het is een vrij kwetsbaar apparaat. De zuigkracht is in principe constant en moet geregeld worden door steeds even met een vinger een knopje in te drukken. Een batterijoplader is noodzakelijk. De motor maakt over het algemeen weinig geluid. Let weer op de aanpasbaarheid van de trechtermond.

Elektrische kolf

Er bestaan twee typen elektrische kolven: volautomatisch en halfautomatisch. De eerste zorgt voor een ritmische zuigkracht, die vergelijkbaar is met het zuigen van een baby. Bij de andere regel je zelf het ritme, over het algemeen door je vinger op een gaatje in de luchtslang te houden. Elektrisch kolven kost weinig inspanning. Zeker als je het voor langere tijd moet gaan doen is dat een groot voordeel. Veel vrouwen kunnen zich gemakkelijker ontspannen; het is goed mogelijk om intussen wat te lezen of een boterham te eten! Anderen reageren juist negatief op zo'n apparaat, omdat het hun doet denken aan een melkmachine, hoewel de meeste vrij geruisloos zijn. Ziekenhuizen hebben over het algemeen een (volautomatische) elektrische kolf ter beschikking. Met een dubbele afkolfset gaat het kolven veel efficiënter.

Borstvoedingsorganisaties en Thuiszorgwinkels beschikken over up to date informatie over adressen en over de prijzen van alle typen kolven.

Hoe ga je te werk met een kolf?

- Zorg voor gunstige omstandigheden (zie boven), zodat je je melk gemakkelijk kunt geven.
- Lees eerst de gebruiksaanwijzing.
- Was je handen.
- Zorg voor schoon of zo nodig steriel materiaal, een schone handdoek.
- Leun wat voorover, zodat je tepel schuin naar beneden wijst, en laat je armen rusten op een leuning, tafel of kussen.
- Kies de juiste maat trechtermond en zet de kolf zo op de borst dat de tepel precies in het midden komt.

• Misschien heb je een apparaat waarmee je dubbelzijdig kunt kolven. Dat is niet alleen efficiënt, het werkt ook prolactineverhogend: gunstig voor de melkproductie.

• Oefen, indien mogelijk, de eerste paar keer vlak nadat je gevoed hebt. De melk is dan al toegeschoten. Het doet er niet toe dat er niet erg veel melk meer komt, maar je kunt in ieder geval ontdekken welke zuigkracht prettig voelt. Je moet wennen aan je kolf.

• Als je begint te kolven, stimuleer je de toeschietreflex door het intensieve zuigen van de baby al pompend te imiteren. Zodra je druppels of een straaltje melk ziet komen, houd je het vacuüm vast en laat je de melk rustig lopen, zonder te pompen.

• Wacht tot er nauwelijks meer iets komt, verbreek het vacuüm en neem een flinke slok drinken. Masseer nog even en begin dan opnieuw.

• Giet de afgekolfde melk tussentijds over, als de kolf met melk erin minder prettig werkt.

• Als er niets meer komt, wissel je van borst, ongeacht de hoeveelheid melk die je (pas) verzameld hebt. Daarna weer en nog eens, zodat je bijvoorbeeld elke borst afwisselend twee of drie keer hebt afgekolfd.

• Kolven geeft een ander gevoel dan een baby aan de borst, maar het mag zeker niet pijnlijk zijn.

Hoe vaak en wanneer kolven?

Het antwoord op deze vraag is natuurlijk afhankelijk van je situatie.

• Wanneer je de borstvoeding alleen met kolven op gang moet brengen, kun je dat de eerste paar dagen het beste iedere twee à drie uur doen, al is het maar even. Verwacht niet dat er al direct melk zal komen. Je borsten hebben de tijd nodig om de productie op te starten, net als wanneer je baby wel bij je kan drinken. Daarna is elke drie tot vier uur vaak genoeg.

• Als je kolft op je werk, is het in principe het beste om te kolven op de tijden dat je anders zou voeden. Dat is niet altijd te verwezenlijken. Om de melkproductie op peil te houden is het wel belangrijk, dat er geen groot verschil ontstaat tussen de ene dag en de andere. Een enkel keertje overslaan kan echter voor de meeste vrouwen geen kwaad.

• Misschien wil je kolven om een voorraadje van je eigen voeding achter de hand te hebben. Doe dat dan tussen twee voedingen in. De melk wordt meteen nadat je gevoed hebt, weer volop aangemaakt. Je kunt zo niet in één keer voldoende afkolven voor een volledige voeding, maar je verzamelt aardig wat. Als je baby weer wil drinken, kan dat na anderhalf à twee uur ook. Maak je er geen zorgen over dat hij misschien wat minder krijgt: hij haalt dat de volgende keer wel in. Je kunt je baby ook aan één kant voeden en de andere borst leegkolven. Vooral bij de eerste voeding 's ochtends gaat dat vaak goed, omdat je dan toch veel melk hebt.

• Wil je moedermelk verzamelen, omdat je op een bepaalde dag een of meer voedingen over moet slaan, probeer het dan zo te organiseren dat je daar al een paar dagen van tevoren mee begint. Door extra te kolven worden je borsten gestimuleerd om meer melk te maken. Het kan erg onhandig zijn als je, op de dag dat je niet bij je baby bent, 'barst' van de melk, omdat je net een dag eerder zo veel vaker met voeden en kolven in de weer bent geweest.

Je kolft om voeding achter te laten, maar op de dag dat je weg bent, moet je ook kolven om te voorkomen dat je last krijgt van verstopte melkkanaaltjes. Je lichaam is ingesteld op een bepaalde regelmaat.

Hoeveel kolven?

Je kolft af zolang het lekker gaat. Wissel regelmatig van borst en vergeet niet tussen de bedrijven door te masseren en te drinken. Als er geen melk meer komt, heb je genoeg gekolfd, ook al is het misschien niet veel. Volgende keer beter. Als je er te lang mee doorgaat, schiet je er niets mee op. Het heeft meer zin om vaak te kolven, dan om er per keer heel lang mee bezig te zijn.

Bewaren van afgekolfde melk

Giet de melk meteen na het kolven over in een flesje of in een kunststof doosje, dat je van tevoren hebt uitgekookt of met kokend heet water hebt omgespoeld. Glas heeft het nadeel, dat een gedeelte van de cellen van moedermelk er als het ware aan blijft kleven en dus voor de baby verloren gaat. Voor een gezond kind is dat echter geen enkel probleem. Als je baby in het ziekenhuis ligt, krijg je waarschijnlijk gesteriliseerde flesjes mee. Schrijf altijd de datum en/of de tijd op bakje of fles, en voor het ziekenhuis ook de naam van je kind. Sluit de flesjes en zet ze meteen in de koelkast. Gekoelde melk blijft zeker 48 uur goed. Bewaar wat je over een periode van 24 uur hebt afgekolfd eventueel bij elkaar, of maak porties van een halve dag. Laat eerst de vers gekolfde melk in de koelkast goed afkoelen en giet deze dan pas bij je voorraadje van die dag. Als je de melk moet vervoeren, zorg er dan voor dat ze koud blijft. Gebruik bijvoorbeeld een kleine koelbox met elementen. In babyspeciaalzaken zijn hiervoor isolerende flesomhulsels van piepschuim te koop.

Laat de baby wat van zijn voeding staan, dan moet die na ongeveer een uur echt weggegooid worden. Niet opnieuw bewaren en zeker niet bij een ander flesje in de koelkast gieten.

Moedermelk kan ook ingevroren worden, binnen 24 uur na het kolven. Laat de voeding eerst afkoelen in de koelkast. Kleine flesjes en allerlei kunststof doosjes zijn geschikt. Houd wat extra ruimte over, omdat de melk gaat uitzetten. Maak kleine porties, want eenmaal ontdooid mag de voeding niet opnieuw worden ingevroren. Zonde als je je eigen melk weg moet gooien! Ontdooide voeding, die nog niet is opgewarmd, kun je nog gedurende 24 uur gebruiken. Het is ook handig een ijsblokjesbakje van kunststof voor het invriezen te gebruiken. Eerst met kokend water omspoelen. Dek het bakje tijdens het invriezen af met folie. Je kunt de blokjes daarna overdoen in speciale diepvrieszakjes, in porties van drie, vijf of tien. Als er voor een voeding net niet voldoende melk voor je baby blijkt te zijn, hoeft er voor een klein tekort geen grote reserve te worden aangesproken. Controleer wel welke maat blokje door de hals van het flesje past. Vergeet niet de datum op het flesje, doosje of zakje te zetten.

Hoe lang je de ingevroren melk kunt bewaren hangt af van de wijze van invriezen. In het aparte diepvriesvak (twee sterren) van een koelkast is moedermelk twee weken houdbaar; in een diepvrieskast die -18C. wordt, kun je de afgekolfde melk drie tot zes maanden goed houden.

De voedingswaarde van moedermelk verandert niet door invriezen; er gaat wel een deel van de levende cellen verloren. Toch blijft de beschermende werking na invriezen en ontdooien in stand.

Hygiëne
Als je klaar bent met kolven en de melk in de koelkast is opgeborgen, maak je meteen de kolf schoon. Haal hem eerst zo veel mogelijk uit elkaar; overal kan melk tussen zitten. Bij een cylinderkolf verwijder je bijvoorbeeld ook de rubberring. Spoel alle onderdelen eerst met koud water af. Was ze daarna met heet water en spoel grondig na. Ten slotte gebruik je een stuk onbedrukte keukenrol of een schone handdoek om alles goed af te drogen.

Uitkoken doe je eens per dag, als je voor een baby kolft die ziek of te vroeg geboren is. Anders is één keer per week voldoende. Haal de kolf uit elkaar en spoel eerst alle melk af. Leg alle onderdelen van glas of kunststof in ruim water in een grote pan, eventueel op een spuugdoekje om kapot rinkelen te voorkomen. Breng het water aan de kook en laat het zeker vijf minuten zachtjes doorkoken. Rubber onderdelen en spenen laat je alleen de laatste minuut meekoken.

De baby en de fles
In veel gevallen zal je baby de afgekolfde melk uit een flesje gaan drinken. Uitzondering is de situatie waarin het drinken aan de borst nog moeizaam verloopt, en het raadzaam is om bij te voeden met een kopje of met het Supplemental Nursing System (zie hoofdstuk 7). Een te vroeg geboren baby krijgt de moedermelk soms eerst via de sonde.

Een baby die aan borstvoeding gewend is, moet leren hoe hij uit een fles kan drinken. Wacht met oefenen tot de borstvoeding zowel voor jezelf als voor je baby gemakkelijk gaat. Met een week of vier zijn jullie er waarschijnlijk wel allebei voldoende mee vertrouwd geraakt. Je hebt dan minder kans dat de baby door het zuigen aan de speen 'vergeet' hoe hij de borst moet pakken. Anderzijds kun je beter ook niet al te lang wachten met het aanbieden van een flessespeen. Sommige baby's weten er geen raad mee of weigeren absoluut, als ze met een maand of drie pas voor het eerst een fles krijgen. In ieder geval blijkt het minder verwarrend te zijn, wanneer een ander dan de moeder de fles geeft. Een baby herkent al heel jong de lichaamsgeur van zijn eigen moeder en hij zal bij jou misschien verwoed gaan zoeken naar de borst waaraan hij gewend is. Afleiding, zoals bij borstweigeren (zie blz. 101), kan ook nu helpen. Geef eventueel eerst een flesje (gekookt en weer afgekoeld) water om te oefenen. Sommige baby's accepteren dat gemakkelijker dan melkvoeding. Probeer een speen te vinden die hij prettig vindt: een afgeplatte, die meer op de tepel lijkt, of juist een heel klein speentje.

De hoeveelheid per voeding is afhankelijk van gewicht, leeftijd en behoefte. Een vuistregel is 150 cc per kg lichaamsgewicht per dag. Voor een baby die 8 pond weegt, is dat bij voorbeeld 4 x 150 = 600 cc over een hele dag; per voeding wordt dat ongeveer 100 cc.

Had je de voeding in de koelkast bewaard, dan kun je die heel eenvoudig op lichaamstemperatuur brengen in een pannetje warm water (au bain marie), of in een flessewarmer.

Ingevroren voeding laat je bij voorkeur langzaam ontdooien in de koelkast. De voeding moet dan binnen 24 uur gebruikt worden. Een andere mogelijkheid is de melk te ontdooien onder een stromende kraan, die van koud steeds warmer (maar niet heet!) wordt gezet. Zodra de melk vloeibaar is geworden, warm je de benodigde hoeveelheid op tot lichaamstemperatuur. Gebruik geen magnetron voor het opwarmen van moedermelk. De kwaliteit gaat erdoor achteruit en de verhitting kan heel ongelijkmatig zijn. Restjes voeding moet je na ongeveer een uur wegdoen.

De combinatie van borstvoeding en een baan

Vrouwen hebben vandaag de dag meer verplichtingen en interesses dan uitsluitend het eigen gezin. Toch is het nog wat anders of je regelmatig de deur uitgaat voor vrijwilligerswerk, een cursus of een studie, dan voor een betaalde baan. Je kunt er behoorlijk tegenop zien om je werk weer op te pakken, als je baby nog zo jong is. En dat je je kind dan ook nog borstvoeding wilt blijven geven, vindt men op je werk misschien overdreven. Reacties van je naaste omgeving kunnen minder uitgesproken negatief zijn. Veel vrouwen krijgen niettemin het gevoel, dat ze anderen in ieder geval niet lastig moeten vallen met hun keuze baby, borst en baan te combineren.

Toch zou het heel reëel zijn dat de maatschappij er ook waarde aan hecht, dat kleine kinderen (de volgende generatie) de best mogelijke zorg krijgen. Zo ver zijn we nog niet: dat je je gewaardeerd voelt, juist omdat je borstvoeding kiest voor je kind. De wens kinderen te krijgen heeft voor vrouwen over het algemeen nog steeds andere consequenties dan voor mannen. Het bevallingsverlof en de mogelijkheid ouderschapsverlof op te nemen, maken het gelukkig gemakkelijker om samen met een nieuw kind een goede start te maken. Maar de borstvoedingsperiode kan langer duren dan het bevallingsverlof. En dan begint vaak het geschipper: als niemand er maar moeilijk over doet, last van mij heeft...

De wet

Het is goed je te realiseren dat in de wet is bepaald, dat je als vrouw die borstvoeding geeft bijzondere rechten hebt. Het gaat om wetten uit 1919 en uit 1931, die begin jaren negentig herzien zijn. In de oude wetgeving was al vastgelegd dat '... aan een vrouwelijke arbeider, die een borstkind heeft en hiervan heeft kennis gegeven, behoorlijk gelegenheid wordt gegeven haar kind te zogen'. Je kunt hieruit dus niet afleiden gedurende hoeveel maanden, hoe vaak per dag en hoe lang per keer je mag voeden, en evenmin waar de baby intussen blijft. Aan afkolven op het werk werd in die tijd blijkbaar helemaal niet gedacht.

Er zijn enkele rechterlijke uitspraken geweest over de uitleg van de wet. Hieruit blijkt, dat de werkgever wel verplicht is de vrouw de gelegenheid te geven onder werktijd thuis te gaan voeden. Maar dat geldt alleen als er op het werk geen ruimte beschikbaar is, waar zij in de nodige rust en afzondering de borst kan geven. Hoe de baby bij haar komt, is de verantwoordelijkheid van de ouders. De werkgever hoeft geen voorzieningen te treffen, zodat het kind tijdens de tussenliggende uren op het werk kan blijven.

Een andere uitspraak van de rechter komt erop neer dat de werkgever, op grond van 'goed werkgeverschap', bereid moet zijn het dienstrooster van de vrouw aan te passen aan de voedingstijden van de baby, zodat zij zoveel mogelijk thuis kan voeden. De duur van de voeding wordt als werktijd beschouwd en dus doorbetaald.

In het onderwijs geldt een aparte, maar soortgelijke regeling, waarbij je als leerkracht geen recht hebt op een vervanger tijdens de voedingen. Je afwezigheid moet worden opgevangen door collega's: niet altijd even eenvoudig om je dan ontspannen terug te trekken.

De huidige arbeidstijdenwet is van kracht per 1 januari 1995 en geeft veel meer houvast. In het voorstel voedingsrecht lezen we:

- Een werkneemster die een borstkind voedt, heeft, indien zij de werkgever hiervan in kennis heeft gesteld, gedurende ten hoogste negen maanden na de geboorte van het kind, het recht de arbeid te onderbreken, om in de nodige rust en afzondering het kind te zogen of om te kolven.
- Als zij tenminste drie uur per dag arbeid verricht, heeft zij er recht op om voor het voeden in ieder geval een vierde van de totale arbeidstijd per dag te gebruiken. (In vier uur werktijd op een dag mag je dus een uur voeden.)
- Voor het kolven geldt bovendien dat de onderbreking in ieder geval per keer tenminste een half uur moet bedragen.
- De onderbrekingen worden beschouwd als werktijd.

Deze bepalingen zijn van toepassing op alle vrouwelijke werknemers; er is geen uitzondering gemaakt voor het top-management. Het is de taak van de werkgever om, in overleg met de zwangere werkneemster, te komen tot een door haar gewenste regeling voor het geven van borstvoeding.

Het Ministerie van Sociale Zaken en Werkgelegenheid geeft o.a. voorlichting over de combinatie borstvoeding en betaalde arbeid. Er is een publikatieblad 'zwangerschap en arbeid'. Hierin vind je informatie over borstvoeding en werken, maar ook over verlofregelingen, risico's op het werk, en dergelijke zaken. Bij het 2ZW informatiecentrum kun je allerlei voorlichting vinden over sociale zekerheid; kijk op www.kennisring.nl. Ook de FNV heeft aandacht voor vrouwen, werk en zorg: www.fnvvrouwenbond.nl. Steeds vind je de aanbeveling terug, om al voor het ingaan van het zwangerschapsverlof te overleggen en tot afspraken te komen. Misschien blijkt de praktijk straks toch anders, maar de werkgever heeft dan in ieder geval tijd genoeg om de nodige maatregelen te treffen. Je geeft zo de mensen op je werk ook de kans om vast aan het idee te wennen.

De praktijk

Het is een geruststellend idee dat je wens om je kind zelf te blijven voeden, in theorie op het werk goed gerealiseerd kan worden. In de praktijk heb je niet alleen te maken met regelingen, maar ook met de houding van de mensen om je heen. Kruip echter niet te gauw in je schulp. De tijd die je voor een voeding nodig hebt, zal liggen tussen een half uur en drie kwartier. Tot een maand of vier drinkt een baby elke tweeëenhalf à drie uur, van vier tot zes maanden is dat elke drieenhalf à vier uur. Bij veel kinderen zijn de tijden tussen de voedingen 's morgens langer dan 's middags. Deze cijfers kunnen je werkgever tegenvallen. Zowel voor jezelf, je baby en de borstvoeding, als voor je werkomgeving is het meestal gunstig om een lang bevallingsverlof te hebben. Je kunt dan weer meer aan, omdat je de tijd hebt kunnen nemen om aan je rol van moeder te wennen. En hoe ouder je baby is, des te minder vaak heeft hij een borstvoeding nodig. Na zes maanden kan de tijd dat je weg bent, min of meer overbrugd worden met een hapje vaste voeding.

• Soms is het mogelijk om aansluitend aan je verlof vakantiedagen op te nemen. Je werkgever kan dat weigeren. Het nadeel is natuurlijk dat je dan de rest van het jaar niet of nauwelijks nog vrije dagen hebt.

• Onbetaald verlof betekent geen inkomsten, maar het kan je ook nog geld gaan kosten. Soms moet je in dat geval namelijk zelf zowel het werknemers- als het werkgeversdeel van premies voor sociale verzekeringen en pensioen betalen. Vaak is dit niet zo, als het onbetaald verlof korter dan een maand duurt.

• Als je in deeltijd werkt, zal de organisatie van de borstvoeding vanzelfsprekend minder ingewikkeld zijn. Misschien is het alleen tijdelijk een goede oplossing, afhankelijk van je functie. Volgens de Wet Ouderschapsverlof mag iedere ouder, voor het kind vier jaar is, gedurende een aaneengesloten periode van zes maanden minder gaan werken; maar in ieder geval nog minstens 20 uur per week. In principe krijg je niet uitbetaald over de niet gewerkte uren, maar sommige bedrijven hebben een aanvullende regeling. Het verlof mag ingaan op een door jou bepaald tijdstip, maar het moet wel ruim van tevoren besproken worden. Na afloop van het verlof pak je je eerdere werktijden weer op. Ook over deze regeling wordt door het Ministerie van Sociale Zaken informatie verschaft.

• Zoals gezegd moet een goede werkgever bereid zijn, om in onderling overleg te komen tot een aanpassing van je werktijden aan de voedingstijden van je baby, zodat je zoveel mogelijk voedingen zelf thuis kunt geven. Je kunt bijvoorbeeld 's ochtends later beginnen, nadat je al twee voedingen hebt gegeven, of aan het eind van de middag eerder naar huis gaan om te voeden. Is het haalbaar om tussen de middag naar huis of naar de oppas te gaan, dan heb je misschien een langere lunchpauze nodig.

• Thuis betaald werk doen lijkt veel eenvoudiger. Ook als je werkgever akkoord gaat, moet aan nog een aantal voorwaarden voldaan zijn: je moet een rustige werkplek hebben en je moet geconcentreerd kunnen werken ondanks de nabijheid van je baby. Het zou het mooiste zijn, als iemand anders tijdens je werkuren de verantwoordelijkheid draagt voor je kind (behalve dan voor de voeding) en voor het huishouden. Anders heb je voor je het weet een driedubbele taak.

Afspraken

Je doet er goed aan om tijdig met je werkgever te gaan praten over de situatie, die na de bevalling zal ontstaan. Zeker als je nog niet eerder hebt gevoed, lijkt je dat misschien moeilijk. Je bent er zelf nog onzeker over hoe het allemaal zal lopen. Anderzijds zal het je een rustig gevoel geven, als je weet dat alles goed is geregeld.

Het is prettig als je in je werkkring niet de eerste bent die een baan met borstvoeding geven wil combineren. Zowel je werkgever als je collega's zijn dan al aan het idee gewend en hopelijk is hun ervaring positief geweest. Praat erover en vraag ook aan een 'collega-moeder' wat zij de voornaamste problemen vond, en hoe ze die heeft aangepakt. Overleg met je naaste collega's is in ieder geval belangrijk, omdat zij degenen zullen zijn die er het meeste mee te maken krijgen. Als je afwezig bent om te voeden of te kolven, moeten ze je misschien vervangen.

Zet je plannen op papier, voor je met je werkgever gaat overleggen. Bedenk wat voor jou ideaal is, maar ga ook na met welke oplossing je eventueel genoegen kunt nemen. Het is per slot van rekening een overleg. Als het nodig is, kun je een beroep doen op je vakbond, een ondernemingsraad of de medezeggenschapscommissie. Je hebt er immers wettelijk recht op je kind in werktijd te voeden, of om af te kolven.

Wat zijn de mogelijkheden?
Bij een keuze tussen de verschillende praktische oplossingen spelen de volgende zaken o.a. een rol: de aard van je werk, je werktijden (vast of flexibel), de faciliteiten op je werk, de afstand tussen je werk en je kind (thuis, crèche, oppas), en het vervoer. Met deze vragen in je achterhoofd moet je kiezen tussen de volgende mogelijkheden:
- je baby meenemen naar je werk;
- je baby voor de voedingen bij je laten brengen;
- voor de voedingen naar je baby toegaan;
- afkolven op je werk en de baby onder werktijd moedermelk laten geven;
- afkolven op je werk om de productie goed op gang te houden, terwijl de baby onder werktijd flesvoeding krijgt. Op vrije dagen geef je dan volledig borstvoeding;
- geleidelijk minder borstvoedingen gaan geven voor je weer gaat werken, en alleen nog voeden op tijden dat je thuis bent.

Een combinatie van oplossingen kan natuurlijk ook, afhankelijk van de wisselende lengte van je werkdag, of van de leeftijd van je kind. Een baby die al wat groter is, heeft meer aandacht nodig dan alleen tijdens voeden en verschonen. Mee naar het werk wordt dan lastiger.

Alle mogelijkheden hebben plus- en minpunten:
- Je werkgever is niet verplicht het goed te vinden, dat je je baby de hele dag meeneemt. Je kunt het wel voorstellen als je denkt dat het haalbaar is. Er moet een geschikte, rustige ruimte zijn, en je moet zelf niet teveel worden afgeleid. Het succes van deze onderneming zal voor een groot deel afhangen van het karakter en de leeftijd van je baby, maar ook van je eigen persoonlijkheid en van de aard van je werk. Het is zeker een groot voordeel dat je je baby gewoon kunt voeden en dat geen van beiden daarvoor op en neer hoeft te reizen.

• Als je baby voor de voedingen bij je gebracht kan worden, verlies je zo weinig mogelijk tijd op het werk. Maar voor de oppas en de baby is het vaak een hele belasting, zeker bij slecht weer, of als het een grote afstand betreft. Spreek af of je baby op vaste tijden gebracht zal worden. Naar behoefte voeden is op deze manier zelden te doen.

• Voor je baby is het veel rustiger, als je naar hem toekomt om te voeden. Als je niet vlak bij je werk woont, heb je misschien een oppas of een crèche in de buurt. Zo gauw het om een grote afstand gaat, wordt het bezwaarlijk om voor de voeding op en neer te reizen. Bovendien krijg je soms alleen de tijd doorbetaald die je nodig hebt om te voeden en beschouwt men reistijd als 'eigen tijd'. Dat betekent dat je die tijd aan het begin en/of einde van je werkdag moet inhalen, zodat je langere dagen maakt. Als het reizen voor de voeding wel als betaalde werktijd geldt, moet je nagaan of je dan nog genoeg tijd overhoudt om je werk te doen. In beide gevallen heb je extra reiskosten.

• Afkolven op het werk is waarschijnlijk de meest gekozen oplossing om borstvoeding en werken buitenshuis te kunnen combineren. Op het werk moeten daarvoor wel de mogelijkheden zijn. Ook hierover moet je van tevoren overleg plegen. Maak gebruik van je recht om onder werktijd te kolven; het is niet nodig dat je elke lunchpauze alleen daarmee bezig bent, omdat je niemand lastig wilt vallen. Er moet een rustige plek zijn waar je ongestoord kunt zitten, zodat het je niet teveel moeite kost om je melk te laten lopen. Er moet een koelkast zijn en heet water om een eventuele kolf schoon te maken. Zelf moet je ervoor zorgen dat de voeding ook tijdens het vervoer naar huis koel blijft. Als je op aaneengesloten dagen werkt, kan je baby thuis gevoed worden met de melk die je een dag tevoren hebt afgekolfd. Anders maak je gebruik van de mogelijkheid om moedermelk in te vriezen. Een voorraadje in de diepvries geeft je een veilig gevoel. Er zullen dagen zijn dat het kolven niet vlot gaat of er om een of andere reden bij inschiet.

• Je baby kan thuis, in de crèche, of bij de oppas, flesvoeding krijgen, terwijl je op je werk bent. Als je een deeltijdbaan hebt, houd je nog heel veel voedingen over die je zelf kunt geven. Je voedt hem dan zelf op alle uren en dagen dat je bij elkaar bent. Om de melkproductie goed op peil te houden, kolf je in principe af op de tijd dat je baby eigenlijk zou drinken. Je kiest deze oplossing bijvoorbeeld, als op je werk de mogelijkheid ontbreekt om afgekolfde melk koel te bewaren. De meeste baby's verdragen kunstmatige zuigelingenvoeding goed.

• Als je ertegen opziet, om ook tijdens de uren dat je werkt met de borstvoeding bezig te zijn, kun je overwegen om minder te gaan voeden. Ruim vóór je weer aan het werk gaat, laat je de borstvoeding geleidelijk teruglopen (zie ook hoofdstuk 12). Je geeft bijvoorbeeld alleen 's ochtends en 's avonds een of twee keer de borst. Of dit een goede oplossing is, kun je van tevoren niet helemaal inschatten. Bij een aantal vrouwen zal de melkproductie te veel teruglopen als ze elke dag een paar voedingen overslaan. Je staat dan voor de keus bij te voeden en/of de borstvoeding af te bouwen, of de productie toch weer op te voeren door te gaan kolven. Er zijn ook vrouwen die nog maanden twee tot vier voedingen per etmaal kunnen blijven geven. Maar hoe jonger je baby is als je met een dergelijke regeling begint, des te groter is de kans dat je borstvoeding te snel terugloopt.

Ten slotte

Al met al zie je dat het de moeite waard is om er goed over na te denken, hoe je een en ander rond je werk en je baby zult organiseren. Tijdens de zwangerschap maak je plannen, overleg je met je werkgever, maar later kan blijken dat je het toch liever anders wilt doen. Bespreek dan gerust een nieuwe oplossing; ook als je tussentijds van regeling wilt veranderen.

Houd er rekening mee dat je borsten misschien gaan lekken; zorg voor goede zoogcompressen. Borstschelpen of tepelvormers bevorderen het lekken omdat ze een kolvende werking hebben. Het is ook handig een reserve T-shirt of jasje op je werk achter de hand te hebben, want met natte plekken in je kleren voel je je hoogst opgelaten.

Laat je baby en degene die voor hem gaat zorgen van tevoren samen oefenen om aan elkaar te wennen. Maak duidelijke afspraken; schrijf op hoe en wanneer de afgekolfde voeding ontdooid, bewaard, opgewarmd, en weggegooid moet worden. Misschien wil je graag voeden zodra je terug bent, thuis of bij de oppas, terwijl je verslag krijgt van het wel en wee van de afgelopen dag. Je baby kan dan desnoods niet lang tevoren een 'halve' voeding gedronken hebben.

Sommige kinderen doen er erg lang over voor ze een voorspelbaar ritme in de voedingen ontwikkeld hebben. Tijdens je bevallingsverlof moet je je daar maar niet al te druk over maken, hoewel het extra lastig kan zijn als je dadelijk het voeden met werken gaat combineren. Vooral kinderen die te vroeg geboren zijn, of heel licht waren bij hun geboorte, blijven langer onregelmatig om een voeding vragen. Mettertijd zal het beter gaan. Bespreek met de oppas/crèche hoe jullie als ouders vinden dat op je baby gereageerd moet worden.

Vermoeidheid na de bevalling is al eerder aan de orde gekomen (zie blz. 106). Het valt niet mee tijd te vinden om te rusten. Geef de voedingen liggend op bed of op de bank, het helpt je om even echt te ontspannen. Verdeel de huishoudelijke taken met je partner en voel je niet voor alles verantwoordelijk! Eet in ieder geval gezond, neem wat extra's mee voor tussendoor op je werk. Aarzel niet om naar de huisarts of naar de bedrijfsarts te gaan, als het je echt allemaal nog te veel is.

Als je weer gaat werken, ben je vaak nog volop in de fase van wennen aan de veranderingen in je leven. Emoties kosten ook energie. Je omgeving reageert bovendien misschien kritisch op je keuzes: moet dat nou zo nodig? Maar je hoeft je niet te verontschuldigen. Je bent als volwassen vrouw in staat en gemotiveerd om met je werk een bijdrage te leveren en tegelijkertijd kies je voor je kind de beste start: borstvoeding. Dat die combinatie niet altijd eenvoudig is, wordt veroorzaakt door onze samenleving die nog niet, of niet meer, is ingesteld op ouders/moeders en kinderen. Het ziet ernaar uit dat hier langzaam wat verbetering in komt. Maak je intussen geen zorgen om de 'overlast'. En voel je zeker ook niet schuldig als het je uiteindelijk beter lijkt om over te gaan op flesvoeding.

10. Allergie en overgevoeligheid

Niet elke baby die veel en ontroostbaar huilt, is allergisch of overgevoelig voor iets dat hij via jouw voeding met de moedermelk binnenkrijgt. Kinderen die uitsluitend borstvoeding krijgen zijn juist zo goed mogelijk beschermd tegen een allergische reactie. In hoofdstuk 5 vind je meer informatie over huilen en ideeën om je kind en jezelf tot rust te brengen.

Wat betekent allergie eigenlijk?

Uit zelfbescherming kan ons lichaam een onderscheid maken tussen lichaamseigen en lichaamsvreemde stoffen. Tegen lichaamsvreemde stoffen treedt het afweermechanisme in werking: er worden antistoffen aangemaakt om de indringer te lijf te gaan. Bij een volgende keer kan de afweerreactie nog sneller werken, omdat het lichaam de indringer herkent. Uiteindelijk is de afweer zo efficiënt, dat je immuun bent geworden voor een bepaalde stof.

Een allergische reactie is een uit de hand gelopen afweer tegen een indringer: de antistoffen zorgen niet voor immuniteit, maar maken je juist ziek. De indringer wordt dan een allergeen genoemd; dat betekent allergie-veroorzaker. Ook een kleine hoeveelheid van een allergene stof kan een allergische reactie oproepen.

Bij een overgevoeligheid of intolerantie is het afweersysteem niet betrokken. Voor bepaalde producten worden te veel of te weinig enzymen aangemaakt; enzymen zijn bij de spijsvertering noodzakelijk voor afbraak en omzetting in bruikbare voedingsstoffen. Vaak kan het lichaam bij een intolerantie wel kleinere hoeveelheden van het problematische voedingsmiddel verdragen. De grens is voor iedereen anders en wordt ook door bijvoorbeeld ziekte of spanning beïnvloed.

Koemelkeiwit-allergie

Het eiwit uit koemelk is voor baby's de belangrijkste allergene stof. Hoeveel jonge kinderen een overmaat aan afweer tegen koemelk-eiwit vertonen, is niet duidelijk; de schattingen lopen uiteen van 2 tot 7,5 %.

Het probleem is hierbij dat allerlei klachten kunnen ontstaan, die misschien ook andere oorzaken hebben. Aanleg speelt een belangrijke rol bij de vraag of een kind allergisch zal reageren op een lichaamsvreemde stof. Vandaar dat het zinvol is om een kind dat geboren wordt in een familie, waarin allergieën zoals astma, hooikoorts en eczeem voorkomen, niet bloot te stellen aan zo'n beruchte allergene stof: koemelkeiwit. Zelfs van een kleine hoeveelheid kan het lichaam leren dat de indringer een volgende keer weer moet worden aangevallen. Een flesje toe, als de borstvoeding 'nog niet op gang gekomen is', is voor veel kinderen dus zeker uit den boze.

Wat zijn de verschijnselen?
• De baby huilt heel veel en is ontroostbaar, trekt de beentjes op of is overstrekt.
• Ook na de voeding ontspant hij zich niet.
• Het is moeilijk contact met de baby te leggen, hij kijkt weg.
• Problemen met de spijsvertering: veel waterdunne ontlasting die vies ruikt, soms met bloed; braken, opgezette buik.
• Dauwworm: een vaak nat eczeem dat op de wangetjes begint en zich over het hele gezichtje en het lichaam uitbreidt, of eczeem in de ellebogen en knieholtes, of netelroos.
• De baby heeft jeuk: hij trekt steeds zijn neusje op of maakt klakkende geluidjes bij jeuk aan het gehemelte.
• De baby is vaak snotterig, met name ook na de voeding.
• Hoesten met benauwdheid, piepend hoesten.
• Tijdens of vlak na een van de eerste flesvoedingen krijgt de baby een rode, vlekkerige uitslag in het gezichtje of op de romp.

In de periode dat een baby alleen de borst krijgt, zijn de klachten niet altijd even duidelijk en zeker milder dan wanneer hij de fles zou krijgen. Flesvoeding bevat normaal gesproken eiwitten uit koemelk. Moedermelk is in principe een lichaamseigen stof en zal nauwelijks een overmaat aan afweer oproepen. Toch komt het wel voor dat de aanleg voor allergie zich nu al uit, als reactie op de voeding. Denk echter niet dat je borstvoeding de problemen veroorzaakt; met borstvoeding kun je de problemen juist verminderen en je baby zo goed mogelijk beschermen. Maar zijn aanleg kan niet teniet gedaan worden.

Er zijn veel onderzoeken gedaan om na te gaan of er, ook in een welvarend land als het onze, een verschil in gezondheid bestaat tussen kinderen die borstvoeding hebben gehad en hun flesgevoede leeftijdgenootjes.

Daaruit kan men concluderen dat juist kinderen uit gezinnen met een aanleg voor allergie het meest gebaat zijn bij borstvoeding. Een borstvoedingsperiode die minstens drie maanden duurt blijkt op deze kinderen zelfs gedurende de eerste drie levensjaren een beschermend effect te hebben. Vooral ernstige en matig ernstige aandoeningen komen bij de borstgevoede kinderen minder voor. We moeten dan denken aan luchtwegaandoeningen en huidproblemen.

Diagnose en behandeling

Het is moeilijk om een allergie precies vast te stellen. Er kan ook bij een baby een bloedonderzoek gedaan worden; een huidtest doet men meestal niet onder de vier jaar. De uitslagen leveren geen 100% betrouwbare gegevens. De kinderarts zal eerder afgaan op het hele beeld.

Over het algemeen verschaft het weglaten van een verdachte stof uit de voeding informatie en is het tegelijkertijd een begin van de behandeling van het probleem. Bij borstvoeding kijk je dan naar je eigen voedselopname.

Brokstukken van het koemelkeiwit, dat je zelf binnen hebt gekregen, kunnen via de moedermelk bij de baby een reactie veroorzaken. Overgaan op kunstmatige zuigelingenvoeding zou leiden tot meer klachten, zeker als het een op koemelk gebaseerde voeding betreft. Ook door sojavoeding kan een allergie ontstaan. De industrie speelt hierop in door een hypo(laag)allergene voeding te produceren, waarin het koemelkeiwit al in 'kleinere stukken' is verdeeld. Moedermelk biedt echter meer voordelen dan het gemakkelijk te verwerken eiwit; juist met het oog op een allergische aanleg zijn er veel verschillen tussen borstvoeding en flesvoeding. Zo wordt de darmwand van een borstkind bekleed met een beschermend laagje dat indringers tegenhoudt, en levert moedermelk hormonen en groeifactoren die de rijping van het maag-darmkanaal bevorderen. Het is een voeding die als enige rijk is aan afweerstoffen, waardoor eiwitten worden geneutraliseerd en infecties worden voorkomen. En moedermelk is veel lekkerder dan hypoallergene kunstvoeding.

Koemelkeiwit is wel het meest voorkomende allergeen, het is echter niet de enige stof die een overdreven afweerreactie kan veroorzaken. Ook kippeëiwit, en in mindere mate noten en pinda's, vis en schaaldieren, varkensvlees, citrusvruchten en chocolade kunnen problemen geven. Soms gaat het dan in eerste instantie niet om een allergische reactie waarbij het afweersysteem betrokken is, maar om een overgevoeligheid. Het effect is net zo vervelend.

Sinds 1994 volgen consultatiebureaus een Landelijke Standaard voor de diagnose en behandeling van voedselovergevoeligheid bij zuigelingen. Belangrijk bestanddeel daarvan is het weglaten van verdachte voedingsmiddelen.

Het duurt over het algemeen zeker twee (en soms wel zes) weken vóór je resultaat kunt verwachten van een verandering van je eigen dieet. Er zijn twee methodes: ofwel je begint met het vermijden van alleen al het koemelkeiwit (dus ook kaas, roomboter), of je laat meteen alle sterk allergene producten weg. Als de baby goed reageert, kun je bepaalde voedingsmiddelen weer een voor een heel langzaam introduceren. Overleg met een diëtist en met een geïnteresseerde kinderarts is dan zeker nodig. Je eigen dieet moet misschien aangevuld worden met kalk en eiwitten, als je langer dan twee tot vier weken geen zuivelproducten gebruikt.

In veel producten is, soms heel weinig, koemelk verwerkt. Hoeveel effect dat heeft via de borstvoeding is afhankelijk van de hevigheid van de allergie. Je zult waarschijnlijk het advies krijgen een 'voedseldagboek' bij te houden.

Een troost is dat je je baby met een aanleg voor allergie de best mogelijke bescherming biedt, door hem borstvoeding te geven. Ook al zie je weinig resultaat van je dieet, moedermelk is juist voor een heel gevoelig kind een enorme steun. De zorg voor een baby die veel huilt, jeuk heeft, soms vol uitslag zit, zal je vaak zwaar vallen. Het is belangrijk dat je er niet helemaal alleen voor staat.

Wacht met vaste voeding rustig tot je baby ongeveer zes maanden is, en volg dan de adviezen van de diëtist of kinderarts: het zal heel geleidelijk moeten gaan. Sommige kinderen zijn met anderhalf à twee jaar voor een groot deel over hun problemen heengegroeid, maar niet allemaal. Borstvoeding is misschien nog een hele tijd de enige ongecompliceerde, gemakkelijke 'maaltijd'.

Overgevoeligheid voor melksuiker: lactose-intolerantie

De belangrijkste vorm van suiker in melk is de lactose, die iets meer voorkomt in moedermelk dan in koemelk. Lactose bevordert onder meer een goede opname van kalk en ijzer. Om lactose efficiënt te kunnen gebruiken moet het enzym lactase aan het werk. Als de lactose niet wordt omgezet door lactase kan hevige diarree het gevolg zijn. Vanaf de leeftijd van ongeveer drie jaar neemt bij het gros van de wereldbevolking de mogelijkheid af om veel lactose om te zetten.

Het is dus heel gewoon als volwassenen niet veel melk kunnen verdragen. Noord-Europeanen en Noord-Amerikanen met een lichte huid schijnen langer dan normaal melksuiker te kunnen omzetten. Maar de eerste drie levensjaren produceert iedereen genoeg lactase om de eigen moedermelk goed te verteren. (Er bestaat een aangeboren erfelijke afwijking, galactosemie, waarbij lactose niet wordt omgezet. Bij deze zeer zeldzame ziekte, 1 op 85.000 geboorten, moet een baby een speciale dieetvoeding krijgen.)

De symptomen van een koemelkeiwitallergie worden nogal eens ten onrechte aan lactose-intolerantie toegeschreven.

Soms kan een baby niet veel lactose tegelijk verwerken. Hij heeft diarree-achtige ontlasting, huilt veel en groeit niet goed. Het helpt dan, als je ervoor zorgt dat hij minder voormelk in een keer krijgt door één kant per voeding te geven, of door voor het voeden wat melk af te kolven. Deze mogelijkheid is aan het einde van hoofdstuk 7 aan de orde gekomen: 'Veel drinken, weinig aankomen'.

11. Bijzondere omstandigheden

Wie kent niet het gevoel dat je tijdens een zwangerschap kan overvallen: als alles maar goed gaat... De schrik slaat je om het hart, je realiseert je in een flits aan wat voor avontuur je begonnen bent. We hebben het geluk dat we op een van de veiligste plekken op aarde leven. Door het hoge peil van de gezondheidszorg zijn de risico's bij zwangerschap en geboorte hier heel laag geworden. En toch kunnen zich altijd situaties voordoen, die niet beantwoorden aan je hoop en verwachting. In zulke situaties kan borstvoeding een extra uitdaging betekenen en extra voldoening geven.

Een kwetsbaar kind zou je de beste voeding gunnen, maar verwarring en onzekerheid maken de start erg moeilijk. Je twijfelt misschien of je nog wel aan borstvoeding kunt beginnen. En soms blijkt het niet haalbaar. In bijzondere omstandigheden heb je goede informatie, bijvoorbeeld van een lactatiekundige, hard nodig om te kunnen beslissen wat voor jou, je baby en je partner de beste keuze is.

Wellicht is het ook juist je eigen conditie die ertoe leidt, dat borstvoeding geven je minder vanzelfsprekend voorkomt. Daar wordt in het tweede gedeelte van dit hoofdstuk op ingegaan.

Te klein bij de geboorte

Als je weken voor de uitgerekende datum bevalt, word je overvallen door gevoelens van angst en zorg. Je was er nog niet klaar voor en dat kleine kindje al helemaal niet. Diep in je hart voel je je misschien tekort schieten, verlies je het vertrouwen in je eigen lichaam, dat jou en je kind op zo'n belangrijk moment in de steek heeft gelaten. Je hebt tijd nodig om met jezelf in het reine te komen over allerlei tegenstrijdige gevoelens. Ook je partner heeft veel te verwerken gekregen. En wat moet je met de borstvoeding aan?

Omdat je te vroeg bevallen bent, heeft je moedermelk een andere samenstelling dan wanneer je langer zwanger was gebleven. Het eiwitgehalte is een tijdlang hoger en er worden meer calorieën geleverd.

Je voeding is aangepast aan de behoeften van een baby, die niet de kans heeft gekregen om in de baarmoeder volgroeid te raken. Bovendien is het heel belangrijk, dat je kindje kan profiteren van de bescherming tegen infecties die alleen moedermelk kan bieden. Te vroeg geboren kinderen zijn kwetsbaarder, met name maag-darmstoornissen komen veel voor. Met moedermelk geef je je kind afweer tegen tal van infecties. Als je voor je baby je eigen licht verteerbare melk gaat afkolven, lever je een heel belangrijke bijdrage aan de zorg, waarmee hij nu aan alle kanten wordt omringd. Je geeft iets dat jij alleen kunt geven.
Ook baby's die na een voldragen zwangerschap te licht blijken te zijn (dysmatuur), worden een tijdlang op de couveuse-afdeling opgenomen.

In veel ziekenhuizen krijg je meteen een foto van je baby. Laat je naar hem toebrengen zodra het kan en vraag uitleg voor al de apparatuur die hem omringt. Neem contact op met de Vereniging van Ouders van Couveusekinderen, die je informatie kan geven over alles wat je nu bezighoudt. Het adres vind je achter in dit boek.

Moedermelk en lichaamscontact
Hoe je kind de eerste tijd gevoed wordt, is afhankelijk van de zwangerschapsduur en van zijn gewicht en conditie. Misschien krijgt hij een infuus, waarbij een vloeistof (nooit melk!) direct in de bloedbaan wordt gebracht, of sondevoeding. De sonde, een heel dun slangetje, gaat via het neusje naar de maag, zodat het de baby geen energie kost om de voeding binnen te krijgen. Slikken vraagt veel inspanning en de zuigreflex is vaak nog niet goed ontwikkeld.

Zodra je baby melkvoeding mag hebben, kan dat in principe je eigen melk zijn. Moedermelk wordt soms (na verloop van tijd) aangevuld met extra voedingsstoffen, met name als je erg veel te vroeg bevallen bent. Probeer of hij op je pink kan zuigen, terwijl hij zijn sondevoeding krijgt. Hij oefent zijn spieren en leert misschien dat er verband bestaat tussen het zuigen en een vol buikje.

Raak je baby veel aan om hem te leren kennen, praat tegen hem; wie weet kijkt hij je aan. Het is heerlijk als je hem eindelijk ook echt tegen je aan mag houden. Ook al ga je hem nog niet voeden, het lichaamscontact is voor jullie allebei een waardevolle ervaring. In veel ziekenhuizen wordt gebruik gemaakt van de kangoeroemethode, waarbij de baby één of meer keer per dag bloot tegen de blote huid van vader of moeder wordt gedragen. Zelfs hele kleintjes komen hiervoor in aanmerking.

Als hij een poosje op schoot mag, kun je hem ook tegen je blote huid houden. Doe de schort die je krijgt, zo aan, dat de sluiting aan de voorkant zit. Een warme omslagdoek geeft meteen meer privacy. Je voelt het kleine hoofdje op je arm rusten en hoort zijn zachte geluidjes. Zulke momenten geven je steun in je onzekerheid, de herinnering aan dat kleine lijfje maakt het eindeloze kolven gemakkelijker op te brengen.

- Als je baby tussen de drie en vijf weken te vroeg geboren is, heb je een redelijke kans dat je snel met borstvoeding kunt beginnen. Ook als het geboortegewicht bij een normale zwangerschapsduur te laag was, hoef je daar meestal niet lang mee te wachten. De zuigreflex van je baby is dan wel ontwikkeld, al is hij nog zo klein.
- In andere situaties moet je voornamelijk met behulp van afkolven de melkproductie echt op gang brengen. In hoofdstuk 9 vind je uitvoerige informatie over de manieren waarop je dat aan kunt pakken. Het is in een ziekenhuis niet altijd even eenvoudig om gunstige omstandigheden te creëren. Maak je geen zorgen als je de eerste dag of dagen, onder de indruk van alle emoties, helemaal niet aan kolven bent toegekomen. Je lichaam reageert ook later nog op de prikkel van het kolven. Zelfs na gebruik van een middel dat de melkproductie afremt, kun je de borstvoeding op gang brengen.
- De eerste dagen kolf je vooral om je borsten te stimuleren, maar ook het kleine beetje colostrum dat eruit komt, is je moeite meer dan waard. Kolf vaak: liefst zes tot acht keer per etmaal. Als het je ondanks allerlei maatregelen niet lukt je voldoende te ontspannen, vraag dan gerust om een Syntocinon neusspray om de melk te laten toeschieten (zie ook blz. 126).

Volhouden

Zodra je baby jouw eigen melk krijgt, zal het kolven je vast minder moeite gaan kosten en voel je je steeds meer bij hem betrokken. Maar op een gegeven moment ga jij naar huis en moet je je kind in het ziekenhuis achterlaten. Het gebeurt ook vaak, dat een te vroeg geboren baby in een ander ziekenhuis moet worden opgenomen dan waar je bevallen bent. Vraag naar de richtlijnen voor het thuis afkolven en bewaren van je voeding. Als je baby in een ziekenhuis ver van je woonplaats ligt, kun je op de afdeling informeren of er ouders van een andere baby bij je in de buurt wonen. Je hebt dan de mogelijkheid om voor elkaar de afgekolfde melk mee te nemen.

Thuiskomen zonder baby is een heel verdrietige ervaring. Als je al kinderen hebt, is het toch ook fijn om weer bij hen te zijn. In je eigen omgeving lukt het kolven misschien beter dan op de kraamafdeling, waar jij geen echte kraamvrouw leek. En thuis kun je eindelijk ook echt samen zijn met je partner en elkaar tot steun zijn.

In deze periode heb je hulp hard nodig. De bevalling is nog maar korte tijd achter de rug en in plaats van rusten ga je rennen, van en naar het ziekenhuis. Laat anderen weten waarmee ze je kunnen helpen. Zorg ervoor dat je goed eet. Neem fruit, noten, kaas, bruine boterhammen mee als je naar het ziekenhuis gaat. Drink veel, de warmte van een afdeling voor kleine baby's maakt dorstig.

Het kan gebeuren dat je baby op een gegeven moment wordt overgeplaatst naar een ziekenhuis dichter bij je in de buurt, omdat hij niet langer is aangewezen op de meest intensieve zorg. Het nadeel van deze stap voorwaarts is dan nog al eens dat je weer moet wennen aan andere, soms minder soepele bezoek- of borstvoedingsregelingen. Probeer altijd in gesprek te gaan over zaken die je graag anders zou willen.

Vaak afkolven blijft belangrijk. Er zullen dagen zijn dat je er moedeloos van wordt. Veel vrouwen blijven ook genoeg melk produceren als ze wat minder vaak kolven: je baby heeft nog maar kleine beetjes nodig. Probeer een realistisch schema voor jezelf te maken.

Houd er rekening mee dat je borstvoeding beïnvloed kan worden door hoe je je voelt. Als je baby een moeilijke dag heeft, gaat het kolven ook moeilijker. Een terugval in de melkproductie is tijdelijk en heel normaal. Je zult zien dat de hoeveelheid moedermelk zich vlotter aanpast aan de behoefte van je baby, zodra hij zelf bij je kan gaan drinken.

Je kleintje aan de borst

Je kijkt ernaar uit je kind eindelijk niet alleen moedermelk, maar ook de borst te kunnen geven. Je hebt hooggespannen verwachtingen en tegelijkertijd ben je zenuwachtig. Hoe zal het gaan?

Bij het aanleggen ga je te werk volgens dezelfde uitgangspunten als bij een voldragen baby (hoofdstuk 4). Maar natuurlijk hebben jullie door deze vertraging allebei meer tijd nodig om te leren hoe het moet.

- Op de eerste plaats: je zult heel veel geduld moeten hebben. Je hebt je baby misschien al bloot tegen je aan mogen houden. De eerste paar keer ligt hij een beetje te likken en proeft hij wat melk die je uitgedrukt hebt. De meeste baby's zuigen niet meteen geweldig. Probeer je er niets van aan te trekken als er voor en na de voeding gewogen wordt.
- Het is mooi als je baby na of naast de sondevoeding helemaal geen flesjes krijgt. Het zuigen aan een speen vraagt immers om een andere techniek dan borstvoeding nemen. Voeden met een kopje, cupfeeding, heeft daarom grote voordelen. Houd de baby goed rechtop, het kopje tegen de mondhoeken bij de bovenlip, en laat hem zelf de melk oplikken. Dan kan hij zich niet verslikken. Hij zal zijn tongetje uitsteken om op onderzoek uit te gaan: alvast een goede oefening voor drinken aan de borst. Als je baby toch een flesje krijgt, is het misschien de moeite waard om een afgeplatte speen te gebruiken. Door zo'n speen met een brede basis leert de baby dat hij zijn mondje wijd open moet doen en niet met een tuitmondje moet drinken.
- Vraag of je een gemakkelijke stoel kunt krijgen, waarin je goed gesteund rechtop kunt zitten. Je zult kussens nodig hebben, zowel voor jezelf als voor je baby, zodat hij geen energie hoeft te verspillen.
- Laat weten of je hulp wilt hebben of liever niet.
- Bij de houding onder-je-arm is het gemakkelijker het hoofdje tegen de borst gesteund te houden en kun je zelf beter zien hoe het gaat. Houd hem een beetje rechtop.
- Als je baby warm is ingepakt, blijft hij misschien gewoon lekker bij je

op schoot liggen slapen. Huidcontact stimuleert hem. Om jullie samen kan een warme doek heen gelegd worden.
• Praat tegen hem, in de hoop dat hij wakker wordt. Leg hem op zijn ruggetje op schoot en breng hem goed gesteund voorzichtig tot zit. Vaak doet hij dan de oogjes open. Herhaal dit tot ze ook open blijven.
• Als je kort tevoren even hebt gekolfd, voelt je baby wat gemakkelijker waar de tepel is. Bovendien proeft hij meteen een drupje melk. Je kunt ook je borsten masseren en over de tepels wrijven, waardoor ze zich wat meer oprichten.
• Laat wat water of afgekolfde melk over je borst lopen met een druppelaar of een lepeltje, het inspireert hem tot zuigen.
• Druk het kinnetje voorzichtig naar beneden als je merkt dat hij wel geïnteresseerd raakt; hij doet dan beter het mondje wijd open. Hulp daarbij is wel fijn; je hebt maar twee handen.
• Laat je baby vaak boeren, omdat hij vooral in het begin bij het drinken lucht zal happen.

Een extra steuntje

Over het algemeen zijn kleine, te vroeg geboren en ook zieke baby's sneller moe. Ze hebben vaak een lage spiertonus (= spierspanning), waardoor ze inspanning niet lang vol kunnen houden. Daarom bestaat in veel ziekenhuizen de regel dat ze eerst de fles krijgen. Drinken aan de borst is echter niet per definitie bijzonder vermoeiend, omdat de melk niet uit de borst wordt gezogen, maar er daarentegen met het toeschieten uitloopt of zelfs spuit. In de VS is aangetoond dat de huidtemperatuur van een baby tijdens de borstvoeding niet te veel daalt, maar juist stijgt. Het bleek ook minder inspanning te vragen om het zuigen aan de borst, het slikken en ademhalen goed op elkaar af te stemmen, dan wanneer de moedermelk met een flesje werd gegeven.

Toch kan het nodig zijn je kleine baby aan de borst een extra steuntje te bieden. Door de lage spierspanning zal het een kleine baby moeite kosten zijn onderkaakje goed tegen de borst aan gedrukt te houden. Hij mist de hulp van voldoende vetkussentjes in zijn wangen, en zijn lippen sluiten zich minder krachtig om de borst, waardoor het al met al lastiger wordt een vacuüm vol te houden.

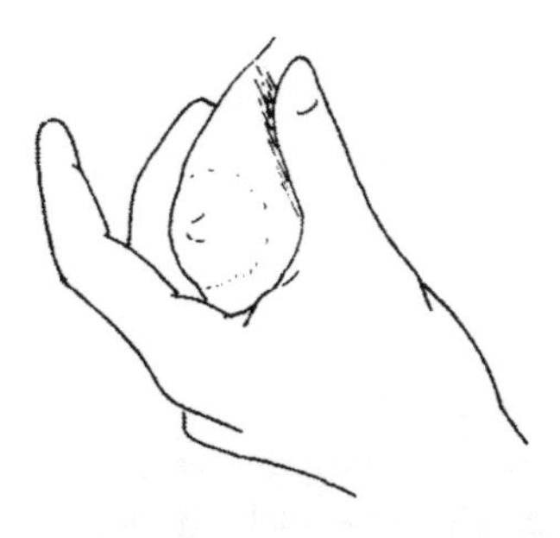

Duim en wijsvinger naar voren.

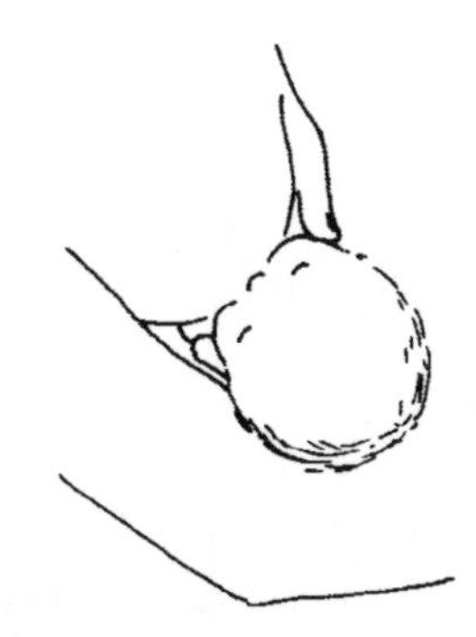

Onderkaakje ondersteund.

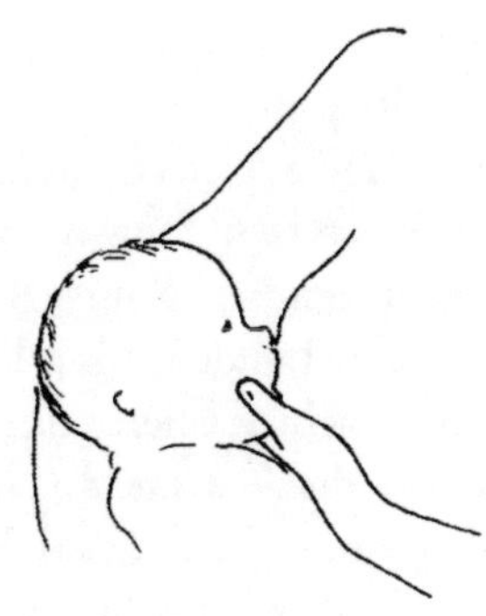

Van opzij gezien.

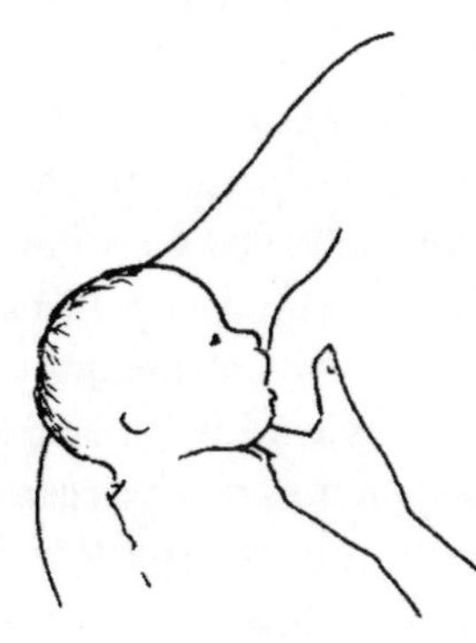

Alleen de kin ondersteund.

Op de tekening zie je hoe je hem kunt helpen:
• Laat de hand waarmee je je borst steunt, iets naar voren komen, zodat je nog drie in plaats van vier vingers onder de borst houdt. Je blijft de borst ondersteunen, om te voorkomen dat je baby last heeft van het gewicht dat tegen zijn kin en mond drukt.
• Je buigt de wijsvinger en houdt daarmee het gezichtje van de baby vast, op het andere wangetje ligt je duim. Duim en wijsvinger vormen

een U en het kinnetje rust in de ronding van die U. Oefen geen druk uit op de wangetjes.

- Door ontwikkeling en oefening wordt je baby steeds sterker.

Geleidelijk kun je ermee volstaan alleen de kin met een of twee vingers te ondersteunen.

Eindelijk thuis

Met de thuiskomst van je baby is een moeilijke periode achter de rug. Veel ouders blijven nog lang in hun hart extra bezorgd over hun kind, dat zo'n moeilijke start heeft gehad. Bespreek dat gevoel samen uitvoerig met de behandelend arts, om te kunnen nagaan hoe realistisch je zorgen zijn. Bij de ontwikkeling wordt rekening gehouden met de datum waarop je eigenlijk was uitgerekend.

Je hebt nu pas de kans om met elkaar van de nieuwe baby te genieten. De verantwoordelijkheid voor zijn dagelijkse wel en wee brengt een hele drukte met zich mee, maar je hoeft gelukkig niet meer naar het ziekenhuis. Hulp voor huishoudelijke werkjes zal nog steeds welkom zijn, zeker als je nog meer kinderen hebt die je aandacht vragen.

De borstvoeding loopt niet altijd meteen probleemloos. Soms zal bijvoeding nog tijdelijk nodig zijn, om de groei vol te houden. Als je baby niet de energie heeft om lang genoeg (ongeveer acht tot tien minuten per borst, pauzes niet meegerekend) effectief te drinken aan de borst, merk je dat je borsten na de voeding nog niet erg soepel aanvoelen. Kolf dan na, zodat je hem ook de vettere achtermelk als toetje kunt geven. Je doet dat meteen, of je hebt de melk al klaarstaan die je na de vorige voeding afgekolfd had. Gebruik een klein kopje. Je kunt de bijvoeding ook tijdens de borstvoeding geven met het Supplemental Nursing System, dat op blz. 127 is beschreven.

Naarmate je baby groeit, zal hij steeds beter gaan drinken. Gaat het aanleggen vlot, dan is het een idee om vaker per voeding van borst te wisselen, zodat hij met weinig inspanning de opnieuw toegeschoten melk krijgt.

Vaak voeden is de beste manier om ervoor te zorgen dat je genoeg melk hebt. Je kunt je baby overdag midden in het tweepersoonsbed leggen. Stop hem lekker in met een klein dekentje en eventueel een kruik.

Kussens en dekbedden uit de buurt! Om de twee à drie uur ga je hem voeden, of eerder als hij huilt. Verschonen doe je ook op bed, maar niet per se bij elke voeding.

Op deze manier kom je zelf tot rust en je kunt je misschien beter concentreren in je eigen slaapkamer dan in de drukte beneden. Nogmaals, aarzel niet om contact op te nemen met mensen van een vrijwilligersorganisatie als de vereniging van Ouders van Couveusekinderen. Door hun eigen ervaringen voelen zij zich betrokken bij jouw verhaal. Een luisterend oor kan je door deze zorgelijke tijd heen helpen.

Het lukt niet altijd je te vroeg, te klein geboren baby borstvoeding te gaan geven. Je hebt goede hulp nodig onder deze omstandigheden, die zo vol onzekerheid zijn. Ook als je pogingen anders aflopen dan je had gewenst, kun je daar hopelijk achteraf toch een voldaan gevoel over hebben. Je kunt nu eenmaal niet meer doen dan in je vermogen ligt.

Twee baby's tegelijk

Het is een hele verrassing als blijkt dat je een tweeling verwacht. Wel even schrikken, maar dan beginnen de extra voorbereidingen. Gelukkig komt het nog maar heel zelden voor dat nummer twee een echte verrassing is, zodat je na de geboorte van je kind te horen krijgt dat je opnieuw moet gaan persen.

Je zult je afvragen of borstvoeding geven nu nog wel haalbaar is. De productie van moedermelk is een kwestie van vraag en aanbod en hoe meer er nodig is, des te meer zal er worden aangemaakt. De meeste vrouwen hebben er geen probleem mee voldoende melk te produceren, als hun baby's maar vaak genoeg drinken. Maar dat neemt niet weg dat de zorg voor twee baby's tegelijk wel heel veel tijd en energie zal vragen. Bij de voorbereiding op de periode na de bevalling hoort daarom in ieder geval het regelen van extra hulp, op wat voor manier dan ook. Behalve aan bijspringen in praktische zaken, zul je ook grote behoefte hebben aan morele steun bij je besluit je tweeling zelf te voeden. Je partner speelt daarbij een belangrijke rol.

Je zult ook dubbel zo goed op je eigen conditie moeten letten. Gezond eten – meer dan je gewend was, en veel drinken. Aan rusten kom je in ieder geval al voor een deel toe, terwijl je zit of ligt te voeden.

In het ziekenhuis
De adviezen die gelden voor het voeden van een baby, gaan ook op voor de situatie dat je van twee kinderen bevalt. De kans bestaat dat je kindjes bij de geboorte nog te klein zijn, en een tijdlang in de couveuse moeten blijven. In het eerste deel van dit hoofdstuk heb je daarover een en ander kunnen lezen. De informatie over afkolven op blz. 159 komt je dan ook van pas.

Een thuisbevalling is met een tweeling in Nederland niet mogelijk, ook niet na 40 weken zwangerschap. In ieder geval zul je dus te maken hebben met regels van het ziekenhuis, die niet altijd even bevorderlijk zijn voor het vlot op gang komen van de borstvoeding.

Zodra de baby's aan de borst mogen, wordt soms geadviseerd om hun afwisselend fles en borst te geven. Op die manier mist je lichaam echter het signaal dat er voor twee geproduceerd moet worden. Bovendien zou je het liefst vermijden dat ze de fles krijgen, voordat ze goed aan de borst hebben leren zuigen. Ook een tweeling mag gerust wat afvallen! Als je tijdelijk nog niet genoeg zou hebben, is het verstandiger allebei de baby's eerst aan de borst te laten drinken, en daarna eventueel wat toe te geven. Eenmaal thuis kost het vaak minder moeite voldoende melk te produceren.

Het geboortegewicht van de twee baby's kan sterk uiteenlopen, met het gevolg dat de ene misschien eerder uit de couveuse mag, eerder aan de borst kan drinken, of eerder thuis komt. Dat laatste betekent een grote belasting. Naast het verzorgen en voeden van je baby die al mee naar huis mocht, heb je nog de zorg over de kleinste van de twee en de drukte van ziekenhuisbezoek. Afkolven voor je couveusekindje kan na het voeden gebeuren. Maar misschien wordt het je allemaal teveel en beperk je je er liever toe in het ziekenhuis met aanleggen te oefenen. Later thuis ga je pas beide baby's volledig voeden. De bijvoeding bouw je dan geleidelijk weer af.

Eén voor één of samen?
Zeker als het de eerste keer is dat je borstvoeding geeft, zal het eenvou-

diger zijn om in het begin één kind tegelijk te voeden. Je moet dan nog zo wennen dat je je handen en armen al vol zult hebben aan één baby. Ook je baby's zullen ieder op hun eigen manier reageren. Misschien moet je de ene stimuleren om wakker te blijven en verslikt de ander zich snel in de melkstroom. Je leert elke baby juist door de borstvoeding beter kennen. Neem de kinderen in principe afwisselend als eerste op; niet alleen voor de voeding, maar ook voor het badje of een schone luier. Op een gegeven moment ben je eraan toe je tweeling samen te voeden. Dat heeft natuurlijk het voordeel dat de voeding veel minder tijd kost. Als ze allebei tegelijk huilen, is het prettig, dat ze op hun wenken bediend kunnen worden! Maar hoe leg je die twee goed aan de borst?

Onder je arm.

Kruishouding.

Parallelhouding.

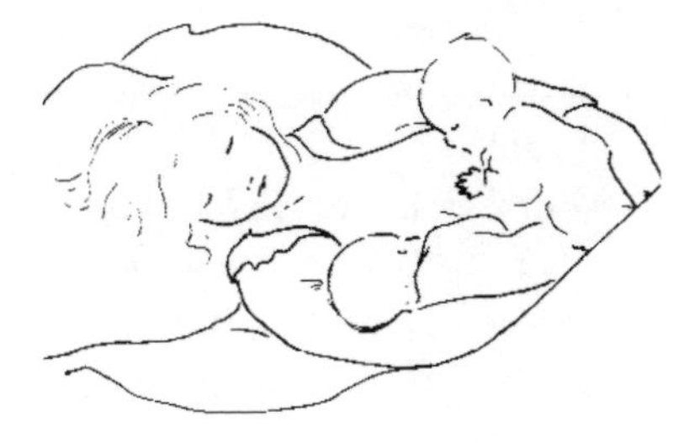

Liggend voeden.

Dat kan op de volgende manieren:
• Neem de baby's alle twee in de onder-je-arm houding. Als ze nog erg klein zijn, is deze houding heel geschikt, omdat je wat beter kunt sturen bij het aanleggen.
• Bij de kruishouding ligt elk kind in je arm op schoot, de een met de beentjes over de ander heen gekruist. Je handen komen op de billetjes en je trekt hen stevig tegen je aan.
• In de parallelhouding ligt de ene baby onder je arm en de andere op schoot. Een combinatie dus van beide vorige houdingen.
• Als je liggend wilt voeden, lukt dat het beste met twee kussens onder je hoofd en schouders. De baby's liggen in je armen en op je buik, met hun beentjes naar elkaar toe in een V-vorm.

In het begin zul je zeker hulp nodig hebben, om het voor elkaar te krijgen allebei de baby's goed aan te leggen. Lees het stukje over aanleggen in hoofdstuk 4 nog eens door. Zorg voor volop kussens, zodat je zelf goed gesteund zit en de kinderen zonder inspanning bij de borst kunnen. Leg eerst de baby aan die daarbij nog de meeste aandacht nodig heeft. Naarmate je tweeling ouder wordt, zal het je beter afgaan de kinderen tegelijk de borst te geven. Zij zijn inmiddels ook volleerd geworden; of ze laten zich afleiden door elkaar!

Welke kant, wanneer, voor wie?
Het is niet realistisch twee baby's ieder op eigen verzoek te voeden. Je kunt het wel zo doen dat je uitgaat van: wie 't eerst komt, 't eerst maalt. Meteen daarna maak je dan nummer twee wakker om te drinken aan de andere borst. De volgende voeding leg je elke baby aan de andere kant aan.

Vooral in het begin kan het van belang zijn per voeding, of anders per dag van borst te wisselen. Je borsten worden dan gelijkmatig gestimuleerd, want vaak is de ene baby actiever aan de borst dan de andere. Na verloop van tijd blijken de meeste kinderen een voorkeur voor een borst te krijgen. Als ieder zijn eigen kant heeft, kan het gevolg zijn dat je ene borst tijdelijk wat zwaarder is dan de andere. Voor een jonge baby is het echter beter dat hij dan op de ene, dan op de andere zij ligt te drinken.

Misschien bevalt het je in deze drukte beter, om je aan een ritme te houden van elke drie uur een voeding voor allebei de baby's, hetzij tegelijk, hetzij na elkaar. Natuurlijk kun je met zo'n schema soepel omgaan en zijn tussendoortjes altijd mogelijk. 's Nachts wacht je af tot de eerste wakker wordt (een nachtvoeding hoort er de eerste tijd wel bij). Probeer een prettige houding te vinden om liggend in bed, half slapend te voeden.

Aanvulling met flesvoeding

Te weinig tijd blijkt voor ouders van een tweeling meestal een groter probleem te zijn dan te weinig borstvoeding. Er wordt moedermelk geproduceerd naargelang de behoefte. In vroeger tijden hadden weeshuizen een min in dienst voor drie tot zes baby's! Niettemin wordt er vaak van uitgegaan dat het noodzakelijk is om ook flesvoeding te blijven geven.

Zo'n combinatie is dus lang niet altijd nodig en voor de meeste vrouwen ook niet echt gemakkelijker. Maar het kan wel een keuze zijn om afwisselend borst en fles te geven. Na de eerste weken weten de meeste baby's wel raad met die heel verschillende manieren van zuigen die daarvoor nodig zijn. Je produceert dus moedermelk voor één baby, maar ze krijgen om de beurt de borst. Het risico bestaat dat een van beiden toch de borst gaat weigeren, en dat kan moeilijker zijn dan het op het eerste gezicht lijkt. Borstvoeding geven betekent immers niet op de laatste plaats een emotionele relatie.

In ieder geval is het erg praktisch, als je af en toe je tweeling aan een ander kunt toevertrouwen, om er alleen of met je partner op uit te gaan. Ook dat hoort bij goed zorgen voor jezelf.

Aangeboren afwijkingen

Borstvoeding kan helpen bij het aanvaarden van het verdriet als je baby niet perfect geboren wordt. Er zijn gevoelens van wanhoop, schuld, schaamte en teleurstelling. Hulp is misschien nodig om daarmee in het reine te komen. Daarnaast krijg je, samen met je partner, gesprekken met de kinderarts of met anderen die bij de zorg voor je kind betrokken zijn. Vraag alles wat je weten wilt, schrijf vragen en antwoorden op om te voorkomen dat veel je in je verwarring ontgaat.

Afhankelijk van de conditie van je baby kun je hem bij je houden en zo leren kennen. Als je hem mag voeden, ben je heel vaak met hem bezig en dat betekent geleidelijk ook troost voor jezelf. Een kind met een probleem heeft een hechte relatie met heel veel lichaamscontact extra hard nodig. Misschien moet je beginnen met afkolven, omdat je baby nog niet zelf aan de borst kan drinken. Sommige kinderen kunnen alleen uit een speciale speen leren drinken. Je eigen melk kan dan ook gegeven worden. Of dat haalbaar is en voor hoe lang, zul je zelf moeten afwegen. Het is een moeilijke beslissing, als je je erop had ingesteld je baby gewoon de borst te gaan geven.

Gespleten lipje, kaak of gehemelte: schisis

Er bestaat een aantal verschillende vormen van deze afwijking: de spleet kan een- of tweezijdig zijn en het kan alleen de lip, de kaak, of het gehemelte betreffen; de schisis kan ook in combinatie voorkomen. Voeden, ook met een fles, is in dat geval niet eenvoudig. Borstvoeding is gunstig voor de ontwikkeling van de spieren van de kaken en van het gezichtje, en zou op den duur een positief effect kunnen hebben op de spraakontwikkeling. De bescherming tegen infecties, die je eigen melk biedt, is voor een kind met deze afwijking nog belangrijker dan anders, omdat de kans op oorpijnklachten groter is. Maar bij sommige vormen van schisis lukt het de baby niet aan de borst te drinken. Het wordt zeker moeilijk als er daarnaast sprake is van problemen met slikken en tongbeweging. Je kindje heeft dan intensieve zorg nodig.

De baby zal minstens een keer geopereerd moeten worden. Een lipspleet wordt over het algemeen gesloten voordat de baby zes maanden is. Omdat moedermelk een licht verteerbare voeding is, kun je hem meestal twee tot drie uur voor de ingreep nog voeden. Een operatie aan het gehemelte wordt over het algemeen uitgesteld tot na zes maanden en gedaan voor het tweede jaar.

- De meest zichtbare spleet, die van de lip, veroorzaakt eigenlijk de minste problemen bij het geven van borstvoeding. Je zorgt ervoor, dat je baby kan drinken zonder dat hij steeds lucht binnen krijgt: er moet een vacuüm kunnen ontstaan. Als je zelf voedt, kan de opening 'opgevuld' worden door je zachte borst. Misschien zul je er je duim op moeten leggen. Om de tweede kant te geven laat je je baby op dezelfde zij tegen je aan liggen, maar je schuift hem door tot de onder-je-arm houding. Bij een dubbelzijdige lipspleet gebruik je, behalve je borst zelf of je duim, ook nog een spuugdoekje om de opening te sluiten. Het is niet erg als er wat melk uit het mondje loopt. Vaak drinkt een baby met schisis nogal luidruchtig. Laat hem vaak boeren.

• Gaat het om een spleet in het gehemelte, dan zal je baby moeite hebben met drinken, omdat hij met zijn tong de tepel juist tegen zijn gehemelte gedrukt hoort te houden. Als de opening niet al te groot is, vindt de baby vaak zelf toch een plekje waar dat wel lukt. Een spleet alleen in het achterste, zogenaamde zachte, gedeelte van het gehemelte biedt vaak de beste mogelijkheden. Maar ook dan houd je de moeilijkheid dat er door de verbinding met de neus geen vacuüm kan ontstaan. De baby kan niet echt zuigen om de tepel op zijn plaats te houden.

Meestal wordt al in de eerste week een gehemelteplaatje aangebracht als tijdelijke maatregel. Dat plaatje is van glad kunststof materiaal (belangrijk, om tepelbeschadiging te voorkomen), en wordt in de loop van de maanden regelmatig opnieuw aangepast. Je moet er rekening mee houden dat je baby reageert op een vreemd gevoel in zijn mondje en aanvankelijk misschien weigert te zuigen. Of hij neemt alleen de tepel tussen zijn kaakjes, waar je natuurlijk veel last van krijgt. Houd hem heel dicht tegen je aan. Je hebt nu echt lactatiekundige hulp nodig en veel geduld, tot je kind gewend is aan dat rare ding in zijn mond.

Er zijn ook baby's die kans zien om de borst tussen hun kaakjes en tong leeg te 'kolven', zonder echt te zuigen. Je kunt dat bevorderen door te proberen je tepel zo lang mogelijk te maken. Je legt je wijs- en middelvinger aan weerszijden van de tepelhof en drukt de samengeknepen vingers iets naar achteren. Je moet hierbij oppassen dat het voeden geen pijn doet. Als je baby gewend is aan het gehemelteplaatje lukt het hem waarschijnlijk beter, om zelf de tepel ver genoeg in de mond tegen het gehemelte aan gedrukt te houden.

Aanleggen

Hoe eerder je je baby aanlegt, des te groter is de kans dat hij in staat is aan de borst te leren drinken. Je borsten zijn de eerste dagen nog soepel en je kunt op je gemak verschillende houdingen proberen. Let erop dat je de baby tijdens de voeding zoveel mogelijk rechtop houdt, zeker als de melkproductie op gang is gekomen. Daardoor wordt voorkomen dat de voeding via het gehemelte in het neusje loopt en de baby zich verslikt. Maak je geen zorgen als hij via het neusje wat melk teruggeeft.

- Je legt hem aan in de onder-je-arm houding, waarbij je ervoor zorgt dat hij naast je zit en in het ruggetje gesteund wordt door je arm en een extra kussen. Beentjes en lijfje maken een hoek van zo'n 90 graden.
- Zet je baby met het gezichtje naar je toe op schoot alsof je hem laat paardje rijden, dicht tegen je aan, de beentjes gespreid. Waarschijnlijk moet er een kussen onder zijn billetjes, zodat je niet voorover hoeft te leunen.
- Een extra ondersteuning van het onderkaakje of het kinnetje staat beschreven op blz. 189. Beweeg het onderkaakje eventueel ritmisch op en neer.
- Na een operatie mag je vaak weer snel borstvoeding proberen te geven: je borst is heel zacht en de moedermelk helpt infectie, ook plaatselijk, te voorkomen. Bespreek deze mogelijkheid in ieder geval bij de planning van de ingreep met de behandelend arts of het schisisteam.

Of... moedermelk uit de fles

In veel gevallen zul je voor kortere of langere tijd je toevlucht moeten nemen tot afkolven, om de melkproductie op gang te brengen of te houden. Soms moet je ook nakolven, als je baby de borst nog niet effectief kan 'melken', net zoals bij een te vroeg geboren baby. Op blz. 190 lees je daarover meer.

Het is een zware opgave om lange tijd af te kolven, omdat je baby niet zelf kan drinken aan de borst; je zult praktische begeleiding en zeker ook morele steun nodig hebben. Voor- en nadelen moeten tegen elkaar worden afgewogen.

Het voeden met een flesje gebeurt vaak met behulp van een lange (lammer)speen, of een (orthodontische) platte speen. Van de laatste bestaat ook een extra grote uitvoering, speciaal voor kinderen met dit probleem. Probeer uit waar je baby het beste mee overweg kan. Als hij amper zuigt, kun je de speen zachtjes indrukken in een ritme aangepast aan het tempo van slikken. Bij een platte speen zie je vaak dat de baby zich minder verslikt, als je de speen onderste boven gebruikt. De voeding druppelt dan direct op de tong. Dan is er nog de 'Haberman Feeder' met een ventieltje tussen fles en speen. In het buitenland zijn zuigflessen van zacht plastic te koop, waar je dus in kunt knijpen om de melkstroom te reguleren. Soms is het eenvoudiger de baby uit een klein kopje te laten drinken; het slikken is immers geen probleem.

Open ruggetje

Deze aangeboren afwijking heeft tot gevolg dat de baby heel snel geopereerd zal moeten worden. Daarna duurt het misschien nog een paar dagen voor je hem echt tegen je aan kunt houden. Als ouders mis je de mogelijkheid om met je baby vertrouwd te raken en dat is toch al zo moeilijk door de schrik en verwarring. Vroeger of later kunnen er specifieke problemen optreden, afhankelijk van de ernst van de afwijking. Je bent bezorgd over de toekomst, maar hier en nu kun je veel voor je baby doen: zorgen dat hij ondanks alles je eigen moedermelk kan krijgen. Als je onder zulke moeilijke omstandigheden gaat kolven, zul je extra veel aandacht moeten besteden aan het ontspannen.

Bij het aanleggen heb je in het begin hulp nodig, omdat je het ruggetje of de operatiewond moet ontzien. De angst je baby pijn te doen maakt je onhandig. In een houding waarbij je ligt met extra kussens onder je schouders, kan je baby buik-tegen-buik aan de borst drinken. Steun het voorhoofdje. Zie de tekening op blz. 133. Om hem te laten boeren, kun je hem tussen zijn schouderbladen wrijven. Later hoeft de borstvoeding geen bijzondere problemen op te leveren.

Een hartafwijking

Een lichte hartafwijking wordt niet altijd meteen na de geboorte opgemerkt, en je geeft borstvoeding als je daar in de zwangerschap voor had gekozen. Ook als er snel een probleem wordt vastgesteld, mag je je baby meestal zelf voeden. Borstvoeding kan grote voordelen voor hem hebben, nog meer dan voor andere kinderen. Bij ernstig zieke hartpatiëntjes kost het drinken aan de borst soms te veel inspanning. De ademhaling, de huidskleur en de hartslag geven aan dat de baby het benauwd krijgt. Met de specialist kun je bespreken of korter en vaker voeden een mogelijke oplossing daarvoor is. Als je (voor een deel) zelf kunt blijven voeden, kan dat voor je baby en jezelf een troost betekenen. Bovendien hebben veel vrouwen ervaren, dat de borstvoeding hen en hun baby door zware tijden van ziekenhuisopnames en belastende ingrepen heenhielp.

Een baby met een hartafwijking groeit meestal niet zo goed zonder dat dat aan de borstvoeding ligt.

Syndroom van Down

Tegenstrijdige gevoelens gaan door je heen, als het vermoeden wordt uitgesproken en bevestigd, dat jouw baby een mongooltje is. De toekomst is op slag veranderd en als ouders sta je voor de opgave een nieuw perspectief te vinden. Je plannen om je baby zelf te voeden hoef je echter niet te herzien: juist voor deze kinderen is de bescherming tegen ziekte, die alleen moedermelk biedt, zo belangrijk. Ze zijn immers extra vatbaar, bij voorbeeld voor luchtweginfecties.

Borstvoeding zal deze baby's ook helpen bij de ontwikkeling van de spieren van de mond en het gezichtje, en dat is gunstig voor de latere spraakontwikkeling. De spiertonus (= spanning) is zwak; het intensieve lichamelijke contact van de borstvoeding stimuleert een optimale ontwikkeling. Maar het is niet altijd even eenvoudig om een kind met het Syndroom van Down de borst te geven. Het kan zijn dat je te maken krijgt met nog een probleem: sommige baby's hebben ook een hartafwijking en moeten daarom in het ziekenhuis worden opgenomen. Over afkolven in zo'n situatie kun je meer informatie vinden in hoofdstuk 9 en op blz. 186. Verwacht wat voeden betreft niet te veel van de eerste keren dat je de baby bij je mag nemen; knuffelen is het belangrijkste.

Wat zijn de typische moeilijkheden?

• Door de lage spiertonus is je baby geen effectieve drinker en wordt hij snel moe.
• Het tongetje is platter en het kost de baby erg veel moeite om de tepel goed tegen het gehemelte aangedrukt te houden. De voeding loopt gedeeltelijk uit zijn mondje.
• De baby is te zoet, hij komt niet uit zichzelf om een voeding en valt aan de borst in slaap.

Al deze problemen kunnen langzamerhand minder ernstig worden, maar de eerste weken zul je heel veel tijd en geduld nodig hebben om met je baby de borstvoeding te oefenen.

Om hem te helpen drinken, gelden dezelfde adviezen als bij een baby die bij de geboorte te klein was. In het kort waren dat de volgende (zie ook blz. 187):
• liefst direct van sonde- naar borstvoeding;
• zorg voor goede houding en ondersteuning, zowel voor jezelf als voor je kind;
• vraag eventueel om hulp;
• probeer de onder-je-arm houding;
• maak je baby wakker voor de voeding: huidcontact, praten;
• kolf vast een beetje melk af, of draag een borstschelp kort voor de voeding;
• laat wat melk of water in het mondje lopen;
• laat je baby vaak boeren;
• geef een extra steuntje voor het onderkaakje of de kin. (Tekening op blz. 189);
• kolf na en voed met achtermelk bij.

Zorgvuldig aanleggen is natuurlijk ook geboden. Druk zachtjes tegen het kinnetje, zodat de tong naar beneden gaat en let er goed op dat het onderlipje naar buiten gekruld is.

Je baby heeft misschien gauw een verstopt neusje, waardoor het drinken lastig wordt. Probeer zijn neus schoon te maken voor de voeding, gebruik zout-water-neusdruppels.

In het begin zal hij zich ook vaak verslikken, omdat de coördinatie van ademen en slikken moeilijk voor hem is. Het scheelt als je hem wat meer rechtop houdt tijdens de voeding.

Soms duurt het lang voordat de baby de borst zelf goed wil pakken. Je kunt dan je toevlucht nemen tot een tepelhoedje. Beschouw het als een tijdelijke tussenoplossing, omdat het gebruik van een tepelhoedje een aantal bezwaren heeft (zie blz. 148).

Dit bijzondere kindje heeft bijzondere zorg nodig. Daarbij word je als ouders geholpen door de mensen van het consultatiebureau, de fysiotherapeut en mogelijk nog vele anderen. Zoek contact met de Stichting Down's Syndroom, waarin onder meer ouders je kunnen opvangen. De Stichting heeft speciale groeicurves en het 'Early Intervention'programma voor de ontwikkeling van kinderen van nul tot drie jaar. Het adres vind je achter in dit boek.

Borstvoeding wordt door sommige deskundigen als mondtherapie beschouwd. Maar zeker zo belangrijk is de speciale band die je door zelf te voeden met je baby opbouwt.

PKU

Binnen tien dagen na de geboorte krijgt je baby een hielprik, omdat hij moet worden getest op PKU. Deze letters staan voor phenylketonurie, een ongeneeslijke, erfelijke stofwisselingsziekte, die kan leiden tot zwakzinnigheid. De lever is dan niet in staat een bepaald aminozuur te verwerken. Ophoping van die stof verhindert de normale ontwikkeling van de hersenen en het centraal zenuwstelsel. Als PKU op tijd ontdekt wordt, is door een goede behandeling te voorkomen dat de ziekte ernstige gevolgen heeft. Een heel streng dieet gedurende het hele leven is de basis van de behandeling.

Het aminozuur phenylalanine, waar het om gaat, is terug te vinden in alle eiwitrijke voeding; in gewone flesvoeding en ook in moedermelk. De noodzakelijke dieetvoeding kan in principe gecombineerd worden met borstvoeding. De hoeveelheid phenylalanine in moedermelk is volgens een aantal onderzoekers laag: 41 mg/dl, vergeleken bij koemelk: 159 mg/dl en flesvoeding: 75 mg/dl. Zeer nauwkeurige en regelmatige controle is in ieder geval noodzakelijk. In de praktijk is men in Nederland aangewezen op een universitair medisch centrum, waar om de paar dagen bloed geprikt moet worden. Borstvoeding voor een baby met PKU is dan ook in ons land heel zeldzaam.

Anders dan anders

Een adoptiekind aan de borst

De meeste mensen staan er niet bij stil, dat het mogelijk is een geadopteerde baby aan de borst te voeden. Die ervaring is echter voor een aantal vrouwen heel waardevol geweest. Het gaat dan vooral om de intieme relatie tussen moeder en kind en niet zozeer om de melkproductie. Vrouwen die eerder zwanger zijn geweest, of zelfs jaren geleden hebben gevoed, kunnen vaak weer voldoende borstvoeding gaan produceren, als hun baby regelmatig goed wil zuigen. Er zijn verhalen bekend van grootmoeders die in noodsituaties hun kleinkinderen aan de borst grootbrachten.

Maar waarschijnlijk heb je nooit eerder gevoed; je hebt voor adoptie gekozen, juist omdat een zwangerschap niet tot stand kwam. Dan is de kans heel klein dat borstvoeding zonder bijvoeding mogelijk is. In de periode dat je je adoptiekind verwacht, kun je de keuze maken om je baby aan de borst te voeden. Je moet je goed realiseren waardoor wordt bepaald of de borstvoeding is gelukt: het gaat niet om de hoeveelheid moedermelk, maar om de koestering aan de borst, waar moeder en kind van genieten.

Tijdens de voorbereiding op de komst van jullie kind, doe je er goed aan steun voor je plannen te zoeken. Vanzelfsprekend is het een beslissing die je samen met je partner neemt, maar daarnaast heb je medische begeleiding nodig. Het zal moeilijk zijn een arts te vinden die ervaring heeft met adoptiekinderen aan de borst; als hij of zij er positief tegenover staat, ben je al een heel eind. Familieleden en vrienden hebben tijd nodig om aan het idee te wennen. Vrouwen die zelf gevoed hebben, begrijpen je waarschijnlijk het beste.

Vaak heb je tijd in overvloed om je voor te bereiden. Probeer er een gewoonte van te maken om gedurende de laatste zes tot acht weken een paar keer per dag je borsten en tepels te masseren en met de hand 'af te kolven'. Op blz. 162 lees je hier meer over. Maak voor jezelf een schema dat haalbaar is, bijvoorbeeld vijf keer vijf minuten. Laat je niet ontmoedigen door het feit dat je geen drupje ziet komen. Als je ooit zwanger bent geweest of gevoed hebt, lukt het eerder wat vocht uit de tepels te drukken. Het kan gebeuren dat je borsten wat zwaarder worden, dat je cyclus onregelmatig wordt. Overleg met je arts of een ondersteuning met medicijnen gegeven kan worden. Er zijn wel mogelijkheden.

De beste manier om de melkproductie te stimuleren is echter het zuigen van een baby. Hoe jonger je baby bij aankomst is, des te groter is de kans dat hij de borst gemakkelijk zal pakken. Lees het stukje over aanleggen op blz. 62. In hoofdstuk 5 staat nog wat aanvullende informatie om een onwennige drinker te verleiden de borst te nemen.

Zowel jij als je baby hebben tijd nodig om te oefenen. Praktisch altijd is je kind al gewend aan de fles. Misschien moet hij zelfs leren wat het is om op schoot gevoed te worden en zijn hoofdje naar je toe te keren voor zijn voeding. De noodzakelijke bijvoeding kun je geven met een Supplemental Nursing System (zie blz. 127), dat speciaal met het oog op geadopteerde baby's is ontworpen. Helaas gebeurt het vaak dat de conditie van een adoptiekindje niet optimaal is; goede voeding staat voorop en je moet in deze situatie de bijvoeding niet verdunnen.

Keizersnee

Onzekerheid over het welslagen van de borstvoeding hangt soms samen met het minder ideale verloop van de bevalling. Als je baby met behulp van de keizersnee is geboren, komt de melkproductie ongeveer even snel en goed op gang als na een gewone bevalling.

Het is natuurlijk wel zo dat je kraambed minder gemakkelijk zal zijn en dat je emoties omtrent de geboorte van je baby hun invloed kunnen hebben. Was je voorbereid op de ingreep en op het verblijf in het ziekenhuis, of werd je er, na hard werken voor de ontsluiting, door overvallen? Ben je onder narcose geweest of heb je de geboorte van je baby bewust mee kunnen maken? Hoe dan ook, je moet opknappen van een flinke buikoperatie en dat brengt het nodige ongemak met zich mee.

Als je baby het goed maakt, mag je hem over het algemeen bij je hebben en aanleggen, zodra je je daartoe in staat voelt. Hulp is onontbeerlijk. In het begin gaat zijligging vaak het beste; vraag om een kussen in je rug en een tussen je benen. Zit je weer rechtop, dan kun je de wond ontzien door je baby in de onder-je-arm houding aan te leggen (zie blz. 77). Of je legt hem op schoot op een kussen, terwijl je nog een extra kussen onder je knieholte hebt. Ga met gespreide benen zitten.

Om je baby te laten boeren hoef je hem niet per se op te tillen. Dat kan in het begin namelijk nog erg vervelend zijn. Als je liggend hebt gevoed, kun je je baby op zijn buikje rollen en hem over zijn rug wrijven. Hij ligt op bed of over je heen. Misschien lukt het je om met baby en al op je andere zij terecht te komen Pasgeboren baby's zijn minder kwetsbaar dan je denkt en het boertje komt tijdens zo'n manoeuvre vanzelf. Vraag advies aan de verpleegkundige om te leren op welke manier je de buikspieren het meeste ontziet.

Heb je zittend gevoed, dan wil je optillen ook liever vermijden. Laat je baby goed rechtop zitten en steun zijn borst met je arm, terwijl zijn kinnetje in je hand rust. Met de andere hand wrijf je over zijn rug.

De eerste week zal het voeden misschien een hele belasting voor je zijn, omdat je nog veel pijn hebt: je hebt genoeg aan jezelf. Om stuwing en andere problemen te voorkomen is vaak aanleggen echter heel belangrijk. Door het voeden wordt de baarmoeder geprikkeld zich samen te trekken en dat bevordert de genezing van de wond. Dit soort naweeën kan wel pijnlijk zijn. Denk niet dat pijnstillers uit den boze zijn, omdat je borstvoeding geeft. Het is altijd mogelijk iets in te nemen dat geen nadelig effect heeft op de baby.

Eenmaal thuis doe je er goed aan het doktersadvies om nog een poosje kalm aan te doen echt serieus te nemen!

Voeden na een borstoperatie

Of je volledig borstvoeding kunt geven als je voorheen een borstoperatie hebt ondergaan, hangt vanzelfsprekend nauw samen met de aard van de ingreep.

- Als er sprake is van een borstvergroting is het klierweefsel intact gebleven, en kan de melkproductie normaal functioneren. Veel vrouwen hebben de ervaring dat hun borsten erg gespannen aanvoelen tijdens de zwangerschap en de eerste tijd na de bevalling. Het zou kunnen dat de kans op een verstopt melkkanaaltje groter is; extra voorzorgs-

maatregelen kunnen geen kwaad. Zie ook hoofdstuk 7.
• Het is mogelijk om een borstverkleining zo te realiseren, dat borstvoeding geven nog mogelijk is. In principe moet dan bij de operatie de tepel niet los geweest zijn van het klierweefsel. Er wordt voornamelijk vetweefsel en weinig klierweefsel verwijderd. Men houdt er lang niet altijd rekening mee dat een vrouw later misschien zelf wil voeden. Als je er destijds helemaal niet bij stil hebt gestaan, en er dus niet met de chirurg over hebt gesproken, kan het zijn dat borstvoeding geven niet meer mogelijk is. Probeer in ieder geval te achterhalen welke methode is toegepast. Als de verbindingen van het klierweefsel met de uitgangen in de tepel (gedeeltelijk) verbroken zijn, bestaat de kans dat je last krijgt van verstopte melkkanaaltjes. De voeding die wel geproduceerd wordt, kan immers niet volledig door de baby uit de borst gedronken worden. Koude compressen na het voeden leiden tot vermindering van de spanning.

Als er erg veel klierweefsel is weggenomen, zul je misschien voortdurend bijvoeding moeten geven. Toch zijn er vrouwen die na een ingrijpende borstverkleining hun baby zelf hebben kunnen voeden. Het is mogelijk om via de vereniging Borstvoeding Natuurlijk in contact te komen met mensen die je hun eigen ervaring willen vertellen.
• Een kleine borstoperatie, bijvoorbeeld voor het wegnemen van een cyste, levert geen problemen op. Dergelijke ingrepen kunnen zelfs tijdens de zoogperiode worden gedaan, als het echt nodig is. Over het algemeen kan de baby snel daarna weer aangelegd worden.

Ziekte en ziekenhuisopname

Als je zelf ziek wordt en je hebt de zorg voor kleine kinderen, kom je voor een aantal problemen te staan. Het is lastig om je bij deze baan ziek te melden! De borstvoeding hoeft echter praktisch nooit om medische redenen afgebroken te worden (uitzondering op deze regel is bijvoorbeeld open tuberculose en kanker, ook vanwege de medicatie).

Tegen de tijd dat je ziek wordt, is je baby al blootgesteld aan een mogelijke infectie, niet zozeer via de melk als wel door het intensieve contact dat je met elkaar hebt. Moedermelk biedt juist bescherming, omdat je bloed (grondstof voor de voeding) inmiddels antistoffen gaat bevatten.

Er kan zo nodig bijna altijd een geneesmiddel gekozen worden dat niet, via de borstvoeding, nadelig is voor de baby. Dring er bij je arts op aan dat daar zorgvuldig rekening mee wordt gehouden. Als de bijsluiter toch twijfels bij je oproept, kun je altijd een apotheker raadplegen, of contact opnemen met het Medisch Advies College van de vereniging Borstvoeding Natuurlijk.

• Voedselvergiftiging of diarree is geen reden om je baby de borst te weigeren. Hij zal er niet ziek van worden. Bij hoge koorts kan je melkproductie tijdelijk afnemen; je moet extra veel drinken.

• Als je last hebt van trombose krijg je een bloedverdunnend middel; de baby krijgt (extra) vitamine K voorgeschreven, waardoor het mogelijk is gewoon borstvoeding te blijven geven.

• De Wereld Gezondheids Organisatie (WHO) staat op het standpunt dat borstvoeding in alle landen van de wereld bevorderd moet worden, ondanks de AIDS-problematiek. Ongeveer 30% van de baby's van HIV-positieve moeders raakt besmet. Zwangerschap en de geboorte zijn daarvan de belangrijkste oorzaak. Maar ook via moedermelk kan HIV worden overgedragen. Het blijkt echter zeldzaam. In tal van situaties brengt kunstmatige zuigelingenvoeding zo veel infectiegevaar met zich mee, dat het HIV-risico daarmee vergeleken gering is. In een land als het onze ligt het anders. Hier kan een vrouw, die weet dat ze HIV-positief is, volgens UNAIDS (1998) beter geen borstvoeding geven.

Praktische maatregelen

Hoe en of je een ziekenhuisopname kunt combineren met borstvoeding geven, hangt van een aantal factoren af: je conditie, de leeftijd van je baby, de duur van de opname, de organisatie in het ziekenhuis, bezoekuren, je verzekering, enzovoort. Het scheelt natuurlijk al een stuk, als je de tijd hebt om van te voren een en ander te plannen en afspraken te maken. Is er bijvoorbeeld een goede elektrische kolf beschikbaar in het ziekenhuis?

Bij een acute opname voel je je voor het blok gezet: je hebt geen keus, en buitenstaanders beslissen maar al te gemakkelijk dat acht weken, vier maanden of negen maanden voeden werkelijk meer dan lang genoeg is. Toch moet je proberen voor jezelf en je baby een goede afweging te maken. Enerzijds voel je je beroerd, anderzijds maakt een onverwacht, abrupt einde aan de borstvoedingsrelatie je alleen maar ellendiger. Juist als je baby al een paar maanden is, kost het voeden op zich je heus niet zoveel inspanning, hoewel men dat wel vaak blijkt te denken.

De opname van een baby is soms meeverzekerd, ofwel tot een bepaalde leeftijd (vaak drie maanden), of zolang hij 'op borstvoeding is aangewezen'. Maar een grotere baby zie je misschien liever niet in het ziekenhuis, tenzij je hem zelf zou kunnen verzorgen. Je kunt ook alleen tijdens de bezoekuren de borst geven. Je kind reageert misschien beter op de onverwachte verandering in het dagelijks ritme, als het voeden min of meer door kan blijven gaan.

Tijdelijk afkolven, hetzij alle voedingen, hetzij gedeeltelijk, is ook een mogelijkheid. Voor je vertrek naar het ziekenhuis zou je de borstvoeding iets terug kunnen laten lopen, zodat je baby al went aan een flesje. Zelf hoef je dan tijdens de opname minder vaak met kolven bezig te zijn; een voordeel, zeker als je je ziek voelt.

Maak in ieder geval duidelijk dat borstvoeding voor jou en je kind belangrijk is. Ook bij het voorschrijven van medicijnen moet er rekening mee worden gehouden. Röntgenfoto's kunnen geen enkel nadelig effect hebben op de borstvoeding. Ook tegen een borstonderzoek met behulp van een mammografie is geen bezwaar, hoewel sommige artsen meer moeite hebben het 'plaatje' van een borstvoedende vrouw te beoordelen. Na het gebruik van radioactieve (contrast)vloeistof moet de voeding worden afgekolfd en weggegooid; hoe lang dat nodig is, hangt af van de betreffende halfwaardetijd. Overleg liefst al van te voren, zodat je weet waar je aan toe bent. Dat geldt ook voor een narcose. Plaatselijke verdoving, ook bijvoorbeeld voor behandeling bij de tandarts, kan vanzelfsprekend helemaal geen kwaad voor de voeding of de baby.

Als je weer thuis bent, merk je misschien dat je melkproductie is teruggelopen. Het is altijd mogelijk weer meer borstvoeding te gaan geven, maar je kunt er ook voor kiezen geleidelijk af te bouwen.

Opname van je baby

Wanneer je baby in het ziekenhuis moet worden opgenomen, zul je zo veel mogelijk bij hem willen blijven. Juist nu heeft hij zijn ouders hard nodig en borstvoeding is een uitstekende manier om een baby die overstuur is te troosten. Een ziek kind help je niet alleen door het vertrouwde emotionele contact, borstvoeding zal hem ook lichamelijk goed doen. Moedermelk is lichter verteerbaar dan kunstmatige zuigelingenvoeding. Vandaar dat de periode van nuchter zijn voor een operatie bij een borstkind over het algemeen minder lang hoeft te duren.

Hoe goed je ook probeert je kind door deze periode heen te helpen, na afloop heb je misschien nog heel wat te stellen met reacties als angstdromen en eenkennigheid. De vereniging Kind en Ziekenhuis geeft informatie om de ziekenhuisopname van je kind zo goed mogelijk te kunnen begeleiden. Het adres kun je achter in dit boek vinden.

Postpartum depressie

De geboorte van een kind is een emotionele gebeurtenis. De meeste vrouwen zijn de eerste weken af en toe wat van slag. Ze voelen zich onzeker en bezorgd, en om niets bijzonders staat het huilen hun nader dan het lachen. Ook hoofdpijn is een veel voorkomende klacht.

Maar sommige vrouwen worden werkelijk depressief. De huilbuien worden gevolgd door prikkelbaarheid, grote vermoeidheid, besluiteloosheid en het gevoel niets aan te kunnen. Het is erg moeilijk gebleken, vast te stellen wanneer je risico loopt. Er is geen verband gevonden tussen het ontstaan van een postpartum depressie en de leeftijd van de moeder, het geboortegewicht van het kind, de bevalling, borstvoeding of het huilen van de baby. Een depressie na de bevalling is waarschijnlijk voor een deel hormonaal bepaald. De problemen beginnen lang niet altijd snel na de geboorte van de baby. Het kan zijn dat ze zich pas duidelijk voordoen, kort voor de eerste menstruatie, of na het beëindigen van de borstvoeding. Het kan gebeuren dat zo'n depressie op den duur overgaat in het zogenaamd premenstrueel syndroom. Daarbij ben je elke maand een paar dagen voor je ongesteld wordt, humeurig en zwaar op de hand. Ook dat verschijnsel wijst erop dat hormonen mede ten grondslag liggen aan de klachten.

Als je je depressief voelt, krijg je aanvankelijk misschien te horen dat er niets aan de hand is, dat je toch een gezond kind hebt, dat vermoeidheid erbij hoort en dat het vanzelf wel weer overgaat. Helaas is dat lang niet altijd het geval. Het is beter hulp te zoeken, omdat een behandeling van een postpartum depressie goed mogelijk is en heel wat verdriet kan voorkomen.

Men noemt een depressie wel de ziekte van het verlies: verlies van levensvreugde, concentratie, interesse, energie. Het energieverlies staat voor de meeste vrouwen centraal en dat wordt nog verergerd, wanneer er alleen maar kalmeringsmiddelen worden gegeven. Erkenning van het feit dat de zorg voor een baby een zware taak kan zijn, zeker als je nachtrust verstoord wordt, geeft een gevoel van opluchting. De eindeloze hoeveelheid werk wordt zo vaak niet eens als werk beschouwd. Partners blijken ook meer geneigd te zijn tijdens de zwangerschap met het huishouden te helpen, dan daarna. 'Alleen maar' voor de baby (en de boodschappen, de was, het eten) zorgen wordt te veel, juist omdat je er alleen voor staat. Maar buitenstaanders snappen niet dat je moe wordt van 'niets' doen. Het gevoel van machteloosheid hangt misschien ook samen met de positie van moeders van jonge kinderen in onze maatschappij. In veel andere samenlevingen wordt een lange periode van rust en ondersteuning na een bevalling gegarandeerd door de hulp van andere vrouwen.

Onderzoek wijst ook in de richting van een mogelijk verband met het functioneren van de schildklier.

Soms wordt uitgegaan van een hormonale oorzaak. Er wordt onder andere natuurlijk progesteron (progestan) gegeven, wat geen nadelig effect heeft op de borstvoeding. Soms schijnt een tekort aan vitamine B6 (pyridoxine) een oorzaak te zijn. Ook dat kan zonder bezwaar worden ingenomen. Bovendien zijn er tegenwoordig antidepressiva die met borstvoeding kunnen samengaan.

Maar nogmaals: zoek hulp! Dit is niet een situatie waar je met zelf dokteren ook wel uit komt. Gesprekken met andere vrouwen, met een maatschappelijk werkende of met een psychotherapeut vullen de behandeling aan, net zoals regelmatig contact met huisarts of wijkverpleegkundige. Begrip, waardering en emotionele steun helpen je weer op weg. Gezinshulp is een uitkomst, om te voorkomen dat alles in het honderd loopt.

Welke plaats borstvoeding geven inneemt, is heel persoonlijk. Veel vrouwen hebben het gevoel dat zij ten minste nog iets voor hun baby betekenen als ze zelf voeden. Het steeds terugkerend samenzijn kan houvast geven. Soms gaat de borstvoeding niet zo gemakkelijk. De toeschietreflex reageert immers op hoe je je voelt. Wellicht geeft Syntocinon-neusspray in deze situatie net die extra stimulans. Eventueel kun je wat bijvoeden in plaats van het zelf voeden helemaal los te laten. Je kunt voor morele steun en advies terecht bij de stichting Selene, waarbinnen vrouwen actief zijn die zelf een postpartum depressie hebben gehad. De stichting geeft ook raad bij het zoeken naar deskundige medische begeleiding. Het adres vind je achter in dit boek.

Diabetes

Als je diabetes hebt, word je tijdens je zwangerschap en bevalling zorgvuldig gecontroleerd. Meteen na de geboorte daalt de behoefte aan insuline en is een aanpassing opnieuw nodig. Het maakt een groot verschil of je wel of niet borstvoeding gaat geven. De energiebehoefte is daardoor anders, al moet niet vergeten worden dat voor de melkproductie ook vetreserves worden aangesproken. Borstvoeding geven is heel goed mogelijk. Door de enorme verandering in de hormoonhuishouding voelen veel suikerpatiënten zich tijdens de zoogperiode juist beter dan ooit. Een voordeel is nu ook het tijdelijk uitblijven van de menstruatie, en daarmee het op peil blijven van het ijzergehalte. Je baby zal de eerste dagen met extra zorg omringd worden, omdat hij zich moet aanpassen aan een lagere bloedsuikerspiegel. Vaak voeden is niet altijd genoeg. Wat bijvoeding (waarbij zuigen aan een speen zeker vermeden moet worden) is misschien nodig, totdat de borstvoeding goed op gang is gekomen. Daar komt bij dat er een grotere kans bestaat, dat je baby te vroeg geboren wordt als je diabetes hebt. Al met al zul je goede begeleiding nodig hebben.

Loopt de borstvoeding eenmaal naar wens, dan moet je, behalve je dieet en insulinebehoefte, nog een paar zaken in de gaten houden. Je doet er goed aan alert te reageren op een verstopt melkkanaaltje om een borstontsteking te voorkomen. Je loopt daarvoor iets meer risico. Doe rustig aan. Op blz. 150 lees je uitvoerig wat er in dit opzicht verder nog belangrijk is. Je bent vatbaarder voor gistinfecties, zoals witte vloed en spruw. Dat betekent dat je pijnlijke tepels al snel als spruw moet behandelen, ook al is in het mondje van de baby geen aanduiding van witte vlekjes te vinden (zie ook blz. 144). Het is verstandig om, als het even kan, de borstvoeding heel geleidelijk weer af te bouwen, tegen de tijd dat jij en je baby daar aan toe zijn.

Schildklierafwijkingen

Bij een te traag werkende schildklier horen symptomen als slechte eetlust en een gevoel van uitputting. Ook de moedermelkproductie is niet optimaal. Dit probleem is heel goed te behandelen met medicijnen. Je krijgt een aanvulling van het schildklierhormoon, naargelang je tekort hebt. Voor de borstvoeding en voor je baby kan dat helemaal geen kwaad.

Ingewikkelder wordt de situatie, wanneer je schildklier juist te hard werkt en wat afgeremd moet worden, omdat je klachten hebt als hartkloppingen, afvallen en nervositeit. De medicijnen die je dan krijgt, kunnen via de moedermelk de baby beïnvloeden. Maar hij heeft zelf een normaal werkende schildklier, die een afremming helemaal niet nodig heeft. Of je borstvoeding mag geven is afhankelijk van de ernst van je probleem en van de medicijnen die je moet innemen. Soms is het voldoende dat je de baby heel goed in de gaten houdt, en zo nodig voor de voeding wakker maakt. Soms wordt ook aan de borstgevoede baby een middel voorgeschreven. De schildklierfunctie, die is vertraagd door de medicijnen die via de moedermelk bij de baby komen, wordt dan weer gecorrigeerd.

Bij schildklieronderzoek wordt vaak gebruik gemaakt van radioactief jodium. In dat geval zul je een paar etmalen moeten afkolven en de melk moeten weggooien. Hoelang dat nodig is, hangt af van de betreffende halfwaardetijd. Vraag of een andere onderzoeksmethode mogelijk is.

Epilepsie

Deze ziekte kan met behulp van medicijnen voor een heel groot deel onder controle gehouden worden. Als je borstvoeding wilt gaan geven, bespreek je dat vanzelfsprekend met je behandelend arts. De middelen die je krijgt, kunnen zo nodig worden aangepast, zodat je baby er geen last van ondervindt. De melkproductie wordt door epilepsie niet beïnvloed. De dagelijkse gang van zaken met de zorg voor een of meer kinderen misschien wel. Andere vrouwen in deze situatie hebben de volgende ideeën voor je geopperd:

- Zorg voor een box of campingbedje op elke verdieping van je huis, waar je de baby in kunt leggen zodra het nodig is. Je kunt ook traphekjes in deuropeningen plaatsen.
- Ga tijdens het voeden in een grote leunstoel zitten.
- Om te grote vermoeidheid te voorkomen, is het fijn als je ('s nachts) liggend kunt voeden. Zorg voor een rand langs je bed en gebruik kussens.
- Als je alleen met je kind de deur uitgaat, doe je er goed aan op een duidelijk zichtbare plaats een sticker te plakken met je naam en adres en informatie met wie men zo nodig contact moet opnemen.

Laat je helpen

Er bestaan probleemsituaties die hier niet uitgebreid aan de orde komen en waarin zelf voeden goed mogelijk is.

Borstvoeding geven gaat ook onder gunstige omstandigheden lang niet iedereen meteen even gemakkelijk af! Tijd om te wennen en te oefenen heb je altijd nodig. Laat je niet wijs maken dat het speciaal aan jou ligt, als niet alles meteen van een leien dakje loopt. Zoek praktische hulp en morele steun: laat anderen je helpen! Vertel je behandelend arts wat je belangrijk vindt en vraag informatie over medicijnen in verband met moedermelk. Het is niet zo dat homeopathische geneesmiddelen per definitie geen kwaad kunnen.

Het sterven van een kind

Wat is er erger dan je kind, je baby te verliezen? Ook een kind dat voor of rond de geboorte al dood is gegaan, is evenzeer je eigen baby, van wie je afscheid moet nemen. In radeloosheid en verdriet wil je de tijd terugdraaien naar toen alles nog goed was; als we toen maar...

En nu word je door de moedermelk die er wel is, hard geconfronteerd met de onafwendbare dood. Is het een troost te beseffen dat je je baby het beste hebt gegeven?

Geleidelijk zal de melkproductie afnemen, maar je moet misschien een paar keer, met behulp van warmte, de ergste spanning van je borsten verminderen door kort te kolven. Daardoor kun je de kans op het ontstaan van een borstontsteking verkleinen. Draag een goed steunende bh, ook 's nachts. Misschien krijg je medicijnen voorgeschreven om de melkproductie sneller te stoppen. Het bezwaar daarvan is dat de borstvoeding na afloop van de kuur soms opnieuw opkomt. Hoe lang het duurt voordat je borsten helemaal tot rust komen, hangt af van de hoeveelheid melk die je je baby gaf. Ook als je je baby nooit hebt kunnen voeden, kun je last krijgen van melkproductie.

Het afscheid van je baby, de verwerking en aanvaarding van het verlies zal een lang en moeilijk proces zijn. Rouwen is een zo persoonlijke ervaring dat het zwaar kan vallen om als partners elkaar daarin bij te staan. Je hebt allebei steun nodig, en wie is sterk genoeg om de ander te helpen? Als je wilt, kun je op een gegeven moment contact zoeken met ouders die ook hun kind verloren hebben. Achter in dit boek vind je de adressen van de Landelijke Vereniging van ouders van een overleden kind en van de Vereniging van ouders van wiegedoodkinderen.

Het is tragisch dat ouders in deze situatie zich vaak onbegrepen en in de steek gelaten voelen door vrienden en familie. Als je geconfronteerd wordt met de dood van een kind in je eigen omgeving, kun je misschien iets hebben aan het volgende:

- Zoek contact, hoe moeilijk je het ook vindt. Je hoeft niet veel te zeggen, maar laat weten dat je er bent. Probeer niet te troosten met loze kreten als: 'Het is zo maar het beste...'
- Geef praktische hulp, zoals boodschappen doen, opruimen, de kinderen opvangen, telefoon aannemen.
- Troost de andere kinderen, die een broertje of zusje verloren hebben, maar scherm hen niet af van het verdriet.
- Probeer ook andere vrienden over de drempel heen te helpen.
- Accepteer dat de ouders niet veel willen praten. Zwijgen is beter dan een oppervlakkige conversatie.

• Luister naar wat zij zeggen, accepteer alle gevoelens die geuit worden. Zeg vooral niet hoe de ander zich moet voelen: 'Wees blij dat je baby geen pijn meer heeft...'
• Ruim niet alle sporen van de baby weg: kleertjes, wieg, foto's, zodat het lijkt of er niets gebeurd is.
• Houd contact, als de naaste familie na de eerste drukte minder beschikbaar is. Af en toe eens opbellen kan heel veel waarde hebben.
• Probeer je herinneringen aan de overleden baby voor de ouders op papier te zetten. Zo'n brief kan lange tijd een grote troost betekenen.

12. Moedermelk en nog wat meer

Na de geboorte van je baby is de melkproductie op gang gekomen, en gebleven, omdat er steeds weer voeding nodig was. Het systeem van vraag-en-aanbod zorgt ervoor, dat moedermelk wordt aangemaakt naarmate er wordt afgenomen. Ook bij het afbouwen van de borstvoeding speelt dit systeem een belangrijke rol. Hoe minder er wordt gedronken, des te minder wordt er geproduceerd. Wat je baby in de plaats van moedermelk krijgt, hangt af van zijn leeftijd en van de reden waarom je wilt gaan stoppen. Hoe het ook zij, als het even kan, moet je er de tijd voor nemen. Je baby heeft dan de kans om te wennen aan andere voeding en vooral ook aan de andere manier van drinken of eten. En voor jezelf is een geleidelijke aanpassing aan minder productie ook veel gemakkelijker. Het is erg vervelend om je borstvoedingsperiode af te sluiten met zorgen om verstopte melkkanaaltjes.

Minderen met mate

Je bent zelf de enige die kan besluiten, wanneer je wilt stoppen met voeden. Het kan zijn dat zich moeilijkheden voordoen die je niet goed op kunt lossen, of dat je het om een andere reden niet meer prettig vindt om de borst te geven. Misschien wil je overgaan op gedeeltelijk borst, gedeeltelijk flesvoeding.

• Als je baby jonger is dan vijf, zes maanden, vervang je een borstvoeding door een flesje kunstmatige zuigelingenvoeding. Als eerste kies je daarvoor de voeding op het tijdstip, dat je toch al wat minder produceert. Voor veel vrouwen zal dat in het begin van de avond zijn. Aanvankelijk zul je waarschijnlijk wel wat last krijgen van gespannen borsten. Je kunt het uitzingen tot de volgende voeding, of desnoods heel even de ergste spanning afkolven met behulp van een warm dompelbad. Na een kleine week zal je lichaam zich hebben aangepast aan de verminderde vraag. Dan is het tijd om nog een borstvoeding te laten vervallen, bijvoorbeeld die van rond de middag. Na weer een aanpassingsperiode laat je de volgende voeding weg. Probeer het zo te organiseren, dat de voedingen die je blijft geven, min of meer over het etmaal verspreid zijn.

• Je borstgevoede baby is gewend aan veel lichaamscontact en oogcontact tijdens de voeding. Maak de overgang voor hem zo soepel mogelijk door daarop te letten.

• Met een tweeling aan de borst minder je extra geleidelijk, vergeet niet dat je een dubbele productie hebt.

• Uiteindelijk voed je dus nog zelf vroeg in de ochtend, lekker lui in bed, en nog een keer in de loop van de avond. De laatste voeding die je overhoudt, kan een van deze twee zijn. Je baby valt misschien gemakkelijker in slaap, als hij 's avonds laat nog gevoed wordt.

• Het kan ook heel aantrekkelijk zijn om overdag over te gaan op flesvoeding, en nog een hele poos twee à drie voedingen zelf te blijven geven. Hoe lang dat goed gaat, verschilt van vrouw tot vrouw. Voor een jonge baby is een borstvoeding een echte maaltijd. Hoe je melkproductie zal reageren op zo weinig stimulans is niet te voorspellen, maar de kans bestaat dat de hoeveelheid melk per voeding snel terug zal lopen. De belangstelling van je baby neemt dan ook af.

• In de periode dat je minder gaat voeden, keert je menstruatie waarschijnlijk weer terug.

Noodtoestand

Als je om wat voor reden dan ook plotseling niet meer kunt voeden, zul je alles in het werk moeten stellen om te voorkomen dat je last krijgt van overvolle borsten, en wellicht van een borstontsteking. Draag een goed passende bh, ook 's nachts. Kolf met enige regelmaat, net zo weinig dat je borsten niet meer al te gespannen zijn. Misschien krijg je daarbij een lactatieremmer voorgeschreven, een hormoonpreparaat dat de melkproductie moet stoppen. Helaas werkt een dergelijk middel niet altijd afdoende.

Afhankelijk van de situatie kun je ook overwegen of het mogelijk is tijdelijk af te kolven, zodat je de borstvoeding aan de praat houdt totdat je weer mag voeden. Is medicijngebruik de reden, dring er dan op aan dat men zorgvuldig zoekt naar een alternatief. Heel vaak bestaat dat wel.

Abrupt stoppen met de borstvoeding is niet alleen voor jezelf heel lastig en verdrietig, ook je baby voelt zich misschien 'tekort' gedaan.

Borstvoeding op z'n beloop gelaten

Of je nu met borstvoeding bent begonnen om je baby de beste voeding te geven met bescherming en al, of omdat het er voor jouw gevoel gewoon bijhoort, na een paar maanden begint waarschijnlijk iets anders mee te tellen. Je geeft nog steeds de borst omdat je er met je kind ook zo van kunt genieten. De eerste oefenperiode is allang achter de rug. De moederrol is geen toneelstuk meer, maar steeds meer een deel van jezelf. Zoals in elke baan valt de drukte soms bar tegen. In dit geval moet je de beloning zelf verzinnen!

In tegenstelling tot veel vrouwen die borstvoeding geven, hebben buitenstaanders de indruk, dat juist zelf voeden het moederschap wel tot een dubbelzware taak maakt. In persoonlijke ervaringen wordt echter het gemak benadrukt, en niet te vergeten de voldoening. Als je je draai gevonden hebt, blijkt een eerder gemaakte planning van bijvoorbeeld drie maanden borstvoeding geven, misschien ineens niet meer relevant.

Je komt geleidelijk in de periode dat je baby meer nodig heeft dan alleen een melkvoeding. Op het consultatiebureau zal men je zeker ook adviseren wat je je baby kunt geven. Vitamine D staat al veel eerder op het programma. Men neemt aan dat de hoeveelheid vitamine D in moedermelk voor baby's in een land met weinig zon niet voldoende is. In ons klimaat wordt de betrekkelijk geringe hoeveelheid uit de voeding namelijk niet gemakkelijk aangevuld door vitamine D, dat uit het zonlicht wordt omgezet. Kinderen met veel pigment krijgen vaak meer voorgeschreven dan de gebruikelijke 5 mcg per dag, omdat zij via dit noordelijke zonlicht minder opnemen. Hun huid fungeert als extra filter. Vitamine A of C is het eerste halfjaar naast borstvoeding niet nodig.

De eerste vaste voeding, wanneer?

De tijd dat met zes weken begonnen werd met sinaasappelsap en beschuit, ligt inmiddels ver achter ons, al kunnen bezorgde familieleden nog met de vraag komen of je kind langzamerhand niet eens 'echt' moet gaan eten. Moedermelk blijft de belangrijkste bron voor verschillende voedingsstoffen, totdat je baby met de pot mee-eet. En er gaat meestal een tijd overheen voor hij dat geleerd heeft.

Rond de leeftijd van zes maanden zijn de meeste baby's wel in voor iets nieuws. Je merkt dat al aan het gedrag aan de borst. Soms zal je kind zo geïnteresseerd zijn in zijn omgeving, dat hij geen tijd heeft voor een serieuze voeding. De zuigbehoefte wordt minder overheersend. Gelukkig is je baby in staat om in een paar minuten een aardige hoeveelheid moedermelk binnen te krijgen. Bovendien zul je ook merken dat er verandering optreedt in de manier waarop de melk toeschiet. Het laat wat langer op zich wachten. Anderzijds is het echt niet nodig om eerder met hapjes te beginnen. Pas in de tweede helft van het eerste jaar kan een baby andere voeding dan melk goed verteren, en er dus profijt van hebben. Zorgen om een ijzertekort zijn overbodig, aangezien het ijzer dat in moedermelk voorkomt, uitstekend wordt opgenomen. Het is gebonden aan een specifiek eiwit. Men is er inmiddels van overtuigd dat bijvoeding op te jonge leeftijd de beschermende werking van moedermelk nadelig beïnvloedt.

Hoe en wat?

• In deze leerperiode (zes tot acht maanden) doe je er het beste aan in principe eerst de borst te geven, omdat moedermelk de voeding is waar hij het nog van hebben moet. Laat je niet wijsmaken dat je vaste voeding moet gaan geven, omdat je eigen voeding na al die maanden niet goed meer is van kwaliteit.

• Na een borstvoeding geef je een hapje groente of fruit, om te voorzien in een aanvulling van vitamine A en C en ijzer. Je baby leert wennen aan verschillende smaken, en hij merkt dat bijvoorbeeld geraspte appel anders voelt in zijn mondje dan een geprakte banaan. Blijf niet te lang puree-achtige papjes geven, want juist op deze leeftijd kan je baby leren kauwen.

• Het is niet zo belangrijk waarmee je begint, je hebt een ruime keuze. Geef echter aanvankelijk niet elke dag wat anders, maar herhaal hetzelfde menu een paar dagen. Op die manier kom je er sneller achter als je baby ergens slecht op reageert. Gaat het goed, probeer dan wat nieuws. Laat de inmiddels goed verdragen producten regelmatig opnieuw op zijn bordje verschijnen.

• Het is misschien een idee om je baby eerst aan een paar groentes te laten wennen: worteltjes, sperzieboontjes, bloemkool, broccoli. Sommige kinderen accepteren de smaak van groente minder gemakkelijk, als ze al 'verwend' zijn met het veel zoetere fruit. Je baby kan al snel zelf stukjes gekookte groente oppakken en in zijn mondje stoppen.

• Fruit kan ook gedeeltelijk als sap gegeven worden, maar geef niet te veel. De baby moet nog voldoende trek hebben in vastere voeding en vooral in borstvoeding. Te veel fruit kan ook tot diarree leiden. Sommige kinderen verdragen tomatensap en sinaasappelsap niet goed. Met een maand of zeven, acht kan je baby uit een (tuit)bekertje leren drinken. Natuurlijk wil hij het op een gegeven moment zelf vasthouden; bij speciale babybekertjes is dat geen probleem. Flesjes hebben voordelen, maar sommige borstkinderen kunnen daar niet mee overweg. Tandartsen waarschuwen bovendien voor het risico van bottle-cariës (zie blz. 16).

• Geef niet vaak groenten die relatief veel nitraat bevatten, zoals spinazie, andijvie, postelein, sla, veldsla en bleekselderij. Het nitraat wordt bij de spijsvertering omgezet in nitriet en dat kan door een jonge baby nog niet voldoende worden afgebroken.

• Verse groente en vers fruit verdienen de voorkeur. Diepvries is beter dan producten in blik, waaraan zout of suiker is toegevoegd.

• Op een gegeven moment vul je twee borstvoedingen aan, één keer per dag met groente, één keer met fruit. Een tot twee eetlepels van elk is genoeg. Welk tijdstip je daarvoor kiest, is niet belangrijk. Om een borstvoeding te vervangen kun je, vanaf ongeveer acht à negen maanden, het fruithapje combineren met wat yoghurt of kwark, eventueel aangelengd met koemelk.

• Een andere aanvulling op het menu bestaat uit granen. Het wordt afgeraden om voor de leeftijd van een maand of zeven producten te geven die gluten bevatten, vanwege de kans op een overgevoeligheidsreactie. Gluten zitten in alle granen, met uitzondering van mais, rijst en boekweit. Dus nog geen beschuit, kinderkoekjes, macaroni, en dergelijke. Pap van rijstebloem heeft wat voedingswaarde betreft geen voordelen boven moedermelk, maar kan wel gebruikt worden om je afwezigheid te overbruggen. Als je baby groot genoeg is, kun je hem, om te beginnen lichtbruin, brood geven. Hij zal ermee oefenen om zelf iets in zijn mondje te stoppen en te kauwen, net als met groente en fruit. Het gaat er nog niet om hoeveel hij binnen krijgt.

Oefening baart kunst

Gedurende de eerste weken dat je vaste voeding gaat geven, eet je baby misschien maar heel weinig. Maak je er geen zorgen over, met borstvoeding als basis komt hij voorlopig niets tekort.

Zijn belangstelling voor de omgeving neemt toe. Alles wat binnen zijn bereik ligt, probeert hij te pakken en gaat naar het mondje. Als hij tijdens een maaltijd op schoot zit, ziet hij kans om het eten van je bord te graaien. Hij wil meedoen.

• Tussen acht en tien maanden gaat je baby met de pot mee-eten. Twee hapjes worden drie maaltijden en een tussendoortje. Misschien geef je er de voorkeur aan je baby groente met een aardappeltje of rijst te geven als de rest van het gezin warm eet. Als een ander moment beter uitkomt, kan dat natuurlijk ook.

• Geleidelijk krijgt hij eerst zijn hapje en daarna pas de borst. Daardoor wordt hij gestimuleerd om meer te eten. Desnoods laat je hem tevoren, niet al te lang, aan één kant drinken, als hij dat duidelijk nodig heeft.

• Verder moet zijn menu aangevuld worden met eiwitrijke voeding, naarmate de borstvoeding, in ieder geval wat hoeveelheid betreft, een minder belangrijke plaats in gaat nemen. Je kunt beginnen met magere vlees- en vissoorten, gekookt of gestoofd; vries een aantal porties in, bijvoorbeeld in een ijsblokjesbakje. Een eetlepel per keer is om te beginnen genoeg. Andere voorbeelden zijn peulvruchten, kaas, hüttenkäse, tahoe en gekookt ei. Geef alleen de eidooier, als er sprake is van een allergische aanleg.

Als je gewend bent vegetarisch te eten, kun je aan de eiwitbehoefte heel goed tegemoet komen met peulvruchten, zuivel en eieren. Een veganistisch dieet leidt voor jonge kinderen tot tekorten, bijvoorbeeld aan vitamine B en eiwitten. Vraag om een deskundig advies.

• Sommige kinderen hebben moeite met de overgang naar vaste voeding. Zeker als je baby zich niet lekker voelt, zal hij niet goed willen eten. Het kan ook zijn dat hij het lepeltje dat je hem voorhoudt weigert, omdat hij het zelf wil doen. Geef hem ook een eigen lepel en laat hem zijn vingertjes gebruiken.

Aan tafel zitten met de andere gezinsleden werkt stimulerend. Het gebeurt ook vaak dat een baby zich gemakkelijker laat voeren door een ander dan zijn eigen moeder. Wat hij de ene dag met een vies gezicht uitspuugt, eet hij een week later misschien heerlijk op.

Melk is goed voor elk...

We begonnen met melk vooraf, daarna kwam melk als toetje: moedermelk wel te verstaan. Ten slotte kan je baby bij zijn maaltijd koemelk drinken. Met een maand of negen, tien, zal het hem wel lukken om uit een beker te drinken. Je gebruikt misschien ook al wat melk om zijn brood in te weken. Dat kan halfvolle melk zijn of opvolgmelk, naargelang het advies van het consultatiebureau. Opvolgmelk is echter geen vervanging van moedermelk.

De fabrikanten van kunstmatige zuigelingenvoeding hebben dit product ontwikkeld voor baby's tussen zes en twaalf maanden. Daarbij is men ervan uitgegaan dat het menu van een kind van negen maanden voor 40% uit koemelk bestaat. Hij zou op die manier te veel eiwit en natrium krijgen en te weinig ijzer en vitamine D. De zogenaamde opvolgmelk levert minder eiwit en natrium, maar meer vitamine D en ijzer. Helaas werd de mogelijkheid borstvoeding te blijven geven geheel uit 't oog verloren. Het informatiemateriaal van de fabrikanten, ook voor de medische stand, rept er niet over en dat zal het advies dat je krijgt, misschien beïnvloeden. Een baby die nog een aantal keren per etmaal de borst krijgt, bevindt zich echter in een heel andere situatie. Moedermelk moet na de eerste weken in onze zonarme contreien aangevuld worden met vitamine D, maar het eiwit-, ijzer- en natriumgehalte is ideaal, ook voor de grotere baby. Er is dus uit voedingskundig oogpunt geen enkele reden om moedermelk te vervangen door opvolgmelk, integendeel. De Wereld Gezondheids Organisatie stelt zich dan ook op het standpunt dat 'het gebruik van zogenaamde opvolgzuigelingenvoeding onnodig is'.

Mocht je de borstvoeding inmiddels helemaal afgebouwd hebben, dan zul je in overleg met het consultatiebureau moeten bepalen welke melkvoeding het beste is. Welke melk je ook geeft, je baby is er misschien nog niet aan toe om met de borstvoeding ook het zuigen definitief op te geven.

De overgang naar een uitgebreider menu is voor kinderen met een allergische aanleg ingewikkelder dan hierboven staat beschreven. Je hebt deskundige begeleiding nodig om voor je baby een eigen hypoallergeen schema van nieuwe voedingsmiddelen op te stellen.
Als je baby veel te vroeg geboren was, moet zijn ijzervoorraad misschien eerder worden aangevuld. Ook daarvoor is een persoonlijk advies nodig. Borstkinderen zullen korter extra ijzer nodig hebben dan kinderen die flesvoeding krijgen. Geef nooit ijzer 'voor alle zekerheid'.

Spenen

Met dit ouderwetse woord wordt het proces bedoeld, waardoor een kind steeds minder afhankelijk wordt van de borstvoeding. De mogelijkheid om daarmee te beginnen voordat de baby vaste voeding nodig heeft, is in het eerste deel van dit hoofdstuk aan de orde gekomen. Als je nog volop voedt rond die periode van ongeveer zes maanden, betekent het geven van hapjes en papjes het beginpunt van het spenen. Naarmate je baby beter gaat eten van wat je hem aanbiedt, zal de hoeveelheid moedermelk langzaam afnemen.

De start van het spenen kan bepaald worden door de behoefte van een baby aan meer dan alleen melk. Wanneer je kind uiteindelijk zijn laatste slokje aan de borst drinkt en dus gespeend is, blijkt heel verschillend. Het beste moment kies je zelf. Het belangrijkste is de vraag, wat jij en je kind prettig vinden.

Tussen de zes en tien maanden heeft je baby stapje voor stapje zijn menu uitgebreid tot een indrukwekkende lijst van mogelijkheden. Hij kan nu zonder moedermelk, hoewel de waarde ervan voor zijn gezondheid nog steeds blijft gelden. In het 2e jaar voorziet 500 cc borstvoeding per dag voor 48% in de eiwitbehoefte en voor 95% in de behoefte aan vitamine C; het kind krijgt met de moedermelk bijna de helft van zijn vitamine A binnen.

De activiteiten van je baby zijn uitgebreid; hij kan langer spelen, gaat op onderzoek uit en heeft geen belangstelling meer voor de borst. Je neemt hem op schoot, maar na twee minuten gaat hij er weer vandoor. En ook al ben je zelf misschien nog niet eens echt aan stoppen toe, je kind laat zich niet dwingen.

In deze periode zie je echter ook vaak, dat zo'n kleintje van tijd tot tijd behoefte heeft om terug te vallen op zijn basis om even bij te tanken. Belangrijker dan de melk, die misschien maar heel traag toeschiet, is de veiligheid van je armen om hem heen: even 'klein' zijn. De vraag is dus of je zelf ook kunt genieten van deze momenten. Betekent je kind aan de borst ook voor jezelf even knuffelen en een moment van rust? Of krijg je langzamerhand het gevoel dat je kind te groot wordt voor de borst, al vindt hij zelf blijkbaar van niet?

Meestal had je van tevoren niet gedacht dat je zo lang zou voeden, of nader je het tijdstip dat je jezelf er uiterlijk voor gesteld had. Misschien word je onrustig omdat er van alle kanten, openlijk of bedekt, kritiek op je wordt uitgeoefend. Het is in onze samenleving nu eenmaal doodgewoon dat kinderen tot twee, drie jaar onafscheidelijk zijn van hun flesje, terwijl men borstvoeding na een maand of negen toch echt geen gezicht vindt. Een kind met schoenen aan aan de borst!

Het is de moeite waard na te gaan wat voor jou belangrijk is. Op commentaar kun je altijd reageren met de opmerking dat je al bezig bent af te bouwen. Uiteindelijk voed je meestal in je eigen omgeving, en heeft niemand er iets mee te maken.

Vind je zelf dat het echt mooi is geweest, dan bied je je baby iets anders aan dan de borst. Alleen wat drinken of wat fruit is niet genoeg, want borstvoeding betekende ook aandacht. Doe veel spelletjes op schoot, ga wandelen of met hem fietsen. Door het ritme in de dag te veranderen, kun je bereiken dat je kind vergeet om een voeding te vragen.

Probeer voor het afwennen de tijd te nemen, en ga ervan uit dat je kind er moeite mee kan hebben de borstvoeding helemaal op te geven. In een tijd dat zich al andere veranderingen in zijn leventje hebben voorgedaan, zoals een verhuizing of een nieuwe oppasregeling, zul je helemaal geduldig moeten zijn. Je doet er beter aan even te wachten totdat de rust is weergekeerd. Over het algemeen is een baby voor zijn eerste verjaardag gemakkelijker te spenen dan een peuter. Als je te hard van stapel loopt, merk je dat wel aan zijn gedrag.

De allerlaatste voeding

Borstvoeding afbouwen is een proces van geleidelijkheid. Hoe lang je ermee bezig bent, is vanzelfsprekend afhankelijk van hoeveel je nog gaf, en van de leeftijd van je baby.

Ben je gaan minderen vóórdat hij aan vaste voeding toe was, dan geef je waarschijnlijk vier tot zes weken later nog één keer per dag de borst. Voor de meeste vrouwen is het dan geen probleem ook die laatste voeding te laten vallen. Anderen krijgen toch last van een gespannen gevoel of van harde plekken in hun borsten. Verleng de tijd tussen de voedingen dan nog wat meer, voordat je definitief stopt. In plaats van 24 uur later laat je je baby na 36 uur nog even drinken. Als je het vervelend vindt zijn dagritme te verstoren, dan kun je natuurlijk ook een heel klein beetje kolven, totdat de spanning eraf is. Niet teveel. Echt leeg hoeven je borsten niet te worden! Wat er achterblijft, wordt weer door het lichaam opgenomen.

In de periode dat je baby steeds meer vaste voeding is gaan eten, wordt de melkproductie vanzelf minder. Ook dan wacht je met stoppen tot hij nog maar eens per dag bij je drinkt. Een paar dagen later desnoods nog één voeding, maar dat zal meestal niet eens nodig zijn.

Eet je kind al goed mee met de rest van het gezin, dan bestaat de borstvoeding uit kleine slokjes tussen de bedrijven door. Voor het naar bed gaan neemt hij er misschien wat uitgebreider de tijd voor. De hoeveelheid voeding is inmiddels heel gering, en soms realiseer je je ineens dat er een dag voorbij is gegaan zonder dat je gevoed hebt. Aan je borsten is dat niet te merken. De behoefte van een kind om nog even klein te zijn, kan nogal wisselen. Al met al weet je achteraf misschien niet eens meer wanneer het nu echt de laatste voeding was.

Nog vele maanden later kan er wat melk of vocht uit je borsten gedrukt worden. Dat is niets om je zorgen over te maken. Het spreekt overigens vanzelf, dat het niet verstandig is dagelijks te proberen of er nog wat komt. Op die manier zou je blijven stimuleren. Als je spontaan melk of vocht uit de borsten blijft verliezen (dat wil zeggen: zonder dat je druk uitoefent), dan is het zaak een arts te raadplegen. Je kunt erop staan doorgestuurd te worden naar een specialist, omdat de oorzaak van een dergelijke afscheiding moet worden achterhaald.

Vlak nadat je gestopt bent met voeden, lijken je borsten vaak kleiner en slapper dan ooit. Na verloop van tijd neemt het vetweefsel toe en word je weer min of meer als voorheen. Trek er rustig een half jaar voor uit! Niettemin is het te verwachten dat zwangerschap, bevalling en borstvoeding ook lichamelijke veranderingen teweegbrengen. Het zou eerder vreemd zijn als dat niet zo was.

Nog heel klein en toch te groot?

Waarschijnlijk heeft iedere moeder bij vlagen gemengde gevoelens over het voeden van haar peuter. 'Zou hij anders wel eindelijk de nacht doorslapen? Zou hij wat minder verlegen worden? Zou ik me wat energieker voelen?'

Je kind zal heus steeds onafhankelijker van je worden, maar in zijn eigen tempo. Door hem de borst niet meer te geven, wordt hij heus niet sneller groot! Maak je geen zorgen dat je hem tekort doet of te klein houdt, maar geniet ervan dat je kind aan de borst nog even tijd heeft om te knuffelen. En onderschat het gemak niet dat je ervan hebt. Last van tandjes of kiezen, slapen in een vreemd bed, vallen van een hoge stoel: troosten aan de borst werkt beter dan wat ook en is heel wat gezonder dan het roemruchte snoepje.

Daarnaast leert je kind op steeds meer manieren contact te leggen met de wereld om hem heen. Voeden is natuurlijk niet het enige antwoord op al zijn vragen; en jij bent allang niet meer de voorwaarde voor zijn relatie met de buitenwereld.

De eerder genoemde kritiek die je in je omgeving kunt ontmoeten, wordt des te lastiger te hanteren, als je kind zelf gaat vragen om een slokje. Soms merk je het aan de manier waarop hij tegen je aan kruipt en aan je trui begint te trekken. Soms zegt hij in zijn onverstaanbaar peutertaaltje iets dat op borst of drinken lijkt. In ieder geval kan het voordelen hebben een privé-codewoord voor borstvoeding te introduceren, zodat je, bijvoorbeeld, niet in een lastig parket komt op een stijlvolle receptie. Juist als je kind niet op zijn gemak is, zal hij eerder behoefte hebben aan geruststelling, terwijl jou dat helemaal niet uitkomt. Gelukkig kan hij langzamerhand ook leren begrijpen dat uitstel soms echt nodig is. En desnoods trotseer je de verbazing van anderen; wie weet gaat er een wereld voor hen open!

Verstoorde nachtrust

Het lijkt wel of borstkinderen de neiging hebben om langer 's nachts wakker te worden dan baby's die al heel jong de fles krijgen. Gelukkig geldt dat niet voor alle kinderen en hebben bovendien niet alle ouders er bezwaar tegen.

Misschien ligt een verklaring in het feit dat moedermelk zoveel lichter verteerbaar is. Maar toch is het onwaarschijnlijk dat je baby enorme honger heeft, als hij na vijf, zeven, tien maanden nog heel vaak niet doorslaapt. Is hij soms verwend...?

Het zou kunnen dat hij er in ieder geval wel aan gewend is geraakt, dat zijn moeder hem snel kan troosten. Je doet dat ook gemakkelijker, omdat het je minder moeite kost: je kruipt er snel weer in, met je baby warm tegen je aan. Voel je vooral niet schuldig, als je bereid en in staat bent om je baby gerust te stellen. Het is wel handig om te zorgen voor een dubbeldikke nachtluier, zodat je hem in principe niet hoeft te verschonen.

Maar op een gegeven moment zou het ook wel heerlijk zijn weer eens de nachten ongestoord door te kunnen slapen! Dat geldt zeker als je kind 's nachts klaarwakker is, bij jou in bed niet tot rust komt en verder slaapt, maar juist zin heeft in spelletjes. In zo'n situatie wil je toch op een of andere manier proberen te voorkomen dat je oververmoeid raakt.

Helaas zijn er geen eenvoudige oplossingen voor dit probleem. Je gaat van alles proberen. Een warm badje laat op de avond levert misschien wat meer uurtjes rust op. Een extra voeding, of zelfs een bord pap om elf uur 's avonds, helpt meestal niet. Geen honger dus. Waarschijnlijk realiseert je baby zich dat hij alleen is, zodra hij eventjes wakker wordt. Misschien zijn het dromen na een intensieve dag, of heeft hij last van een tandje.

Er zijn nog een paar mogelijke oplossingen, waar je in overleg met je partner voor kunt kiezen:

• Als je baby 's nachts wakker wordt en huilt, gaat een van beiden naar hem toe en praat even tegen hem, zonder hem op te nemen. Dat herhaalt zich een aantal keren totdat hij eindelijk in slaap valt. Dit is een drastische maatregel, maar er zijn ouders die deze keuze maken. De ervaring is dat de meeste kinderen steeds sneller weer inslapen. Zelf lig je je een paar(?) nachten te verbijten.

• Een oudere baby zal meer moeite hebben te accepteren dat hij geen borstvoeding krijgt, als zijn moeder naar hem toe gaat. Zijn vader kan hem op de arm nemen, even met hem rondlopen, en wat water laten drinken. Begin liever niet met flesjes melk of sap, want dat betekent een enorme aanslag op zijn mooie nieuwe tandjes. Bovendien zal het een hele opgave blijken om hem daar weer van te spenen.

• Neem je baby niet lekker bij je in bed, maar voed hem kort en 'zakelijk'. Geen licht aan, niet verschonen.

Een nieuwe zwangerschap

Als je ontdekt dat je weer in verwachting bent, terwijl je nog borstvoeding geeft, zul je je afvragen of je nu zo snel mogelijk moet afbouwen. Maar ook nu is dat een kwestie van je eigen keuze. Je lichaam kan zonder twijfel genoeg voedingsstoffen leveren zowel voor het voeden als voor de ongeboren baby, zelfs al zou je de eerste tijd weinig eetlust hebben.

De veranderingen die bij zwanger zijn horen, kunnen hun weerslag hebben op je plezier in het voeden.

• Je borsten en tepels worden gevoeliger onder invloed van de zwangerschapshormonen. Meestal is dat een tijdelijk verschijnsel en heb je er minder last van als je het toeschieten van de melk probeert te bevorderen. Geen Syntocinon gebruiken, omdat dat de baarmoeder kan prikkelen.

• In het begin ben je misschien voortdurend doodmoe. De oorzaak daarvan ligt echter niet in het voeden, maar in de zwangerschap, samen met vanzelfsprekend de zorg voor je 'oudste'. Je moet je afvragen of het leven van alledag gemakkelijker voor je zal worden, als je hem niet meer voedt. De vermoeidheid neemt gewoonlijk na de eerste drie, vier maanden wel af. Vaak komt dan juist een periode van volop energie.

• Bijna iedereen ervaart dat de melkproductie tijdelijk minder wordt. Zeker als je baby nog volledig borstvoeding krijgt, zul je dat merken aan zijn reacties. Afhankelijk van zijn leeftijd kun je dit probleem opvangen met wat extra flesvoeding, of met de introductie van (meer) vaste voeding. Iets later in de zwangerschap werkt het vraag-en-aanbod-systeem van de melkproductie weer als voorheen.

• Tegen het einde van de zwangerschap verandert moedermelk geleidelijk van samenstelling, omdat de pasgeborene straks van colostrum moet worden voorzien. Ook al geef je nog steeds de borst, je kleine baby zal straks niets tekort komen. Het colostrum is niet op een gegeven moment op.

Veel vrouwen beschouwen de zwangerschapsperiode als een goede tijd om de borstvoeding af te bouwen. Met gevoelige tepels ben je geneigd je kind niet meer zo vaak bij je te laten drinken. Een soort 'rust' voordat je opnieuw begint, maakt je zwangerschap misschien prettiger. Het is niet goed je eigen behoeften weg te cijferen. De kans is overigens groot, dat je kind reageert op de veranderingen in de moedermelk. Het wordt wat minder, de voeding schiet niet meer snel toe en smaakt misschien ook anders. Vandaar dat hij soms zonder moeite de borstvoeding opgeeft, zeker als hij inmiddels al goed eet.

Toch zijn er natuurlijk ook kleintjes die zo genieten van hun slokje troost af en toe, dat ze geen enkel bezwaar hebben tegen het verminderde aanbod, of tegen de onhandig dikke buik van hun moeder. Als je zelf niet aan stoppen toe bent, hoef je je daartoe dus niet verplicht te voelen. Het is vervelend dat je voor deze keuze niet altijd begrip kunt verwachten in je omgeving. Zorg ervoor dat je lichamelijke conditie zo goed mogelijk blijft.

Wat nu?

Je kent misschien niemand die zwanger en wel borstvoeding bleef geven, en als je baby eenmaal geboren is, voel je je helemaal een uitzonderlijk geval! Toch komt het inmiddels zoveel voor, dat er in het buitenland de term 'tandem voeden' voor is bedacht. Veel vrouwen die er ervaring mee hebben, vonden het de moeite meer dan waard. Het oudere kind accepteert zijn nieuwe broertje of zusje op een vanzelfsprekende manier. Aanvankelijk is het beter eerst de baby te voeden, om er zeker van te zijn dat hij volop colostrum krijgt. De oudste komt af en toe een toetje halen. Hij zal verbaasd, en misschien verontwaardigd, reageren op de enorme hoeveelheid melk, die ineens weer geproduceerd wordt.

Ook een kind dat weken of maanden geen borstvoeding meer heeft gehad, kan opeens erg geïnteresseerd blijken. Je zult zien dat hij niet meer goed weet, hoe hij aan de borst moet drinken. Laat het hem maar even proeven: toch meer iets voor dat piepkleine nieuwkomertje.

13. Borstvoeding in een breder perspectief

In de geïndustrialiseerde samenleving is een scheiding tot stand gekomen tussen werken voor de kost en het gezinsleven. Een combinatie van deze twee functies was eeuwenlang de normale gang van zaken. Maar er is een tweedeling ontstaan, waardoor de zorg voor kinderen tot een tweederangs bezigheid kon worden. Het is immers een activiteit die economisch gezien niets oplevert. Het werk dat daarbij door vrouwen verzet wordt, is onzichtbaar en ondankbaar in een tijd dat overal een prijskaartje aan hangt. Bevrijding van de taken, die de opvoeding van kinderen met zich meebrengt, werd begrijpelijkerwijs beschouwd als vooruitgang. Vrouwen konden zo pas echt deelnemen aan het maatschappelijk leven. Toch blijft het dilemma ook in onze generatie bestaan: hoe kun je beide taken goed doen? Moeten de oplossingen alleen in de persoonlijke sfeer gevonden worden?

'Alles van waarde is weerloos'

Iedere moeder die voornamelijk zelf voor haar kind kan en wil zorgen, krijgt de eeuwige vraag te horen: 'Werk je ook?' Werken betekent geld verdienen. Ander werk telt niet mee. De ervaring die ze opdoet in deze periode, zal niet gauw een punt in haar voordeel worden.

Met de aanvaarding van de gedachte dat economische onafhankelijkheid van belang is, wordt de keuze van een vrouw om voor haar eigen kinderen te zorgen steeds moeilijker. Als de partner in staat en bereid is om haar en hun kind te onderhouden, kan zij persoonlijk een waardevolle tijd beleven. Maar toch moet ze wel een enorm zelfvertrouwen hebben, om met plezier zo'n stap terug te doen op de maatschappelijke ladder. De vraag is of inhalen later mogelijk blijkt.

Vrouwen die een belangrijke functie bekleden, weten dat ze in sommige opzichten maar beter niet te veel moeten laten merken dat ze vrouwen zijn. Ze piekeren er zelfs over of ze het wel zullen wagen zwanger te worden. De mogelijke risico's van vermoeidheid of extra verlof geeft hun bij voorbaat al een schuldgevoel. Er is geen plaats voor de zorg voor kinderen in de wereld waar het geld verdiend wordt.

Vreemd genoeg is de combinatie van bijvoorbeeld topmanagement en een hoogleraarschap of commissariaat acceptabel en zelfs gangbaar. Toch is ook dan de betreffende persoon niet full-time op beide plekken beschikbaar. Moederschap is echter wel een heel afwijkende functie, die blijkbaar niet beschouwd kan worden als een serieuze deelactiviteit.

Ondanks mogelijke negatieve gevolgen voor hun carrière willen veel vrouwen graag kinderen. Hoe meer zij terecht komen op plaatsen waar beleidsbeslissingen genomen worden, des te meer moeten ze duidelijk maken dat kinderen recht hebben op zorg. Vaders hebben tot nu toe niet erg aan de weg getimmerd om een dergelijk, eigenlijk vanzelfsprekend, standpunt duidelijk te maken. En helaas voelen veel vrouwen zich nog steeds in zo'n kwetsbare positie, dat zij niet zo graag het accent zullen leggen op die aspecten, die vrouwen onderscheiden van mannen. Recht op borstvoeding geven betekent bijvoorbeeld zo'n gedoe, dat velen bang zijn voor een boemerangeffect. Werkgevers staan er wellicht ook niet om te springen vrouwen aan te nemen, die misschien wel een beroep gaan doen op regelingen voor ouderschapsverlof en op hun recht onder werktijd te voeden.

Een vrouwenzaak

Is het dan zo dat borstvoeding de moeders opnieuw isoleert? Gaan we met het streven naar meer borstvoeding terug naar het romantische beeld van een moeder die zich uitsluitend wijdt aan haar 'heilige' taak?

Er moet een betere integratie mogelijk zijn van werk (productie) en zorg voor kinderen (reproductie), zonder dat dit leidt tot een dubbele belasting. Kinderen opvoeden is in het belang van de samenleving, en mag daarom niet meer beschouwd worden als een onbelangrijk detail waar vrouwen alleen voor opdraaien. Met borstvoeding geven als invalshoek komt er meer aandacht voor het feit, dat kinderen nu eenmaal onze zorg nodig hebben; zorg die zonder tijd en liefde niet gegeven kan worden.

Door de nieuwe arbeidstijdenwet en de regeling voor Ouderschapsverlof is daarvoor al meer ruimte gekomen. Toch zal er nog wel enige tijd overheen gaan, voordat in de wereld van het werk waardering is voor het belang van kinderen. In de vrouwenbeweging wordt gestreefd naar gelijke rechten en zelfbewustzijn; moederschap is er lang onderbelicht gebleven. Borstvoeding geven heeft echter ook emancipatie-aspecten:

- het vereist structurele veranderingen in de samenleving, waardoor de positie van vrouwen verbeterd wordt;
- het bevestigt de onafhankelijkheid gebruik te maken van de eigen lichamelijke mogelijkheden;
- door borstvoeding wordt de overmacht van de medische stand en de industrie op de helling gezet; moeders zijn niet louter consumenten, maar ook producenten;
- borstvoeding bekritiseert de visie, waarin borsten alleen worden beschouwd als seksueel object.

Zelfvertrouwen en zelfbewustzijn spelen een belangrijke rol bij borstvoeding geven, net zoals in het streven naar gelijkwaardigheid tussen man en vrouw. Het is de vraag of economische onafhankelijkheid in alle fasen van het leven bepalend is voor de keuzes die je maakt. Er is ook zelfvertrouwen voor nodig om een tijdlang 'alleen maar' moeder te zijn.

Bedrijven kunnen er voordeel bij hebben dat er goede voorzieningen zijn voor ouders, zoals kinderopvang en verlofregelingen. Zij houden hun werknemers daardoor langer vast en investeren niet steeds opnieuw in scholing. Vanuit ons westers perspectief is er al veel gewonnen bij dergelijke voorzieningen; in de meeste andere landen werken vrouwen voor het merendeel in het informele circuit, in de landbouw, het huishouden, kleine bedrijfjes, de handel. Betaald verlof is onbekend. Geld verdienen is bittere noodzaak en baby's worden al gauw aan een ander toevertrouwd.

De zuigelingenvoedingsindustrie heeft een pasklaar antwoord te bieden: flesvoeding. Ook het dilemma tussen gebondenheid aan werk of aan kinderen, dat zich in onze maatschappij voordoet, wordt volgens hetzelfde recept opgelost: de fles geeft keuzevrijheid. Daarmee wordt het probleem meteen tot een privé-probleem en wordt uit het het oog verloren dat ook voor flesvoeding tijd, zorg en aandacht nodig is. De vraag blijft bovendien of dat werkelijk zo'n ideale oplossing is. In veel landen heeft het gebruik van flesvoeding desastreuze gevolgen gekregen voor de gezondheid van moeder en kind.

Wereldwijd

Na de Tweede Wereldoorlog werden in de arme landen op het zuidelijk halfrond grote hoeveelheden magere melkpoeder (restproduct van de zuivelindustrie) via hulpprogramma's uitgedeeld. Langdurig borstvoeding geven kwam de 'beschaafde' hulpverleners vreemd voor. Drie tot zes maanden, zonder verwennen, werd acceptabel geacht. Maar heel vaak werd ook de borstvoeding al de eerste maanden vervangen door het luxe product, in navolging van hoe de buitenlanders hun kinderen voedden. In de jaren zestig werd duidelijk dat magere melk wel eiwitten en kalk levert, maar tekort schiet in calorische waarde en vitamines. Door goedbedoelde hulp was de weg gebaand voor het op de markt brengen van zuigelingenvoeding. Borstvoeding had veel van haar vanzelfsprekendheid verloren en men was zich afhankelijk gaan voelen van geïmporteerde poedermelk.

De multinationals sprongen gretig op deze gecreëerde behoefte in met zeer indringende reclamecampagnes. Heel effectief was de inzet van 'melkzusters', die, in dienst van de industrie, moeders in de ziekenhuizen en thuis babyvoeding voorschreven. Het duurde tot het einde van de jaren zeventig voordat de rampzalige gevolgen van flesvoeding in de Derde Wereld aan het grote publiek duidelijk werden. Diarree en ondervoeding namen enorm toe, er was sprake van de 'bottle-baby-disease'.

Armoede, analfabetisme en erbarmelijke hygiënische omstandigheden maakten een veilige flesvoeding onmogelijk. Toch wilden de grote industrieën hun groeiende markt niet zien afkalven. De verantwoordelijkheid voor de dood van miljoenen baby's werd weggewuifd.

UNICEF en de WHO op de bres

Eind jaren zeventig hebben de Wereld Gezondheids Organisatie (WHO) en UNICEF het initiatief genomen om te komen tot een gedragscode voor het op de markt brengen van moedermelkvervangende producten. In 1981 werd deze Code door nagenoeg alle lidstaten van beide VN-organisaties aangenomen.

Het doel van de Code is 'een bijdrage te leveren aan een veilige en geschikte voeding voor baby's, door de bescherming, bevordering en ondersteuning van borstvoeding, en door te zorgen voor een juist gebruik van flesvoeding. Als deze nodig is, moet er voldoende voorlichting over gegeven worden en de voeding moet op gepaste wijze verspreid worden'.

Borstvoeding moet bevorderd worden, omdat het volgens de WHO 'een niet te evenaren manier is om aan baby's de ideale voeding te geven voor een gezonde groei en ontwikkeling'. De Code is tot stand gekomen naar aanleiding van de schrijnende problematiek in derdewereldlanden, maar de WHO en UNICEF leggen er de nadruk op dat alle lidstaten ernaar moeten streven, de richtlijnen van de Code in nationale regelgeving om te zetten. Ook moeders en kinderen in de zogenaamde rijke landen hebben volgens de Rechten van het Kind (1989) recht op goede voorlichting over de voordelen van borstvoeding. Ze moeten beschermd worden tegen commerciële druk.

Waarom moet borstvoeding bevorderd worden?

Per jaar sterven nog steeds een miljoen baby's tengevolge van de risico's van flesvoeding; het overgrote deel in de armoede van een derde-wereldland. Toch gaat het in de geïndustrialiseerde wereld ook niet alleen om een luxe probleem, waar de gezondheidszorg altijd wel een oplossing voor heeft. We kunnen een paar aspecten bekijken.

• Onderzoekers in Colorado, VS, stelden vast dat flesgevoede kinderen een bijna zes maal zo grote kans hebben voor hun vijftiende jaar jeugdkanker te krijgen, als kinderen die langer dan zes maanden borstvoeding hebben gehad. Men heeft dat als volgt proberen te verklaren: terwijl moedermelk de weerstand tegen infecties op babyleeftijd vergroot, kan de kunstmatige zuigelingenvoeding, die geen afweerstoffen biedt, veranderingen veroorzaken in de reactie van het jonge kind op infecties. Wisselwerking tussen ziekteverwekkers en het afweersysteem in ontwikkeling kan een kritieke invloed hebben op de manier, waarop iemand later reageert op infecties of op sluimerende virussen. De schrijvers pleiten voor meer onderzoek in deze richting.

• De wetenschap maakt duidelijk dat een baby meer nodig heeft dan een voedingsmiddel. Het gaat niet om de ene melk of de andere. In het eerste levensjaar moeten verschillende orgaansystemen en weefsels nog rijpen. Moedermelk oefent op dat proces een directe invloed uit, omdat er hormonen, zoals insuline en thyroxine, en groeifactoren in voorkomen. Een interessant overzichtsartikel is te vinden op www.nature.com/nri/archive/perspective archive2004: 'Breastfeeding, maintaining an irreplaceable immunological resource'.

• Ook de antistoffen en beschermende eiwitten zorgen ervoor dat moedermelk in feite niet na te maken is. Het is naïef te denken dat dat wel mogelijk is. Nieuwe ontdekkingen maken dat eerder steeds onwaarschijnlijker. Intussen blijkt ook dat die verschillen tussen borst en fles wel degelijk effecten hebben op de gezondheid van moeder en kind. Er worden zelfs verstrekkende gevolgen gesignaleerd. Bij transplantaties blijkt de kans op afstotingsreacties kleiner, indien men vroeger borstvoeding heeft gehad, en diabetes en overgewicht komen minder vaak voor.

• De babyvoedingsindustrie is er veel aan gelegen ons te doen geloven dat hun zorgvuldige imitatie geen nadelen heeft. Het is inmiddels een achterhaald idee, dat in goede hygiënische omstandigheden borstvoeding, lichamelijk gezien, geen voordelen meer zou hebben boven flesvoeding. Zelfs voor een baby in ons rijke Westen is alleen al de kans op diarree en infectie van de luchtwegen drie maal zo groot, als hij de bescherming van borstvoeding mist. Hij heeft meer kans in een ziekenhuis te worden opgenomen. Bij de kwaliteit van het drink- of bronwater, waarmee de poedermelk moet worden aangemaakt, kan men regelmatig vraagtekens zetten.

Voordelen voor de vrouw

Positieve effecten van borstvoeding zijn ook gevonden voor de gezondheid van de moeders, waar ook ter wereld.

Een voorbeeld daarvan is het voorkomen van osteoporose, een verminderde botdichtheid die aanleiding kan zijn tot pijn, (spontane) botbreuken en wervelverzakkingen. Hoe meer kinderen een vrouw heeft gekregen, des te lager blijkt de botdichtheid. Maar bij vrouwen die borstvoeding hebben gegeven, is de botmassa hoger vergeleken met niet-voedende moeders met hetzelfde aantal kinderen. Hoe vaker en langer een vrouw heeft gevoed, des te groter blijkt de botdichtheid.

In de Westerse samenleving komt borstkanker veel meer voor dan in de meeste andere landen van de wereld. Het is duidelijk dat het krijgen van kinderen beschermend werkt en dat geldt ook voor langdurig borstvoeding geven: door per jaar zelf voeden daalt het risico met 4,3%. Interessant is het gegeven dat bij een stam in China borstkanker alleen voorkwam in de borst, waarmee de vrouwen nooit gevoed hadden. In hun cultuur is het, vanwege kleding en dagelijkse activiteiten, traditie de baby alleen de ene borst te geven. Inmiddels is in andere onderzoeken bevestigd dat de kans op borstkanker, met name voor de menopauze, kleiner is naarmate men langer heeft gevoed.

Feiten als deze krijgen niet veel aandacht in bij voorbeeld dag- en weekbladen. De oorzaak daarvan is waarschijnlijk dat men wil voorkomen, dat mensen zich bezorgd of schuldig gaan voelen. Mijns inziens hebben vrouwen het recht te weten wat er over hun gezondheid te weten valt.

Dat neemt niet weg dat het voor de meeste mensen niet zinvol is, dergelijk wetenschappelijk onderzoek aan te dragen als argument bij een individuele keuze. Het zijn gegevens die echter wel degelijk een rol dienen te spelen bij beleidsbepaling, zowel in de gezondheidszorg als in de politiek.

Iets vergelijkbaars doet zich voor als het onderwerp borstvoeding en onvruchtbaarheid aan de orde komt. Voor het individu is het (kleine) risico om in de periode, dat volledig en frequent gevoed wordt, zwanger te worden toch te groot. Op grotere schaal is het uitblijven van de menstruatie een van de belangrijke voordelen van borstvoeding. De introductie van flesvoeding heeft in grote delen van de wereld niet alleen geleid tot ziekte, ondervoeding en zuigelingensterfte, maar ook tot een groter aantal zwangerschappen per vrouw en een kleiner leeftijdsverschil tussen kinderen. Voor de kans op gezondheid van moeders en kinderen zijn beide factoren nadelig. Ondanks alle vooruitgang bij de ontwikkeling van anticonceptie en bij family-planningsprogramma's, voorkomt borstvoeding vandaag de dag meer zwangerschappen dan al de pillen, condooms en spiraaltjes bij elkaar. Zo bleek uit een onderzoek in Chili dat 72% van een groep niet-voedende vrouwen binnen zes maanden na de geboorte van hun kind weer zwanger was. In de groep die de borst gaf, was in die periode niet één vrouw zwanger geworden. Zelfs na 12 tot 17 maanden blijkt het verschil tussen voeden en niet voeden wat dit betreft heel groot: in Zaïre gaat het bijvoorbeeld om 4% tegen 59%, in India om 9% tegen 55%. De Wereld Gezondheids Organisatie en UNICEF nemen ook dit aspect van borstvoeding geven op in hun motivatie voor bovengenoemde Code, al zijn in 'rijke' landen andere, meer betrouwbare, vormen van anticonceptie te realiseren.

De Code in het kort

De tekst van de WHO/UNICEF Code is tot stand gekomen na langdurig overleg met allerlei betrokken groeperingen. Het uiteindelijke resultaat is een compromis, dat de status heeft van aanbeveling aan de lidstaten als minimum uitgangspunt voor eigen wetgeving. Door de precieze formuleringen is het niet bepaald een gemakkelijk te lezen document geworden, hoezeer het onderwerp, de gezondheid van baby's, ook aanspreekt.

Volgens de Code hebben niet alleen de industrie en de overheden, maar ook de werkers in de gezondheidszorg hun verantwoordelijkheid in de bescherming van borstvoeding. In een achttal artikelen komen de volgende onderwerpen aan de orde:

- Alle voorlichting over het voeden van baby's, ook wanneer de industrie deze geeft, moet de voordelen van borstvoeding duidelijk maken, evenals de risico's en kosten van flesvoeding.
- Geen enkele vorm van reclame naar het grote publiek is geoorloofd.
- Gratis monsters of leveranties aan ouders of zorgverleners zijn niet toegestaan, evenmin als cadeaus die het gebruik van flesvoeding bevorderen.

• Voorzieningen in de gezondheidszorg mogen niet gebruikt worden om reclame te maken voor flesvoeding; dus geen uitstalling van blikjes voeding, geen naamkaartje aan de wieg met de merknaam van flesvoeding, geen kalenders, enzovoort.
• De voorlichting van de industrie aan de gezondheidszorg moet wetenschappelijk van aard zijn en mag niet suggereren dat flesvoeding even goed, of zelfs beter, zou zijn dan borstvoeding. Ook de kosten van flesvoeding moeten hierin aan de orde komen.
• Op de etiketten van flesvoeding mogen geen woorden of afbeeldingen voorkomen die gebruik van flesvoeding idealiseren (geen baby's), en er moeten duidelijke instructies en waarschuwingen opstaan.
• De kwaliteit van flesvoeding moet beantwoorden aan een hoge, internationaal vastgestelde norm, waarbij rekening moet worden gehouden met de klimaatsomstandigheden en mogelijkheden van opslag.

We staan er hier niet bij stil hoe duur flesvoeding is. De kosten kunnen oplopen tot bijvoorbeeld 35% van het minimuminkomen, zoals dat het geval is in Brazilië. Op de Filippijnen moeten ouders met een gemiddeld loon 40% daarvan uitgeven aan de flesvoeding voor hun pasgeboren baby. De geïmporteerde melkpoeder moet met harde valuta betaald worden. Voor de economie van een ontwikkelingsland is de groeiende afhankelijkheid van melkpoederimport een zware belasting.

De economische waarde van moedermelk is eigenlijk enorm. In Indonesië is daar onderzoek naar gedaan. Daaruit bleek dat de Indonesische vrouwen per jaar meer dan 1 biljoen liter moedermelk produceerden, met een geschatte marktwaarde van meer dan 400 miljoen Amerikaanse dollar. De onderzoeker telde daar nog eens 120 miljoen dollar bij op, vanwege besparingen in de gezondheidszorg en beperking van het geboortecijfer tengevolge van borstvoeding. Dat leidde tot de conclusie, dat de economische waarde van moedermelk groter is dan die van tin en koffie; het gaat om een van de kostbaarste natuurlijke hulpbronnen van het land. Als 25% van de vrouwen stopte met borstvoeding geven, zou men naar schatting 40 miljoen dollar uit moeten geven om de toename van diarree te behandelen. Dat betekent een vijfde deel van het jaarlijkse budget voor gezondheidszorg.

Zelfs in New York zijn de kosten voor ziekenhuisbehandeling voor flesgevoede baby's tot vier maanden, 15 maal zo hoog als voor borstkinderen.

In Nederland hebben de fabrikanten van zuigelingenvoeding herhaaldelijk uitgesproken dat zij de Code zullen respecteren. Niettemin is ook in ons land met name de gezondheidszorg niet vrij van commerciële invloeden. Hoeveel artsen en verloskundigen gebruiken geen receptenbriefjes of afspraakkaarten, pennen en memoblocs met de naam van een bepaald merk flesvoeding? Misschien menen ze dat dat hun niets doet, maar wie van hen zou bereid zijn in plaats daarvan de naam van een plaatselijke nachtclub te accepteren?! Ziekenhuizen gebruiken gratis koffiemelk van het merk van de door hen gebruikte flesvoeding. Nascholing over borstvoeding wordt gratis aangeboden door deze bedrijven.

Sinds juni 1994 is de nieuwe Warenwetregeling Zuigelingenvoeding van kracht. Het is een uitwerking van de EU-richtlijn van 1991, waarin de Code maar voor een beperkt deel is opgenomen. Allerlei vormen van reclame voor kunstmatige zuigelingenvoeding zijn nu bij de wet verboden. Het uitdelen van gratis monsters of andere reclamegeschenken wordt in de toelichting op de wet met name genoemd. Ook advertenties voor babyvoeding in tijdschriften voor ouders dienen niet meer voor te komen. In vaktijdschriften voor de zorg mogen dergelijke advertenties alleen wetenschappelijke, feitelijke gegevens vermelden en nooit de indruk wekken dat flesvoeding even goed zou zijn als borstvoeding. Consumenten kunnen overtredingen van de Warenwet melden bij de Voedsel en Waren Autoriteit, 0800-0488 (gratis).

IBFAN

Zoals verwacht kon worden, heeft het formuleren van een dringende aanbeveling het probleem van flesvoeding nog niet opgelost.

Sinds 1981 is de bewustwording van het publiek toegenomen. De grote industrieën, onder wie marktleider Nestlé, zijn er niet bij gebaat negatief in het nieuws te komen. De reclame is minder rechtstreeks geworden. De gratis leverantie van flesvoeding aan ziekenhuizen is echter vooral in de niet-Westerse landen nog steeds schering en inslag. Menige moeder gaat na de bevalling naar huis met een baby die ze nog nooit volledig aan de borst gevoed heeft en met een blikje kunstvoeding, waar ze een week mee toekomt. Dan is ze verkocht en de bedrijven verkopen.

De overheden zijn vaak niet in staat de Code in wet om te zetten. Ze zijn daar soms ook huiverig voor, omdat de VS destijds, als enige en zeer invloedrijke mogendheid, tegen de Code hebben gestemd. Hoe onafhankelijk is een onafhankelijk land in ontwikkeling?

In het International Baby Food Action Network is een overkoepeling tot stand gekomen van meer dan 150 actiegroepen, die zich over de hele wereld inzetten voor de bescherming van borstvoeding en de naleving van de Code.

Eind jaren '80 is IBFAN in verschillende (ook Europese) landen voor de tweede keer overgegaan tot een boycot van Nestlé, onder andere omdat de bovengenoemde gratis leverantie aan ziekenhuizen nog steeds een veel gebruikte marketingtechniek is. Het is schrijnend te beseffen, dat het overgrote deel van Nestlés poedermelk, dat naar landen buiten de EG gaat, in Nederland geproduceerd wordt. Als zuivelland bij uitstek levert ons land de voeding, waardoor zoveel baby's jaarlijks gevaar lopen te sterven aan ondervoeding en diarree.

Van oorsprong Nederlandse bedrijven exporteren eveneens babyvoeding en schenden met hun marketing de Code in landen waar de risico's onvergelijkbaar veel groter zijn dan bij ons.

IBFAN wijst de babyvoedingsindustrie zo veel mogelijk op haar verantwoordelijkheid en op overtredingen. In Nederland is op dit gebied een IBFAN groep actief, die zich ook inzet voor betere wetgeving. Je kunt deze groep bereiken via www.babyvoeding.org en info@babyvoeding.org.

Kleine wereld – grote wereld

Met je kind aan de borst leef je in het hier en nu; je wereld is geconcentreerder dan ooit. Tegelijk heb je te maken met de maatschappelijke en politieke wil om de rol van de vrouw als moeder te waarderen.

Je bent niet alleen als je borstvoeding wilt geven. Belangrijke internationale organisaties staan achter je. Er wordt onderzoek gestimuleerd en gepubliceerd, beleidsadviezen worden gegeven. Een verklaring van de WHO en UNICEF over de bijzondere rol van de gezondheidszorg is in 1991 ook in Nederland uitgebracht. De overheid begint haar uitgangspunten voor het voedingsbeleid voor zuigelingen en peuters met de stelling: 'Instellingen voor de gezondheidszorg behoren zorg te dragen voor een goed borstvoedingsbeleid'. En een van de volgende uitgangspunten luidt: 'Borstvoeding is de beste voeding voor zuigelingen en bevordert een gezonde groei en ontwikkeling' (bulletin van de Inspectie voor de Gezondheidszorg 1999). Ook de Europese Unie onderstreept het belang van borstvoeding in haar 'Blauwdruk voor actie voor de bescherming, bevordering en ondersteuning van borstvoeding in Europa' (2004). Wil je van de nieuwste ontwikkelingen op borstvoedingsgebied op de hoogte blijven, dan kun je terecht op internet: *www.borstvoeding.nl.*

Lezersreacties:

'Ik kan je zeggen dat *Borstvoeding geven* mij heel erg heeft geholpen. Ik had wel een cursus van de VBN gevolgd, maar nadat ik bevallen was, waren er toch een heleboel dingen die me onzeker maakten, dus zat ik met mijn dochter aan de borst ondertussen je boek te lezen. Ik heb de onzekerheden overwonnen en geniet nog elke dag van het feit dat ik mijn dochter zelf mag voeden!'

'Ik heb grote steun aan je boek gehad. Het was voor mij het perfecte naslagwerk tijdens de borstvoedingsperiode. Vooral in het begin is het heel nuttig, want je hebt als kersverse, onzekere moeder veel vragen over het hoe en wat van de borstvoeding. Alle antwoorden op mijn vragen waren in dit overzichtelijke boek goed te vinden. Elke periode van de borstvoeding komt aan de orde, van de eerste week tot het weer aan het werk gaan en het beginnen met de bijvoeding in combinatie met borstvoeding.'

'Een geweldig boek; ik pak het er, zelfs nu na een jaar borstvoeding, nog steeds regelmatig even bij. Duizendmaal dank!'

'Mijn kraamverzorgster raadde mij het boek *Borstvoeding geven* aan. Vooral bij het opstarten van de borstvoeding heb ik regelmatig de onderwerpen waar ik vragen over had gelezen in dit boek. Doordat het telkens korte stukjes zijn, kon ik mijn aandacht erbij houden. Na de bevalling was mijn concentratievermogen namelijk nog kort.
'Mijn dochtertje is nu tien weken en ik geef tot nu toe met veel plezier en voldoening borstvoeding. Het enige 'probleem' is dat mijn dochter de afgekolfde melk nog niet uit een flesje wil drinken. Eigenlijk een compliment voor mezelf, het voldoet haar ook goed!'

'De informatie die je geeft in hoofdstuk 13 heeft me tot nadenken gestemd. Het belang van het zelf voeden van je kind komt hierin nog eens duidelijk naar voren. Ik vind het dan ook erg triest wanneer ik hoor dat een vrouw die begin april haar baby kreeg, via keizersnede, in het ziekenhuis van de verpleegkundigen tegenstrijdige adviezen kreeg m.b.t. borstvoeding. Ik ben zelf dan ook erg blij dat ik kraamzorg kreeg van een bureau dat veel aandacht geeft aan borstvoeding geven, waardoor ik een kraamzorgster kreeg die me goede adviezen gaf en in het begin hielp de baby goed aan te leggen. Ik wil hiermee graag doorgeven dat aandacht voor borstvoeding nog steeds hard nodig is; er leeft veel onzekerheid bij vrouwen over het geven van borstvoeding.'

'Ik heb een goede start kunnen maken, doordat ik geattendeerd werd op *Borstvoeding geven*, mijn 'bijbel', die nu met ezelsoren nog steeds onder handbereik ligt. Het ging niet altijd even soepel, maar ook met mijn tweede zoon geniet ik ervan, omdat ik besef hoe bijzonder het is om, als extra cadeau na een gezonde zwangerschap, mijn baby zelf te voeden.'

Lijst van nuttige adressen

Landelijke Vereniging van ouders van een overleden kind
Postbus 418
1400 AK Bussum
030-234 38 68

Nederlandse Patiënten/Consumenten Federatie
Postbus 1539
3500 BM Utrecht
030-297 03 03
www.npcf.nl

Voedingscentrum
Postbus 85700
2508 CK Den Haag
070-306 88 10 (algemeen)
070-306 88 90 (allergietelefoon)
www.voedingscentrum.nl

Borstvoedingorganisatie LLL
Postbus 212
4300 AE Zierikzee
0111-413 189
www.lll.borstvoeding.nl

Stichting Down's Syndroom
Bovenboerseweg 41
7946 AL Wanneperveen
0522-281 337
www.downsyndroom.nl

Stichting Mastopathie
Nieuwe Gracht 24a
3512 LR Utrecht
030-233 21 91
www.xs4all.nl/~mastopat

Stichting BabyVoeding
De Pauwentuin 19
1181 MP Amstelveen
www.babyvoeding.org

Stichting Zorg voor Borstvoeding
Postbus 2047
2930 AA Krimpen a/d Lek
www.zvb.borstvoeding.nl

Vereniging Borstvoeding Natuurlijk
Postbus 119
3960 BC Wijk bij Duurstede
0343-576 626
www.vbn.borstvoeding.nl

Landelijke Vereniging Kind en Ziekenhuis
Korte Kalkhaven 9
3311 JM Dordrecht
078-614 63 61
www.kindenziekenhuis.nl

Nederlandse Vereniging van Lactatiekundigen
Postbus 5243
2701 GE Zoetermeer
www.nvl.borstvoeding.nl

Vereniging van Ouders van Couveusekinderen
Postbus 1024
2260 BA Leidschendam
070-386 25 35
www.couveuseouders.nl

Stichting Wiegedood
Postbus 1008
2430 AA Noorden
0172-408 271
www.wiegedood.nl

Ministerie van VWS: www.minvws.nl

Ministerie van Sociale Zaken en Werkgelegenheid: www.minszw.nl

Wereldgezondheidsorganisatie: www.who.org

UNICEF: www.unicef.org

Vereniging voor Begeleiding en Bevordering van Borstvoeding VZW
Cardijnstraat 36
2910 Essen
België
(0032) (0) 3 281 73 13
www.vbbb.be

Voor allerlei artikelen voor een prettige borstvoedingsperiode:
www.borstvoedingswinkel.nl

Beknopt literatuuroverzicht

James Akre (ed.), *Infant Feeding, the physiological basis*, 1991
American Academy of Pediatrics, *Breastfeeding and the use of human milk*, Pediatrics 100 (6), 2004:
www.pediatrics.org/cgi/content/full/115/2/496
Sarah C. Danner, *Breastfeeding pamphlets*, 1986
Kathleen Huggins, *The nursing mother's companion*, 1986
IGZ bulletin, *Voeding voor zuigelingen en peuters*, 1999
Stefan Kleintjes, *Van borst tot boterham*, 2002
Sandra Lang, *Breastfeeding special care babies*, 2004:
www.pediatrics.org/cgi/content/full/115/2/496
Ruth A. Lawrence, *Breastfeeding: a guide for the medical profession*, 1999
Natalia Léon-Cava, *Quantifying the benefits of breastfeeding: a summary of the evidence*, PAHO 2002
Maureen Minchin, *Breastfeeding matters*, 1998
Paulien Osse, *Handboek werkende ouders*, 1993
Gabrielle Palmer, *The politics of breastfeeding*, 1993
Jan Riordan, Kathleen G. Auerbach, *Breastfeeding and human lactation*, 1993
Diana West, *Defining your own success: breastfeeding after breast reduction surgery*, 2001
WHO/UNICEF, *De bescherming, bevordering en ondersteuning van borstvoeding. De bijzondere rol van de gezondheidszorg*, 1997

Register

aankomen 95
aankomen van de baby 137
aanleggen, tweeling 192-194
aanleggen 62, 99, 187
aanleggen, te vroeg geboren baby 187
aanlegprobleem 99
abces 155
achtermelk 28
ademhalen, neusje vrijhouden 68
ademhalen 66
adoptiekind 203
afbouwen 225
afgekolfde melk bewaren 166
afkolven 159
afvallen moeder 109
afvallen van baby 49, 126
AIDS 207
alcohol 110
allergene stof 178
allergie 178
antibioticum 153
anticonceptie 17, 104, 238
antistoffen 13, 31, 206, 236
arbeidstijdenwet 170
avondvoeding 70
b.h., luier- 58
b.h., voedings- 43
baan 169
baarmoeder, samentrekken van 29
batterijkolf 164
beker 220
bekkeninstabiliteit 114
bescherming 13, 31
bestrijdingsmiddelen 116
bevalling 45
bevallingsverlof 169
bewaren van afgekolfde melk 166
bijten 98
bijvoeding, 49, 126, 130
bijvoeding, minderen 131
bilirubine 52
blaar, melk- 152
blauwe lamp 53
bloed in de moedermelk 157
bodylotion 103
boeren 92
borstkanker 237
borstontsteking 152
borstontsteking, abces 155
borstontsteking, bij herhaling 154
borstschelpen 41, 83
borstvergroting 205
borstverkleining 206
borst weigeren 101
borsten, hangborsten 24
borsten, kliertjes van Montgomery 26
borsten, knobbeltjes in de 157

borsten, lekken 42, 82
borsten, melkklierweefsel 25
borsten, pijnlijke 149
borsten, slappe 226
borst, stekende pijn in de 155
borsten, tepelhof 25
borsten, vocht uit de 226
borsten, voorraadholtes 25, 67
borsten, voorkeur voor één van de 104
botdichtheid 237
calorieën 109
Candida Albicans 145
Code moedermelkvervangende producten 234-236, 238
colostrum 31, 49, 229
compres, kwark- 152
compres, warm- of koud- 151
compressen, koude 56
couveuse 184
crèche 174, 175
crème 141
cupfeeding 187
cylinderkolf 163-164
D, vitamine- 218
dauwworm 179
DDT 116
depressie, postnatale 209
depressief 209
derde wereld 234
diabetes 211
dieet 181
dioxines 116, 119
dompelbad 55
doorslapen 71, 227
Down's syndroom 200
draagdoek 84
drugs 110
dysmatuur 184
economische onafhankelijkheid 231
economische waarde moedermelk 239
eczeem 179
eiwitgehalte 32, 44
elektrische kolf 164
eliminatiedieet 181
emancipatie 233
epilepsie 212
eucerine 141
extra tepel 45
fles 168
flesvoeding 23, 176, 233
fopspeen 92, 125
fruit 220
geboortegewicht 95
geboren, te vroeg 184
gedragscode moedermelkvervangende producten 235-236, 238
geelzien 52
gehemeltespleet 197
geneesmiddel, homeopathisch 213
geneesmiddel 207
genoeg voeding 87, 121
gentiaan-violet 146
gespleten lipje, kaak, gehemelte 196
gevoelige tepel 140, 229

Gezondheidsraad 119
gezondheidszorg 37
gluten 220
gratis monsters 238
groeicurve 15, 95-96
groente 220
haaruitval 107
handkolf 163
hangborsten 24
happen 64
hartafwijking 199
hielprik 202
hikken 92
HIV-virus 207
hoe lang kolven 162
hoe vaak borstvoeding 68
hoe lang voeden 72
homeopathisch geneesmiddel 213
hoofdpijn 150
houding bij te veel melk 133
houding, liggend voeden 78
houding, onder je arm 77
houding, ronde 91
houding, zittend voeden 75-77
houdingen 75
huilen 87, 88, 179
hygiëne 154
hypoallergene voeding 50, 180
IBFAN 240
ijzer 219
infectie 156
ingetrokken tepel 39
invriezen 167
irritatie van de tepel 144
jaloezie 94
jampot-pomp 56
jeuk 179
johannesolie 141
K, vitamine 52
kaakontwikkeling 16
kangoeroemethode 185
kanker, borst- 237
keizersnee 204
kloven 142
knobbeltjes in de borst 157
koemelk 222
koemelk-eiwit 50
koemelk-eiwit-allergie 178
koliek 88
kolven 56
kolven, hoelang 162
kolven, hoe te werk gaan 165
kolven met de hand 161
kolven, types 163-164
kolven, wanneer 165
kosten 16, 239
koud compres 56, 151
kraamcentrum 38
kraamtijd aandachtspunten 59
kwaliteit moedermelk 111, 137
kwarkcompres 152
lactose 137
lactose intolerantie 182
lage spierspanning 188
lamp, blauwe 53
lang voeden 224
lanoline 42
lekken 42, 82
lichaamscontact 19

liggend voeden 78
loslaten 74
luier-b.h. 58
luieruitslag 145
magnetron 169
mammografie 208
marihuana 110
masseren 161
mastopathie 156-157
meconium 31
melk, achtermelk 28
melk, afgekolfde bewaren 166
melk, genoeg 121
melk geven 27
melk, koemelk-eiwit 50
melk, overgangs- 32
melk, rijpe moeder- 32
melk, samenstelling moeder- 13, 33-34
melk, te veel 131
melk, te weinig 121
melk, vetgehalte 28, 32-33
melk, voormelk 27, 137
melkblaar 152
melkkanaaltje, verstopt 150
melkklierweefsel 25
melksuiker 182
Melkweg 30
menstruatie 17, 104, 217
menu zogende moeder 93
methode van afkolven 161
milieuverontreiniging 115
minderen bijvoeding 131
Ministerie VWS 119
Ministerie van Sociale Zaken en Werkgelegenheid 171, 173
moedermelk, economische waarde 239
moedermelk 12
moedermelk, bloed in de 157
moedermelk, kwaliteit 111, 137
moedermelk onderzoeken 119
mongooltje 200
Montgomery, kliertjes van 26
morning after-pil 105
nachtrust 227
nachtvoeding 48, 69, 227
narcose 208
Nestlé 240
neusje vrijhouden 68
neusspray 126
nitraat 220
nystatine 145
obstipatie 97
onafhankelijkheid, economische 231
onder je arm houding 77
onderkaakje ondersteunen 188
ondersteunen van de borst 67
ontlasting 97, 179
ontspannen 108
onzekerheid 29
open rug 199
oppas 173-174
oppervlakkig zuigen 73, 100, 143
opvolgmelk 222
osteoporose 236-237
ouderschapsverlof 172-173
overgangsmelk 32

overgevoeligheid 178
oxytocine 28, 29
PKU 202
pap 221
PCB's 116, 119
peuter 226
pijn in de borst 156-157
pijnlijke borsten 149
pijnlijke tepel 140
pijnlijke toeschietreflex 135
pijnstiller 57, 141, 153
pil, anticonceptie 105
pil, morning after- 105
platte speen 187
postpartum depressie 209
prematuur 183
prolactine 26
psoriasis 147
rechten vrouw 170
reclame 238
regeldagen 81, 123
regelmaat 22, 69
relactatie 129
Rijksinstituut voor Volksgezondheid en Milieuhygiëne 119
rijpe moedermelk 32
roken 110, 120
ronde houding 91
röntgenfoto's 208
rooming-in 47
rug, open- 199
rust, nacht- 227
rusten 80-81, 108
samenstelling moedermelk 13, 33-34
samentrekken van de baarmoeder, 29-30
schema 70
schildklierafwijkingen 212
schimmel Candida Albicans 145
schisis 196
slappe borsten 226
slendang 84
sondevoeding 184
speen, fop- 92, 125
spenen 223
spierspanning, lage 188
spiraaltje 105-106
spleet in gehemelte 197
spleet in lipje, kaak, gehemelte 196
spruw 144
spugen 97
stekende pijn in de borst 145, 155
sterven van een kind 213
stoppen 216
stress 111
stuwing 54
supplemental nursing system 127, 204
syntocinon 126, 185
tandbederf 16
tandem voeden 230
tandjes 98, 99, 102
te veel melk 131
te veel melk, houding 132-133
te weinig melk 121
te vroeg geboren 184
tepel, extra 45

tepel, gevoelige 140, 229
tepel, ingetrokken 39
tepel, irritatie 143
tepel, pijnlijke 140
tepel, vlakke 40
tepel, voorbereiding 39
tepel, witte 146, 147
tepel, zoeken 63
tepelbeschermers 147
tepelhoedjes 147
tepelhof 25, 30
tepelkloven 142
toeschietreflex 28, 29, 71, 73
toeschietreflex, pijnlijke 135
tong 100
tongriem 100
trombose 207
troosten 21, 226
twee kanten 74
tweeling 191
tweeling aanleggen 193
uitkoken kolf 168
uitslag, luier- 145
UNICEF 59-60, 234, 238
vader 83
vaste voeding 218
vermoeidheid 107, 210
verslikken 76-77, 132
verstopt melkkanaaltje 150
verwend 79
vetgehalte 28, 32-33
vetreserve 44
vitamine K 52
vitamine D 218
vlakke tepel 40
vocht uit de borsten 227
voeden in het openbaar 112
voeden, lang 224
voeden, liggend 78
voeden naar behoefte 48, 70
voeden, onder je arm houding 77
voeden, stoppen met 216
voeden, tandem 230
voeden, zittend 75, 76
voeden, zwanger en 228
voeding, avond- 70
voeding, bij- 49, 126, 130
voeding, fles- 23, 176, 233
voeding, genoeg 87, 121
voeding, hoe lang 72
voeding, hoe vaak 68
voeding, hypoallergene 50, 180
voeding, nacht- 48, 69, 227
voeding, sonde- 184
voeding, vaste 218
voedings-b.h. 43
voedingsschema 70
voedselvergiftiging 207
voorbereiding tepels 39
voordelen 22, 236
voorkeur voor een borst 104
voormelk 27, 137
voorraadholtes 25, 67
vraag en aanbod 68
vrijen 106
wakkermaken 69, 188
wanneer kolven 165

wanneer voeden 48
warm compres 151
wegen 50
weigeren 101
wekken 69, 188
werk 169, 231
werkgever 170, 172, 173
werkneemster 171
werktijden 173
wetgeving 170
WHO 234, 238
wisseltransfusie 53
witte tepel 146, 147
wolvet 141
zelfvertrouwen 21
ziekenhuis 38
ziekenhuisopname 207
zittend voeden 75, 76
zoeken tepel 63
zuigen 130
zuigen, oppervlakkig 73, 100, 143
zwanger en voeden 228
zwangerschap 35